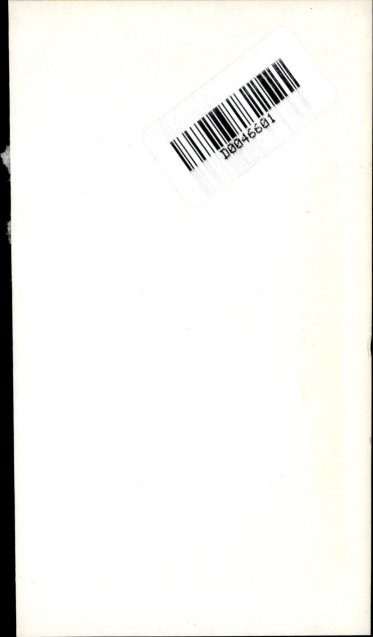

LA VIE DE PHILIPPE DE COMMYNES

JEAN DUFOURNET
PROFESSEUR A LA FACULTÉ DES LETTRES
ET SCIENCES HUMAINES DE MONTPELLIER

LA VIE DE PHILIPPE DE COMMYNES

Publié avec le concours du Centre National de la Recherche Scientifique

SOCIÉTÉ D'ÉDITION D'ENSEIGNEMENT SUPÉRIEUR
5, Place de la Sorbonne
PARIS V[e]
1969

« La plus grande charité envers les morts, c'est de ne pas les tuer une seconde fois en leur prêtant de sublimes attitudes. La plus grande charité, c'est de les rapprocher de nous, de leur faire perdre la pose ».

F. Mauriac, Vie de Racine, *p. 6.*

A la mémoire
de mon père
et
de ceux des Glières
(mars 1944)

INTRODUCTION

Les Mémoires ont été imprimés mainte et mainte fois de 1524 à nos jours. Dans l'histoire du texte, il est possible de distinguer plusieurs périodes. La première, de 1524 à 1552, est négligeable dans la mesure où les éditeurs, n'ajoutant ni préface, ni commentaires, se recopient sans scrupule, et corrigent Commynes, en sorte qu'à aucun moment nous ne sommes assurés de lire l'œuvre qu'a dictée le seigneur d'Argenton. La seconde, s'étendant de 1552 à la fin du XIXe siècle, est caractérisée par un effort constant, mais encore insuffisant, pour atteindre à plus de fidélité et d'exactitude, et pour réunir de nombreux documents qui éclairent les Mémoires. Il convient de faire une place particulière à Denys Sauvage (1552) qui a utilisé le Vieil Exemplaire, apparenté au manuscrit Dobrée ; aux Godefroy qui ont, en quelque sorte, accaparé la publication des Mémoires aux XVIIe et XVIIIe siècles ; à l'abbé Lenglet du Fresnoy (1747, 4 vol.) qui s'est servi du ms. Dobrée ; à E. Dupont qui a recouru aux mss. 10156 et 3879 de la Bibliothèque nationale, et qui, parmi les preuves de son troisième volume, a recueilli plusieurs pièces inédites ; à R. de Chantelauze (1881) qui, le plus souvent, s'est borné à reproduire l'édition dont nous venons de parler, mais a introduit, dans l'apparat critique, des variantes empruntées au ms. Montmorency-Luxembourg. Mais tous ces chercheurs ont hésité à rejeter purement et simplement les leçons généralement très suspectes.

C'est seulement au XXe siècle que l'on a mis à la disposition des historiens les deux meilleurs manuscrits des Mémoires. Bernard de Mandrot (1901-1903, deux vol.) a édité le ms. Polignac, le seul qui soit complet, et il a élucidé la plupart des difficultés dans un commentaire copieux et, à l'ordinaire, sûr, bien qu'ici ou là, il ait incriminé trop vite notre historien. Joseph Calmette (1924-1925, trois vol.) a choisi de publier le ms. Dobrée, et l'on ne saurait trop louer son travail. Est-ce à dire qu'il ne reste plus rien à faire pour améliorer le texte des Mémoires ? Il semble que la tâche qui s'impose maintenant aux érudits soit d'établir une édition complètement critique qui ne négligerait aucune des multiples variantes de tous les manuscrits connus et même des premières éditions, et qui s'attacherait à suivre le plus fidèlement possible, sauf en quelques cas désespérés, le ms. Polignac qui paraît être le meilleur et que B. de Mandrot a eu tort de corriger ou de compléter en plusieurs endroits pour n'avoir pas reconnu des mots et des tours propres à la langue de Commynes et de son siècle.

Pour connaître la vie et la pensée du chroniqueur, pour apprécier la valeur historique de son témoignage, nous disposons d'articles et d'ouvrages de qualité, et en particulier de la somme que Kervyn de Lettenhove a intitulée Lettres et négociations de Philippe de Commynes. Mais personne ne doute que celle-ci, vieille d'un siècle, ait besoin d'être mise à jour. D'abord, il est nécessaire de la compléter par les enseignements que l'on peut tirer soit d'un texte meilleur, soit de documents nouveaux — découverts, autrefois, par Ch. Fierville ou, récemment, par L. Sozzi, éditeur des lettres de Commynes à Fr. Gaddi —, soit, enfin, de la relecture, sous un autre éclairage, de documents anciens, et alors certaines phrases, passées jusqu'ici inaperçues, aideront à résoudre des problèmes importants. Ensuite, il faut lester cette œuvre de preuves supplémentaires, et en éliminer des jugements hâtifs ou partiaux. Enfin, et surtout, il convient d'élargir le champ de nos investigations pour ne pas rester enfermés dans le cadre trop étroit d'une simple biographie.

Si l'on veut réaliser ce projet, il faut non seulement utiliser les études partielles qui ont été consacrées à tel ou tel aspect des Mémoires ou de la vie de notre auteur (par exemple, à l'autorité historique de Commynes par Mandrot, à ses idées politiques par Bourrilly, à sa mission italienne de 1478 par L. Cerioni, à sa religion par J. Liniger, à ses rapports avec Machiavel par K. Dreyer...), mais encore multiplier les monographies, en reprenant sur de nouvelles bases l'enquête grammaticale, sémantique et stylistique, en s'efforçant de mieux connaître les personnages qui apparaissent ou n'apparaissent pas dans les Mémoires, en se demandant quelle a été l'influence sur notre auteur des Bourguignons, de Louis XI, de l'Angleterre, de l'Italie, en s'interrogeant sur sa vision du monde, sur le jeu des apparences et de la réalité, sur le rôle de l'argent dans cet univers secret et méchant... Alors seulement on pourra substituer à la précieuse introduction de G. Charlier une synthèse large et approfondie qui ne néglige rien de cet écrivain difficile à saisir, et qui le situant dans son époque, permette de déceler sa véritable originalité par une comparaison minutieuse et complète, sur des épisodes identiques ou voisins, avec les chroniqueurs contemporains, qu'on reconnaisse à leur témoignage une grande valeur ou qu'on ne voie plus dans leur œuvre qu'un assemblage de rumeurs sans fondement ou d'accusations mensongères. Car, pour se faire l'idée la plus exacte possible du mémorialiste, il importe de tenir compte des bruits qui ont couru autant que des faits dont la véracité ne saurait être mise en doute.

Mais, objectera-t-on, pourquoi accorder une place aussi grande à Commynes alors que des annalistes, comme Thomas Basin, Jean de Roye ou Olivier de La Marche, sont moins bien partagés, et qu'à y regarder de près, son action politique paraît avoir été beaucoup plus mince qu'on ne pourrait le penser ? En effet, surtout sous le règne de Charles VIII, ses échecs ont été nombreux ; sous ce roi comme sous son père Louis XI, les affaires ont été conduites ou par le souverain, ou par les grands, ou par des commis autres que le mémorialiste dont la toute-puissance (et encore ce terme est-il exact ?) a duré moins de cinq ans.

Mais Commynes est d'abord un excellent témoin dont la carrière offre de multiples ressemblances avec celle de certains de ses contemporains qui jouèrent un rôle important dans l'histoire de cette époque. L'ouvrage de J. Bartier sur les Légistes et gens de finance au XVe siècle *nous apprend que, plus d'une fois, les Goux, les Gros, les Druet, les Jean Jouffroy, les Odot Molain... manquèrent, comme notre auteur, aux règles les plus élémentaires de la probité, de la justice, de la délicatesse. Notre chroniqueur eut le comportement et la fortune des bourgeois qui s'enrichirent au service de leurs princes. Les uns et les autres reçurent de leurs maîtres des dons considérables, et, en particulier, des rentes fort recherchées sur le sel ; ils cumulèrent plusieurs charges, se constituèrent de vastes domaines et un riche mobilier ; ils furent habiles à faire fructifier leurs terres et leur argent ; ils prêtèrent de grosses sommes à des nobles impécunieux et marièrent leurs filles à des débiteurs appartenant aux familles les plus anciennes ; ils augmentèrent leurs richesses par des profits accoutumés, ou occasionnels (comme ambassadeurs, comme protecteurs de villes ou de particuliers), ou illicites ; ils eurent plus d'une fois maille à partir avec la justice...*

L'image que le seigneur d'Argenton nous présente tant de lui-même que des événements auxquels il a participé mérite donc qu'on l'examine de près. Est-elle exacte ? Est-elle complète ? Tout mémorialiste est enclin à flatter son propre personnage, à majorer son rôle : le nôtre est de chercher quel crédit on peut faire aux Mémoires, de déceler les déformations que Commynes impose aux faits, de découvrir, autant qu'il est possible, ses intentions secrètes. C'est une hypothèse raisonnable de postuler un écart entre la portée réelle du rôle de Commynes et le jugement qu'il porte sur elle.

Il reste à estimer au plus juste cette distance. Son ralliement à Louis XI après huit années au service de Charles le Téméraire fut, à n'en pas douter, un acte capital dans l'existence de Commynes. Historiquement, Commynes épuisa assez vite l'influence que cette volte-face lui avait value auprès de son nouveau maître. Il dut en souffrir. Il est probable que, dans bien des cas, les Mémoires reflètent et cette déception et la nostalgie d'une carrière plus brillante et peut-être le remords informulé de l'avoir compromise en changeant trop tôt de maître.

Mais nous intéresserions-nous à Commynes si son œuvre n'avait pas une certaine qualité de ton qui la fait demeurer moderne, et qui la distingue des chroniques et des journaux qui se sont multipliés au XVe siècle ? Sans aucun doute, son style simple, fuyant la redondance et l'enflure, étonnamment divers, passant de l'ironie et de l'humour à une sécheresse toute diplomatique ou, au contraire, à une éloquence sans boursouflure, tour à tour réaliste et abstrait, son style donc assure à ses Mémoires une valeur littéraire qui éclate dans les récits de bataille (Montlhéry, Brusthem, Fornoue) ou de siège (Beauvais) aussi bien que dans les portraits, qu'il en rassemble les éléments en une ou deux pages (Louis XI, Édouard IV), ou qu'il procède par touches dispersées (Charles le Téméraire). Et peut-on nier sans injustice qu'il expose avec clarté les affaires les plus difficiles et les plus obscures, qu'il mette à nu les ressorts secrets, les conflits d'intérêts, l'envers sordide du décor (songeons aux intrigues de 1471-2), avec le souci constant de ne rien laisser échapper du réel, en refusant de céder à la tentation d'une simplification abusive en sorte que souvent son style semble hésitant et que nous sont proposées plusieurs explications ? C'est pourquoi, de cette œuvre en apparence simple et modeste, se dégage avec intensité le sentiment de la complexité de ce monde qui échappe à nos prises et où s'affrontent des hommes à l'esprit retors et tortueux.

Et puis, même si Commynes n'a pas la profondeur d'un Thucydide ou d'un Machiavel, il est le premier dans la littérature française à explorer de façon consciente le domaine de la politique, à donner aux gouvernants des avis perspicaces et pénétrants sur l'importance de l'action diplomatique, de l'argent, de la méfiance, du secret, sur les rapports entre le souverain et ses bons (ou ses mauvais) conseillers, sur la nécessité d'une formation étendue et sûre afin de pouvoir agir sur autrui... Tantôt il énonce en clair ses idées, tantôt il nous laisse le soin de les reconnaître et de les dégager de l'analyse de certaines situations ou du récit d'épisodes privilégiés.

Sous prétexte que le mémorialiste est à la fois juge et partie, faut-il négliger le témoin qui a connu de près les principaux acteurs du drame qui s'est joué entre Louis XI et Charles le Téméraire, pendant la seconde moitié du XVe siècle, et qui s'est terminé par l'effondrement de l'État bourguignon ? Sur les uns et les autres, il nous apporte un témoignage circonstancié et lucide que nous ne pouvons rejeter, même s'il convient de l'utiliser avec prudence et de le retoucher çà et là.

Enfin, quel est cet homme qui, dans les Mémoires, nous paraît humble, modéré, fidèle, serviable, mais que les pièces de ses nombreux procès nous présentent cupide et peu scrupuleux ? Est-il bon ? Est-il mauvais ? Son œuvre (sans oublier ses lettres), sa vie, les documents contemporains comme les dépêches des ambassadeurs milanais, les jugements qui ont été portés sur lui tout au long de cinq siècles, nous fournissent des éléments contradictoires entre lesquels il est difficile de choisir. De quels critères userons-nous ? Certains mettent au premier plan les impératifs de la morale, d'autres les nécessités de la politique. Mais pouvons-nous dissocier l'homme public de l'homme privé ? A-t-il abandonné le Téméraire par lucidité, ou par rancœur, ou par vanité, ou par ambition, ou par cupidité ? Quand il apprécie un acte ou juge un personnage, le fait-il avec l'impartialité de l'historien, comme l'estime G. Charlier, ou avec quelque arrière-pensée, en cherchant une revanche ou en se préparant des jours meilleurs ? Et il faut se demander s'il déforme les faits délibérément et consciemment, ou bien à son insu, avec l'impression de ne servir que le vrai.

Dès lors, on comprend que, si l'on veut tenter de répondre à ces questions, il convienne de mener une enquête approfondie tant sur les personnages que sur les épisodes dont parlent les Mémoires, et surtout sur les rapports que les acteurs de cette histoire ont eus, ou qu'ils ont pu avoir, avec le chroniqueur. Trop souvent, dans les études dont nous disposons, cet aspect a été négligé, ainsi par B. Croce, lorsqu'il s'efforça de rétablir la vérité sur Campobasso ; ou une excessive partialité a entaché de nullité les résultats de la recherche, comme c'est le cas pour celle de Boislisle sur Étienne de Vesc.

C'est de cette manière que sera dévoilée la signification exacte, et secrète, de certaines phrases, anodines au premier abord. Ainsi, pourquoi est-il signalé, à la fin du premier chapitre du livre III (éd. Calmette, I, 176), qu'au cours de l'an 1470, le Téméraire, qui se trouvait en Hollande, « fut adverty par le feu duc Jehan de Bourbon que brief la guerre luy seroit commancée, tant en Bourgongne que Picardie, et que le roy y avoit de grans intelligences et aussi en sa maison »? Calmette se contente de noter : « *Réflexion piquante de la part de Commynes, qui va mentionner bientôt son passage au service du roi* ». *Pour notre part, nous y découvrons non seulement une des* obsessions du mémorialiste : *la trahison étant un fait* constant et général, *on ne saurait sans injustice lui reprocher la sienne avec trop de sévérité ; mais encore une* justification plus précise *qu'il a l'habileté de placer dans la bouche de son propre ennemi Jean II de Bourbon : en 1470, d'autres Bourguignons, et parmi les plus grands, ou les plus liés à leur maître, étaient, eux aussi, secrètement achetés par Louis XI, et si la plupart ne changèrent pas ouvertement de camp, il n'en demeure pas moins qu'ils étaient des traîtres.*

CHAPITRE PREMIER

LE SIRE DE RENESCURE
OU
AU SERVICE DU DUC DE BOURGOGNE

> « *Toutefois il fault que chascun les* (les princes) *serve et obeysse aux contrees ou ils se tiennent, car on y est tenu et aussi contrainct* ».
>
> (Commynes, Mémoires, *liv. I, ch. 16, èd. Calmette, t. I, p. 93*).

LE NOM DE COMMYNES

Un premier problème requiert notre attention : celui de l'orthographe du nom de notre mémorialiste. Plusieurs graphies circulent : Commynes, Commines, Comines. G. Mounin, dans son *Savonarole* (1), adopte encore la dernière. Or il semble hors de doute, si l'on s'en réfère au sceau de notre auteur reproduit par E. Dupont dans l'*Introduction* de son édition (2), qu'il faille écrire *Commynes,* comme le font Mandrot et Calmette, les éditeurs avisés des *Mémoires,* bien que le nom de la ville belge qui se trouve près de la frontière française soit *Comines.*

Une fois fixée l'orthographe du nom patronymique, il importe de remarquer que jamais notre chroniqueur ne posséda la terre de Commynes qu'en 1373, Jeanne de Wazières apporta en dot à son mari Colart van den Clyte, grand-père de Philippe, conseiller du comte de Flandre Louis de Male (3), lequel Colart prit alors le titre de seigneur de Commynes. Il eut deux fils, Jean et Colart II. Le premier hérita du château de Commynes, le second de celui de Renescure. L'auteur des *Mémoires*, étant fils de ce dernier, ne fut donc, jusqu'à sa défection en 1472, que le sire de Renescure. Ensuite, les faveurs royales firent de lui un prince de Talmont, son mariage un seigneur d'Argenton.

Un nouveau problème se pose à nous : pourquoi s'appelle-t-il Philippe de Commynes, puisque ni son père, ni lui-même n'ont possédé le château de ce nom, qu'ils étaient des Van den Clyte, que le fils n'exerça pas de fonctions à Comines ? Sans doute convient-il de penser avec Dupuis (4) que « la qualification attachée à son surnom ne peut... être que celle du lieu où il est né, selon un usage du moyen âge qui se continua bien plus tard encore » (5).

LES ANTÉCÉDENTS

Nous ne remonterons pas au-delà de deux générations, pour présenter des personnages dont les idées et les vicissitudes ont pu influencer la vie et la pensée de l'historien, encore qu'on puisse estimer avec F. Mauriac (6) : « L'individu le plus singulier n'est que le moment d'une race. Il faudrait pouvoir remonter le cours de ce fleuve aux sources innombrables, pour capter le secret de toutes les contradictions, de tous les remous d'un seul être ».

Le premier à jouer un rôle important en Flandre, c'est ce Colart I van den Clyte qui fut bailli de Gand, et qui l'était quand Louis de Male extermina les tisserands. En

1377, il apposa son nom au bas de l'acte qui confisquait les franchises de la ville d'Ypres. Ainsi, ce que nous trouvons en jetant un regard rapide sur la vie du grand-père de notre écrivain, ce que nous rencontrerons encore avec son père, ce sont des hommes au service du pouvoir central, peu favorables aux libertés communales. Il s'ensuit que, dans l'hostilité que Commynes manifeste à l'égard des Gantois et des Liégeois, auxquels il refuse, en plusieurs endroits (7), toute habileté politique, il ne serait pas déraisonnable de voir un héritage plutôt qu'une prise de position personnelle ; ou, plus précisément, n'aurait-il pas essayé d'apporter à une haine familiale une justification tirée de son expérience et de l'histoire contemporaine ?

Qu'il soit sensible aux liens et aux traditions de famille, plusieurs faits le prouvent. Parle-t-il, dans son œuvre, de seigneurs que le roi Charles VIII, sur le chemin du retour, envoya à Gênes pour y faire éclater une révolte ? Il mentionne « le seigneur de Beaumont de Poulignac, *son beau frere* » (8). Quand il est question du mariage de Marie l'héritière de Bourgogne, il réserve une place particulière à l'opinion de « madame de Hallebin, premiere dame de ladicte damoyselle » (9) ; or il s'agit là de Jeanne de la Clite, dame d'Hallwin, cousine de notre mémorialiste, dont personne d'autre ne signale l'intervention décisive en un moment aussi crucial ; mais Molinet parle d'elle à plusieurs reprises : lors du baptême du jeune Philippe, elle resta aux côtés de Marie (10) ; en 1494, elle fit partie de la suite de Marguerite d'Autriche (11) ; en 1496, elle l'accompagna lorsqu'elle alla au-devant de Jeanne d'Aragon (12).

Le conseiller de Louis de Male eut un très grand crédit : on lui confia la charge de confisquer les biens ; les villes le flattaient. Mais, dans son passé, demeure quelque obscurité : il fut soupçonné d'avoir tué, ou fait tuer, un adversaire. Deuxième trait de cette famille : ses membres n'hésitaient pas à recourir à la violence et à sortir de la légalité.

Ses deux fils ne manquèrent pas à ces traditions. L'aîné, Jean, lui aussi haut fonctionnaire bourguignon (13) ; accusé lui aussi de meurtre ; en butte à l'hostilité des communes aussi bien qu'à l'inimitié des princes, comme le duc de Bourbon ; un des premiers chevaliers de la Toison d'or en 1429 (14). Nous lisons son nom à côté de ceux d'Antoine de Dammartin, de David de Brimeu, d'Hue de Lannoy, de Pierre de Luxembourg, d'Antoine de Croy etc..., c'est-à-dire de grands personnages, tant français que bourguignons : les Commynes appartiennent donc aux hautes sphères de la société flamande.

Le cadet, Colart II, fut armé chevalier à Saint-Riquier (15). Il s'y distingua parmi les combattants : « *Le seigneur de Commynes, un vaillant chevalier de Flandres, fut tout au long du jour avec plusieurs autres vaillans hommes de sa nation de Flandres empres son prince, et prit toutes aventures avec luy, et y acquit de l'honneur et du los beaucoup celuy jour, et se monstra chevalier de grand prix* » (16). Mais il tomba aux mains des ennemis (17). Gouverneur de Cassel, en 1429, il voulut sextupler les amendes payées au prince, dont il avait sa part. Apparaît ici ce goût de l'argent que nous décèlerons chez notre chroniqueur. Cette prétention suscita une insurrection. Le château de Renescure, pris par les révoltés, fut détruit. Mais le duc Philippe soutint son serviteur et contraignit ses sujets à faire amende honorable et à verser une somme considérable. Homme de confiance, il fut chargé d'une ambassade auprès des Anglais pour réclamer Calais (18). Il commanda les Gantois au siège de cette ville en 1436 (19), tandis que son frère Jean dirigea les Yprois ; mais les Gantois abandonnèrent rapidement l'entreprise, et, à leur retour, ils bannirent Colart de leur cité : « *Et escripvirent les Gantois a ceulx de leur chastellenie que qui pourroit prendre l'un des dessusdiz bannis et le mettre en leurs mains, il auroit pour son salaire trois cents livres tournois* » (20). En 1437, on lui permit de rentrer à Gand (21). Haut fonctionnaire, il poursuivit une belle carrière. Bailli de Gand en 1432, souverain bailli des Flandres en 1435, il jugea les Brugeois en 1437 (« *...les dessusdiz Brughelins l'avoient tres mal en leur grace* ») (22), et dut fuir de nouveau Gand en 1451. Personnage suspect, au point que J. Bastin a pu l'accuser « d'indélicatesses professionnelles » (23) et de détournements de fonds, commis sans doute pour faire face aux dépenses énormes engagées pour la fortification de son château.

DATE DE NAISSANCE

Sur ce point, il y a désaccord entre les deux savants éditeurs des *Mémoires*, B. de Mandrot et J. Calmette. Quels sont les éléments du débat ?

1°) *Une épitaphe de l'église de Renescure* dont fait état E. Dupont (24). Selon celle-ci, la mère de Commynes mourut en 1447. Ce document paraît suspect. En effet, il fait mourir Colart II en 1451 ; or, en 1452, il vivait encore, et sa charge de souverain bailli ne fut concédée que le premier mars 1454. En outre, ce document se trompe sur le prénom de la mère, qui s'appelait Marguerite d'Armuyden et était la seconde femme de Colart.

2°) *Un registre de la Chambre des Comptes de Lille* (25) affirme que Philippe est le fils aîné de Colart, et son héritier. Ce qui amène Calmette (26) à penser que la mère de Commynes ne mourut pas en 1447, tandis que Mandrot (27), pour conserver cette date, fixe en 1445 la naissance de notre auteur.

3°) *Une datation de Sleidan* (28) situe en 1509 la mort du mémorialiste, qui, en fait, ne trépassa qu'en 1511. Mais le traducteur ne se contente pas de cette date, il précise l'âge de Commynes : 64 ans. Si l'on admet que le savant latiniste est à l'ordinaire bien informé, et que, par conséquent, l'on accepte ce dernier renseignement, on retrouve 1447 comme année de naissance.

4°) *Une précision de l'historien lui-même* qui commence ainsi ses *Mémoires* : « *Au saillir de mon enfance et en l'aage de monter a cheval, fus amené a Lille devers le duc Charles de Bourgoigne* » (29). Il se trouva pour la première fois à la cour ducale au moment de l'affaire Rubempré : un bâtard de cette famille était accusé d'avoir voulu enlever le comte de Charolais. Une ambassade royale protesta alors, devant le duc de Bourgogne, contre les allégations de son fils qui incriminait Louis XI. Nous savons que les Français arrivèrent le 5 novembre 1464. Acceptons-nous la date de 1445 ? Le chroniqueur aurait alors 19 ans et les termes qu'il emploie ne s'accordent guère avec un âge aussi avancé. Cette constatation renforce la position de ceux qui inclinent à placer cette naissance en 1447.

5°) *Un autre argument tiré lui aussi des MÉMOIRES* (30). Parlant de la misère effroyable que subirent les assiégés de Novare, ils nous disent : ... « *cent ans avant que nous naquismes, ne souffrirent gens si grant faim* ». Faut-il, pour une fois, croire à l'exactitude absolue de notre chroniqueur, et y voir une allusion au siège de Calais de 1347 ?

Nous avons donc tout un faisceau de probabilités en faveur de l'année 1447 (31), sans qu'il soit besoin de placer à une date postérieure la mort de la mère de Commynes. En effet, on ne connuît à celui-ci qu'un frère bâtard et des sœurs illégitimes. De toute manière, un fait demeure : dès sa naissance, il est étroitement lié à la maison de Bourgogne, puisque Philippe le Bon est son parrain, et lui donne son prénom.

LA MORT DU PÈRE

Colart II mourut sans doute en 1453, laissant une situation de fortune fort délabrée. Il devait, en outre, une grosse somme d'argent au duc de Bourgogne. Aussi vendit-on la terre de Renescure et renonça-t-on à la succession. Plus tard, en juin 1464, les tuteurs rachetèrent cette terre ; et le premier octobre 1469, notre mémorialiste se vit remettre tout ce que devait son père (32). Un document, publié par E. Dupont (33), nous apprend que l'on dépensa 250 livres tournois pour les funérailles de Colart et qu'il fut alloué 500 livres pour l'éducation du fils :

> ...« *et au regard des autres articles dudict compte, faisans mencion de l'entretenement, nourriture et accoustremens de feu messire Philippes de Commynes, en son vivant chevalier, seigneur d'Argenton, pour le temps qu'il estoit mineur et qu'il s'est tenu avec feu messire Jehan de Commynes, son tuteur, ladicte cour les a allouez audict demandeur pour la somme de V c livres tournois* ».

Une succession lourde de dettes (qui n'était pas encore réglée le 7 juillet 1519, c'est-à-dire huit ans après la mort du mémorialiste) (34), une vie contrainte à l'étroitesse — ce qui donna sans doute à l'argent une telle importance dans la pensée de Commynes. A son tuteur, la postérité, comme le dit naïvement E. Dupont (35), « peut à juste titre demander ce qu'il fit pour accroître un trésor non moins précieux, pour développer, enrichir, orner la jeune intelligence commise à ses soins ». Rien ne permet d'avancer avec E. Faguet (36) qu'elle ait été particulièrement négligée. On ne saurait même affirmer avec E. Dupont (37) qu'il n'apprit pas le latin. Sleidan (38) ne dit pas qu'il l'ignore, mais seulement qu' « *il n'estoit que petitement* exercé *dans la langue latine* ». L'auteur lui-même n'est pas plus explicite : quand il parle d'A. Cato (39), « *bien usité* » dans cette langue, on ne peut en conclure qu'il l'ignore lui-même : ce qu'il semble permis d'admettre, c'est, croyons-nous, que, dans sa maturité, il savait lire les textes en latin, sans, pour autant, l'écrire ou le parler comme en témoigne ce passage des *Mémoires* (40) :

> ...« *et davantaige y vint le president de Ganay, pour porter la parole en latin, et ung appelé mons*r *de Morvillier, bailly d'Amyens ; car jusques lors j'avoye parlé en maulvais ytalien, mais nous estions a coucher noz articles* ».

Il nous est possible de préciser grâce à une autre phrase de Sleidan qui note : « Comme il vint sur l'âge, il regrettoit n'avoir esté *dès sa jeunesse* instruit en la langue latine ». Bref, il fut sans doute moins familier de cette littérature que ne le fut G. Chastellain, « *escolier en Louvain* » en 1430 (41). Ce qui ne fut pas sans influencer son style que n'encombrent ni les essais de périodes cicéroniennes, ni les allusions mythologiques, ni les procédés de la rhétorique ancienne et médiévale, ni les discours à la Tite-Live. Pour s'en assurer, il suffit de comparer le prologue des *Mémoires* avec celui de la *Chronique* de Chastellain (42). Commynes déplora, nous dit Sleidan, cette éducation un peu bâclée, eu égard à son insatiable curiosité (43). Pourquoi ? Peut-être parce qu'il fut, de ce fait, incapable d'écrire lui-même ses *Mémoires* en latin, et de garder, jusqu'au dernier moment, le premier rôle dans les négociations. Quoi qu'il en soit, on ne peut que souscrire aux jugements de M. R.L. Wagner qui apprécie une œuvre « dont la prose alerte, musclée, dense aussi, se développe sans être alourdie par le moindre latinisme » (44), et qu'il range au nombre de ces « textes francs et sur lesquels ne s'exerce aucune influence pédante » (45).

AU SERVICE DU TÉMÉRAIRE

En novembre 1464, Commynes devint écuyer du prince héritier Charles de Bourgogne. Il n'a donc pas connu à la cour de Philippe le Bon le dauphin qui en partit en 1461. Mais il lui fut possible d'assister aux développements de l'affaire Rubempré, affaire louche où il est difficile de retrouver la vérité, et qui l'initia à un monde ambigu, trompeur et violent (46).

1465 : Montlhéry. Il s'y battit avec un certain courage, comme il a soin de nous en informer, quand bien même il affirme que c'est une preuve de son inexpérience. Il découvrit la réalité de la guerre, son désordre, ses lâchetés (47), encore qu'il ne faille pas penser qu'il nous livre dans les *Mémoires* ses réactions de jeune combattant, mais nous avons plutôt dans son récit une vision de la bataille revue et arrangée par l'historien et l'apologiste. Il participa aux expéditions punitives contre les villes révoltées : sac de Dinant (1466), bataille de Brusthem (1467), reddition de Liège (1467) (48), où il lui fut possible de comparer les piètres résultats des victoires militaires avec l'efficacité de l'action diplomatique.

Quelles récompenses financières lui valurent de tels services ? Prenons quelques chiffres (49). En 1467, 48 livres ; le 8 octobre de la même année, 568 florins ; le premier octobre 1469, 134 florins. Comparons ces chiffres avec celui de la pension que lui octroya Louis XI lors de la défection : 6000 livres tournois. Commynes aimait l'argent, le Téméraire le dispensait parcimonieusement (50), comme les *Mémoires* nous le suggèrent au livre V dans le portrait du duc (51) : « *Ses bienfaictz n'estoient point fort grandz, pour ce qu'il vouloit que chascun s'en sentist* ». Mais, bien ou mal payé, le chroniqueur était, parmi les familiers de Charles, un personnage en vue. D'abord écuyer-échanson, il porte, en janvier 1468, les titres de chevalier, conseiller et chambellan, de châtelain et capitaine du château de Ruhoult en Artois (52). Il signe les comptes de la ville de Courtrai comme commissaire de son maître, puis, en 1468, ceux de la ville d'Ypres, son collègue étant Humbercourt qu'il apprécia fort, ainsi qu'en témoignent plusieurs passages de son œuvre. A. de But (53) nous apprend qu'il était *secretissimus secretarius ducis Karoli* ; et, selon Aubert Miraeus, il était *perfamiliaris* du prince. Or, de tous ces titres, de cette faveur, pas un mot dans les *Mémoires*. Pour Calmette, « la discrétion de l'auteur est telle qu'il semble se plaire à dissimuler ses propres gestes » (54). En fait, il lui fallait passer pour un homme de second plan, dont la défection n'entraînait pas de graves conséquences pour le Téméraire. Il est d'autres signes de son importance. A la fin de 1467, il participa aux funérailles de Philippe le Bon, si l'on en croit Jacques Du Clercq (55) :

> « *Le corps portoient les seigneurs de Joingny, Crequy, Grandehue,* Commines, *Bossu, Vevres, Breda, le bastard de Brabant, Philippes, fils du bastard de Bourgoingne, Philippes de Bourbon, et le marquis de Ferrare* ».

Bien plus, en juillet 1468, il jouta dans le tournoi donné à l'occasion du mariage de son maître et de Marguerite d'York, comme nous l'apprend Olivier de La Marche, fidèle chroniqueur des fastes chevaleresques (56) :

> « *Toutes choses achevees, arriverent lesdits vingt cinq nobles hommes, dont messire Charles de Chalon, conte de Joingny, cousin germain de monseigneur le prince d'Oranges, estoit le chief... et après luy venoient les aultres, c'est a sçavoir messire* Philippes de Commines, *dom Petre, messire Jaques d'Emeries... tous richement couvers*

> *ou harnachez, les ungs de soye, les aultres de brodure ou d'orfavrerie. Ilz estoient armez et emplumez comme en tel cas appartient, et portant chascun d'eulx une espee rabatue en sa main* ».

Commynes n'en parle pas davantage. Sans doute refuse-t-il de rapporter les rites de la chevalerie finissante, qu'il juge vains et qui ne sont que l'écume superficielle et trompeuse d'un monde beaucoup plus terre à terre ; mais aussi il ne veut pas donner prise à la critique en révélant les faveurs qu'il reçut de son premier maître. D'ailleurs, il se trahit à l'occasion. Souhaite-t-il souligner son importance à Picquigny ? Il nous dit que le roi d'Angleterre le reconnut (57). Celui-ci n'a pu garder un souvenir précis de notre mémorialiste que parce qu'il fut chargé de missions délicates en Angleterre, et qu'il assista, comme il nous le rapporte (58), à l'entrevue de Saint-Pol, et ce, parmi les plus proches collaborateurs du Téméraire.

PÉRONNE (1468)

Cette fameuse rencontre marqua un tournant dans la vie du chroniqueur. Il n'avait alors que 21 ans. Sa prépondérance lors de ces dramatiques journées nous permet d'apprécier son exceptionnel talent. Beaucoup moins discret sur son action que ne l'ont dit Mandrot (59) et Calmette (60), il s'attribue tout le mérite de la réussite (61), nous renseignant ainsi de manière involontaire sur sa position à la cour de Bourgogne. S'il joua un rôle aussi déterminant qu'il nous le laisse entendre, c'est qu'il était un familier de Charles, un conseiller écouté, qu'il partageait sa chambre, insigne faveur. Il s'y révéla très habile, ou du moins il le prétend. Il le fut sans doute, puisque Louis XI, par la suite, s'efforça de l'attirer dans son camp par tous les moyens. D'un côté, il sauva le roi ; de l'autre, il donna une belle victoire morale au Téméraire, loyal et généreux envers un suzerain couvert de honte. Selon G. Leseur, l'historien du comte de Foix Gaston IV (62), il était déjà au service du Français et, en cette occasion, il lui dicta sa conduite. Notre source ajoute un détail précieux : le sire de Renescure était le *mignon* du duc, autrement dit son favori — ce qui, contrairement à ce qu'il essaie de suggérer par ses silences, aggrave singulièrement la trahison. De la confrontation des textes, il ressort qu'à cette date, Commynes joua double jeu, et sut se ménager les deux princes ; qu'il proposa au roi un parti qui était déshonorant, mais qui eut l'avantage de lui sauver la vie. Pourquoi cette attitude ? Sans doute toucha-t-il de l'argent, pas autant qu'il le devait, ou le désirait, si l'on en juge d'après ses réflexions :

> « *Et* [le roi] *ordonna distribuer quinze mil escuz d'or ; mais celuy qui eut la charge en retint une partye et s'en acquitta mal, comme le roy sceut depuis* » (63).

Il se rendit compte, ou crut se rendre compte, que Louis XI savait écouter ses conseillers, suivre leurs indications. La vanité du chroniqueur fut flattée de voir son futur maître appliquer à la lettre ses prescriptions. Il semble, en effet, que, quoi qu'il ait dit de l'humilité et de l'orgueil, il ait eu une forte dose d'amour-propre, comme le sentiront les Florentins qui, pour demeurer dans ses bonnes grâces, enverront au roi des rapports dithyrambiques sur son ambassadeur. La « sirène », selon le surnom que lui donnera Molinet, dut, elle aussi, s'en apercevoir et en tirer parti. Il reste que Commynes a joué à Péronne un rôle de tout premier plan, comme il est répété avec insistance dans les lettres de don d'octobre 1472 (64) :

> « *Nostredict conseiller et chambellan, sans craincte du danger qui lui en pouvoit alors venir, nous advertit de tout ce qu'il pouvoit pour nostre bien et tellement s'y employa que, par son moyen et ayde, nous saillismes hors des mains de nos dicts rebelles et desobeissans, et en plusieurs autres manieres nous a fait et continue de faire chascun jour plusieurs grans, louables et recommandables services, et au dernier a mis et exposé sa vie en aventure pour nous........* » (65).

N'est-ce pas reconnaître aussi qu'après Péronne, le sire de Renescure a continué à servir le roi, qu'il trahissait de plus en plus le duc, et que la défection proprement dite ne fut que le terme d'une activité secrète au bénéfice de Louis XI ?

Il les accompagna dans l'expédition contre Liège qui fut impitoyable envers les malheureux révoltés. Le récit qu'il nous en a fait (66) tend à compléter le portrait des deux adversaires. Le Français s'y révéla plus habile et plus grand que le Bourguignon, tant dans la conduite de la guerre que dans les négociations politiques. Mais, ici encore, il n'est pas inutile de se demander si le narrateur a vu les faits tels qu'il les relate, ou bien s'il les a recomposés en rédigeant ses *Mémoires*. Si l'on s'en tient à la première hypothèse, qui est la plus favorable, et qui, sans doute, contient une bonne part de vérité (à voir Louis XI dans son comportement quotidien, Commynes découvrit qu'un prince pouvait ne pas être impulsif et violent comme le Téméraire), l'attitude du roi a probablement contribué à le détacher encore plus de son maître, puisque celui-là, après s'être montré docile à ses conseils durant les journées dramatiques de Péronne (mais disposait-il d'une autre carte ?), fut hostile à une solution militaire prématurée et que, celle-ci engagée malgré lui, il l'emporta aussi sur son vassal en ce domaine.

LES VOYAGES

Cependant, Commynes continuait à passer pour un bon et loyal serviteur. Le premier octobre 1469, Charles remit à son chambellan tout ce que son père devait encore au trésor ducal. En 1470, le voici à Calais, en mission auprès de John Wenlock. Édouard IV chassé d'Angleterre, il s'agissait pour le Téméraire d'opérer un repli diplomatique et de se rapprocher du roi restauré, Henri VI, abandonné, deux ans plus tôt, par le mariage du duc avec Marguerite d'York. Ce choix laisse supposer que le maître avait confiance dans les talents et l'habileté de son familier. Si nous en croyons les *Mémoires*, ce voyage fut très formateur pour notre chroniqueur. Il lui apprit que le duc n'hésitait pas à jeter les siens dans le danger sans se soucier de leur sécurité (67) ; que ce monde était celui de l'instabilité, de l'habileté et de la tromperie (68) — tromperie de Wenlock qui, tout en conservant les apparences de la fidélité à Édouard IV, s'était, en fait, prononcé pour Henri VI et le tout-puissant Warwick ; tromperie du Téméraire qui, abandonnant son allié et beau-frère, chargea son émissaire de le réconcilier avec les Lancastre. Commynes s'y montra adroit, recourut au mensonge (69), répondit avec sang-froid à la situation la plus difficile (70). Lui qui avait su user de la diplomatie à Péronne et à Calais ne devait-il pas être tenté de rejoindre un prince qui préférait les négociations aux hasards des combats ?

Au début de 1471, il se rendit, selon toute probabilité, en Angleterre, de plus en plus spécialisé dans son rôle d'ambassadeur. L'essentiel de sa mission était d'acheter de hauts personnages de l'entourage royal. Il précise, dans un tout autre contexte, qu'il réussit alors à gagner à son maître le grand chambellan Hastings :

> ...« *je le feiz amy du duc Charles de Bourgongne pour le temps que j'estoye a luy, lequel luy donna mil escuz l'an de pension...* » (71).

Ce voyage, comme la fréquentation de nombreux Anglais, lui révéla les usages et les institutions d'outre-Manche que les *Mémoires* évoquent à maintes reprises, et aussi la toute-puissance de l'argent. Illustres exemples pour un homme qui ne gagnait que dix-huit sous par jour (72).

Été 1471 : troisième voyage. Cette fois, en Bretagne et en Espagne. S'il relate, par le détail, son ambassade à Calais au cours de laquelle, dans une situation délicate, il se montra somme toute adroit, il ne souffle mot de ce long périple dans son œuvre, du moins à sa place chronologique. Pourtant, il est certain qu'il quitta la cour de Bourgogne pour les destinations ci-dessus indiquées. E. Dupont a publié un document de première importance (73). C'est un mémoire qu'un écuyer d'écurie de Louis XI adressa au duc Charles, et que ce dernier annota. Le correspondant a écrit :

> « *...Comme Monseigneur de Renescure s'en va a Saint Jacques et n'est pas passé par mon maistre et passe par Bretagne ; a quoy mondict maistre treuve le contraire de ce que je luy avoye dit* » (74).

En marge, le Téméraire a ajouté :

> « *Commynes a esté rencontré a Orleans, dont ne peut faillir de passer par vous* ».

Donc, notre auteur, en mission secrète, mais connue de son maître (mais celui-ci connaissait-il les intentions réelles de son chambellan ?), rencontra sur son chemin le roi de France.

Le prétexte du voyage était un pèlerinage à Saint-Jacques de Compostelle, qui dissimulait souvent des menées suspectes (75). Grâce aux ambassadeurs italiens (76), nous savons que Campobasso, dont le chroniqueur a rendu fameux la turpitude et l'acharnement à détruire le duc Charles, demanda congé à ce dernier, au début de 1476, pour se rendre, lui aussi, à Saint-Jacques. Si Commynes parlait de ce pèlerinage, il pourrait inciter le lecteur à se poser des questions, et, en particulier, à établir un rapprochement entre les deux trahisons. Tous deux auraient trahi au cours d'un voyage à Saint-Jacques ; tous deux auraient préparé, négocié avec Louis XI leur défection qui devient un acte longuement prémédité. Ces points de comparaison, parmi d'autres, expliquent que le mémorialiste se soit acharné sur le condottiere, au grand scandale de B. Croce, et qu'il ait tendu à dissocier, à distinguer complètement les deux cas (76ª).

Toujours est-il qu'il semble avoir été séduit par l'amas d'or (77) que Louis XI lui mit devant les yeux, et par l'espoir, ou l'illusion, de déterminer la politique royale, alors que, nous dit-il, le Téméraire, violent et orgueilleux, n'écoutait pas les conseils ; pourtant, le dénouement de Péronne, dans la mesure où Commynes en fut l'artisan, montre que le duc, difficilement certes, avait fini par se rallier à la thèse de notre historien. Celui-ci, alors, plaça de l'argent chez Jean de Beaune, marchand de Tours : 6000 livres tournois (78). Le souverain français payait bien ceux dont il avait besoin (le chroniqueur nous l'apprend dans ses *Mémoires*) et, s'appuyant plus sur la négociation, l'intrigue, l'action secrète que sur l'usage de la force et le recours à la guerre, il avait apprécié le doigté du chambellan ducal. Sans doute y eut-il des tractations, des promesses de terres, de dignités, de pensions annuelles, de riche héritière (79).

Que le mémorialiste ait trahi, d'abord, par cupidité, un témoignage semble l'établir. Quand il fut interrogé le 28 juillet 1484, il avoua qu'il n'avait pas demandé au roi la terre de Talmont qui lui était disputée par les La Trémoïlle ; que ce bien se trouvait « estant moins de plus grant somme dont il *[Louis XI]* estoit tenu envers luy » (80) (il y avait donc eu marchandages et engagements réciproques) ; enfin et surtout, que son nouveau maître n'aurait pas voulu que Commynes fût averti du caractère suspect de ce don

> « *pour craincte que il qui parle ne se feust apperceu lesdictes terres n'estre pas seures, et que, par ce moyen, ledict qui parle eust eu cause de s'en retourner dont il estoit venu, et de laisser ledict feu Roy* » (81).

N'avons-nous pas la preuve la plus nette que le sire de Renescure n'a passé au roi qu'en échange de certains avantages matériels et que, s'il n'avait été bien payé, il s'en serait retourné auprès du duc ? Par la même occasion, nous comprenons que, plus tard, le Français se soit efforcé de ne pas s'aliéner complètement l'historien qui aurait pu repasser dans le camp adverse avec de précieux secrets. Mais ne simplifions pas trop, s'agissant d'un tel homme. Il se peut qu'il ait eu à se plaindre de la brutalité du Téméraire : l'anecdote de la « tête bottée » en serait un écho (82).

A ce voyage il n'est fait dans les *Mémoires* que deux allusions. Encore convient-il de préciser qu'elles ne concernent que la présence de notre auteur en Bretagne et en Castille ; qu'elles ne se rencontrent pas à leur place chronologique ; qu'elles sont disjointes ; qu'elles semblent tout à fait involontaires (comme pour l'épisode de Péronne) (83). Ici, Commynes rappelle son séjour en Bretagne pour prouver la véracité de ses dires sur les vicissitudes princières, et en particulier sur celles du comte de Richmond, le futur Henri VII, échoué en Bretagne, et retenu prisonnier pendant quinze ans : « *J'estois pour lors devers ledit duc quant ilz furent prins* » (84). Quand il évoque l'entrevue d'Urtubie entre Henri de Castille et Louis XI, il cite ses sources : le roi de France, A. du Lau, et ajoute-t-il « *m'en a esté dict en Castille par aucuns seigneurs qui y estoient avec le roy de Castille* » (85).

Au cours de cette même année, il essaya en vain de réconcilier Arnold et Adolf de Gueldre (86).

LES DERNIERS PRÉPARATIFS

En août 1472, un fait étonnant de prime abord : maître Pierre Clutin, membre du Parlement, reçoit la charge de se transporter chez Jean de Beaune pour y saisir les six mille livres tournois déposées par le sire de Renescure (87). Les critiques bien intentionnés estiment que le roi lui aurait ainsi forcé la main, le poussant à franchir le pas, en danger qu'il était de perdre son argent et de voir ses tractations révélées : « ...ce fut, juge E. Dupont (88), un coup habile et décisif ». D'où, dans le tréfonds de sa conscience, une certaine rancune contre le maître qui l'a contraint.

Mais n'y aurait-il pas aussi, et dans le même temps, une autre explication ? Ne serait-ce pas un moyen de tromper et d'endormir le Téméraire, dans le cas où il aurait des soupçons, ayant appris l'existence de cette pension ? Ne fallait-il pas alors donner l'apparence que le Français était un ennemi de Commynes ? Ne prêtons pas trop de scrupules à ce dernier qui n'est pas un indécis, et vante les gens qui savent fuir à temps.

Mais, répétons-le, la prudence est de rigueur, surtout quand on se rend compte qu'une autre hypothèse n'est pas dénuée de vraisemblance : le mémorialiste n'a-t-il pas été pris au piège de ses propres machinations et d'un jeu trop subtil auquel son partenaire mit fin brutalement (89) ? N'a-t-il pas voulu, comme plus tard Saint-Pol, conseiller (et trahir) l'un et l'autre, gagner sur les deux tableaux ? On s'explique que, placé dans la nécessité d'opter, il ait condamné le comportement du connétable qui, d'ailleurs, y perdit la tête (dans les deux sens). Un fait nous autorise, semble-t-il, à présenter ce point de vue : Louis XI, pour justifier la saisie, reprocha à Commynes d'avoir poussé le duc de Bretagne à la guerre. Ajoutons, pour en terminer avec cet épisode, que plusieurs éléments d'appréciation nous sont donnés par le compte de Jean Bourré (90) qui était donc au courant de toutes ces menées obscures qui ont précédé la trahison : son nom ne se lit jamais dans les *Mémoires*.

Tout est prêt. Non : l'essentiel demeure : il s'agit de choisir son moment (91), de sauvegarder les apparences — autre thème commynien. C'est alors la campagne de 1472, le massacre de Nesle, la vaine dévastation du pays de Caux. Notre auteur emploie toute son habileté à restituer aux événements leur horreur, et à signaler que c'est la première fois que le Téméraire agit ainsi (92). Il tient le prétexte honorable pour l'abandonner. Sans doute eut-il aussi la prescience de l'échec final que ne pouvait manquer de subir un être aussi passionné que le fils de Philippe le Bon. B. de Mandrot a émis une hypothèse qu'eût aimée le chroniqueur pour répondre à ses censeurs :

> *« Le fait que cette désertion eut lieu quelques semaines après le hideux massacre de Nesle et au milieu des pillages et des incendies qui souillèrent la peu glorieuse expédition de Charles le Hardi dans la Haute-Normandie, ce fait, dirons-nous, permet de supposer que le dégoût, motif*

plus honorable assurément que l'appât des richesses promises par Louis XI, ou peut-être même quelqu'une de ces violences dont le duc était coutumier, détermina la fuite de Commynes » (93).

ÉPILOGUE

Dans la nuit du 7 au 8 août 1472, le mémorialiste abandonna le Téméraire au camp d'Eu, et s'en fut vers son rival aux Ponts-de-Cé. Ici, nous nous heurtons à un nouveau problème : qui a mis au point avec le transfuge les dernières modalités de la désertion ? Qui lui a dit où se trouvait Louis XI et comment le rejoindre ? Kervyn de Lettenhove (94) suggère le nom de Robert d'Estouteville, le prévôt de Paris, qui séjournait à Beauvais et dont une nièce avait épousé un cousin de Commynes.

Plusieurs faits rendent vraisemblable cette hypothèse.

En premier lieu, d'Estouteville joua un rôle important dans la défense de Beauvais contre les Bourguignons : la *Chronique scandaleuse* l'affirme (95) ; or, dans les *Mémoires*, il n'apparaît pas, ni non plus Jean d'Estouteville, seigneur de Torcy, alors que notre historien énumère plusieurs chefs de l'armée française, et de moins grands (96).

En second lieu, si nous élargissons notre enquête à toute l'œuvre, nous chercherons en vain une mention du prévôt qui fut pourtant un personnage de premier plan, et qui, au début du règne, eut à souffrir de la vengeance de Louis XI, comme le révèlent, entre autres, et Jean de Roye (97) et Villon (98) ; et nous savons que le sire d'Argenton est revenu à plusieurs reprises, pour le critiquer, sur ce changement de personnel (99).

Quant aux autres d'Estouteville, ils nous sont présentés sous un jour défavorable. L'un, qui était seigneur de Briquebec, fut, avec d'autres ennemis de notre écrivain, de ces hommes gros et gras qui furent chargés, en 1475, d'inciter les soldats anglais à bien boire et à bien manger (100). L'autre, seigneur de Torcy, ne réussit pas à convaincre Louis XI, en cette même période, du danger que constituait l'arrivée à Amiens de trop nombreux ennemis (101) ; plus tard, à Guinegatte, en compagnie de Philippe de Crèvecœur, il poursuivit la cavalerie de Maximilien d'Autriche, au lieu de rester sur le champ de bataille et d'assurer à son maître une victoire totale : « *Et combien que ce fust faict vaillamment, si n'appartient il point aux chefz de l'avant-garde de chasser* » (102).

Le 8 au matin, les biens que Commynes possédait en Flandre furent confisqués par le duc (103). Réaction extrêmement rapide qui ne s'explique que parce que ce dernier avait l'habitude de voir son chambellan à ses côtés dès les premières heures du jour, et que son absence lui parut immédiatement suspecte. Nous avons là, de façon indirecte, un nouvel indice de l'intimité du maître et de son serviteur, et peut-être aussi d'une certaine méfiance. Quoi qu'il en soit, Charles ne lui pardonnera jamais, puisque, dans les trêves du 3 septembre 1475, conclues entre le suzerain et son vassal, furent exclus de l'amnistie « messire Bauldoyn soy disant bastard de Bourgoingne, le seigneur de Renty (104), messire Jehan de Chassa et messire *Philippes de Commines* » (105).

Il importe de noter que le sort de celui-ci est lié à celui de Baudouin et de Jean de Chassa, accusés d'avoir machiné la mort du duc avant de passer au roi. Chastellain en parle longuement (106), et ne peut contenir son indignation. La défection de notre chroniqueur a donc paru aussi grave que celle d'un demi-frère, accusé, de surcroît, de tentative d'assassinat, et d'un Jean de Chassa, dont l'historiographe de Bourgogne a écrit : « ...a esté trouvé impie, un mauvais homme, un lasche, desleal chevalier, blasmé de tout le monde, et dont le partement a esté honteux, et encore pieur la cause d'iceluy » (107). C'était celle d'un sujet, d'un conseiller, d'un compagnon d'armes (il l'avait suivi dans toutes ses expéditions pendant sept ans « de renc »), d'un ami, dont le très favorable Sleidan nous dit qu'en France il passait pour étranger (107[a]) et qu'il était « flamand de nation ».

Remarquons que Commynes a évoqué la désertion du bâtard Baudouin, à la fin du chapitre I du livre III, ce qui est un moyen d'atténuer la gravité de son propre cas. Mais il n'a pas mentionné la tentative de meurtre : c'eût été retourner l'argument contre lui-même, puisqu'il était de notoriété publique que le Téméraire avait englobé dans la même réprobation et la même haine son demi-frère et le mémorialiste. Il n'a pas davantage indiqué que Baudouin, pris de remords, retourna au service de Charles, comme le signale Pontus Heuterus (108) ; qu'il combattit héroïquement à Morat où il faillit être tué (109) ; qu'il resta fidèle à Marie de Bourgogne et à Maximilien d'Autriche qui, à la tête d'un détachement, l'envoya en Bretagne pour secourir les princes révoltés contre les Beaujeu (110).

Quant au roi, il affirma publiquement sa reconnaissance, et à plusieurs reprises, louant le courage et l'abnégation du transfuge :

> « *Et, au dernier, a mis et exposé sa vie en aventure pour nous, et, sans crainte ne consideration du danger de sa personne ne d'autre chose quelconque, a abandonné et perdu tous ses biens, meubles et immeubles, chevances et heritages, terres et seigneuries pour nous venir servir* » (111).

Dans les *Mémoires*, une seule ligne est consacrée à cet épisode : « *Envyron ce temps, je vins au service du roy* »

(112). Cependant, la trahison fut l'événement capital de la vie de Commynes, d'autant plus important qu'il fut un traître aux yeux des autres, mais aussi, malgré qu'il en eût, à ses propres yeux. Cette trahison, il ne cessa de se la reprocher, plus ou moins consciemment : s'il s'efforça de prouver qu'il avait eu raison de trahir, c'est qu'au fond de lui-même, il n'était pas du tout certain d'avoir le droit pour lui. Il ne cessa de la reprocher au Téméraire et à Louis XI qui l'avaient amené à changer de camp, l'un par son emportement, son entêtement et sa parcimonie, l'autre en l'alléchant par des promesses et de l'argent, puis en le contraignant à faire le pas décisif (113).

Il semble d'ailleurs, que, dans son entourage, on ait évité d'en parler. En effet, Sleidan n'en dit mot, lui qui, pour écrire la vie du mémorialiste, puisa ses renseignements auprès de Mathieu d'Arras qui « homme de grande honnesteté et sçavoir, demeurant à Chartres en France, l'a connu familièrement et l'a servy ; il a aussi esté precepteur du fils de sa fille, duc d'Estampes » (114).

Il est vraisemblable aussi que l'abandon du pays natal et de son duc resta comme une plaie toujours saignante au cœur de cet homme qui se couvrit le visage d'un masque d'impassibilité, au point de tromper nombre de commentateurs. Après avoir rompu ces premiers liens, il demeura un déraciné et un solitaire. Ainsi s'explique-t-on la présence dans les *Mémoires* de plusieurs passages qui frappent un lecteur attentif. Au cours du livre III (115), il confesse : « *...je conseillerois a ung mien amy, si je l'avois...* » : n'est-ce pas l'aveu de quelqu'un enfermé en soi-même ? A maintes reprises, il nous parle des Flandres dont les paysages lui sont chers, les comparant à la plaine lombarde, en 1495 (c'est-à-dire plus de vingt ans après la désertion), pays « *tout fossoié, comme est Flandres, ou encores plus ; mais il est bien meilleur et plus fertile, tant en bons fromens que en bons vins et fruictz ;*

et ne sejournent jamais leurs terres » (116) ; ou à la région de Novare, « *fort païs et mol comme Flandres, a cause des foussez qui sont au long des chemins, de l'ung costé et de l'autre, fort parfons et beaucoup plus que ceulx de Flandres* » (117). Il semble même souffrir des dévastations qu'a entraînées l'échec du mariage franco-bourguignon : « *...et en ont porté les pays de Flandres, de Brabant et autres grandz persecutions* » (118), comme des dégâts opérés dans la région de Tournai par les hommes d'armes du roi à la suite du coup de main heureux d'Olivier le Dain (119).

Remarquons qu'il ne dit mot de Talmont ; et Argenton n'est cité que deux fois (120), par hasard, lorsque le mémorialiste veut expliquer qu'il n'est pas à la cour au moment où Louis XI est victime de sa première attaque, ou suggérer qu'il est encore très lié avec son maître qui lui rend visite dans son château.

Pour exorciser cette douleur secrète, il s'efforça de constituer pour lui et pour sa fille un fief où s'enraciner ; de se donner une nouvelle patrie ; d'accumuler des raisons pour se prouver qu'il avait bien fait d'abandonner le Téméraire et les Flandres, d'opter pour Louis XI et la France qui, vaste et obéissante, est le royaume le mieux situé du monde (121), défendant les Français contre les calomnies des Italiens (122) qui les accusaient d'être, au retour d'une expédition, « moins que femmes » (123), ou de se livrer à tous les débordements (124).

Ajoutons, si l'on veut, un dernier indice. Au chapitre 13 du livre V, le chroniqueur nous dit que Louis XI lui confia, en 1477, ses espérances : maître Olivier mettrait en son pouvoir Gand, et Robin d'Oudenfort Saint-Omer (125). Or, par la suite, il n'est plus question de cette deuxième ville, sinon par accident, comme nous l'avons montré dans notre volume sur *la Destruction des mythes* (126), où nous avons essayé d'expliquer ce silence. Nous croyons possible d'avancer une raison plus profonde, et plus déterminante : Saint-Omer était proche de Renescure (127), dont Commynes porta le titre jusqu'à sa défection, et où étaient inhumés son père et sa mère (128).

NOTES DU CHAPITRE PREMIER

(1) Paris, Club français du livre, 1960, p. 204.
(2) Paris, 1840-1847 (**Société de l'Histoire de France**), t. I, p. CXXXVII.
(3) **Ibidem,** p. XIV; éd. Calmette, 3 volumes, Paris, 1924-1925 (**Classiques de l'Histoire de France au moyen âge,** n°s 3, 5 et 6), t. I, p. I.
(4) **Quelques notes bibliographiques pour servir à l'étude des ouvrages de Ph. de Commynes et d'Auger de Bousbecque,** dans les **Mémoires de la Société des Sciences, de l'Agriculture et des Arts de Lille,** 1870, 3e série, 8e vol., p. 87.
(5) Son blason « porte le champ de gueules au chevron d'or accompagné de trois coquilles oreillées, d'argent, lignées de sables, deux en chef, et une en pointe à la bordure de l'escu d'or ». (cf. éd. Dupont, t. I, p. CXXXVII).
(6) **Vie de Racine,** Paris, Union Générale d'Éditions, 1962, p. 12.
(7) Par ex., éd. Calm., II, 193, 203... Sauf indications contraires, nous citerons désormais les **Mémoires** de Commynes d'après l'édition de J. Calmette, le chiffre romain désignera le tome, et le chiffre arabe, la page.
(8) II, 153.
(9) II, 251. Mais il est remarquable que Commynes ne dit pas lui-même que c'est sa cousine. Peut-être ne veut-il pas que nous soupçonnions des « pratiques » plus ou moins avouables entre lui et les membres de sa famille restés fidèles à la maison de Bourgogne.
(10) Chronique, éd. G. Doutrepont - O. Jodogne, Bruxelles, Palais des Académies, 1935-1937 (**Académie royale de Belgique, Classe des Lettres et des Sciences morales et politiques, collection des anciens auteurs belges**), t. I, p. 275.
(11) **Ibidem,** t. II, p. 391.
(12) **Ibidem,** p. 430. A noter encore qu'à Fornoue, Commynes avait comme page son cousin germain (III, 182).
(13) Pour plus de détails sur ce personnage, se reporter aux **Lettres et négociations de Philippe de Commines** (Bruxelles,

Comptoir Universel d'Imprimerie et de Librairie, Victor Devaux et Cie, en 3 volumes, 1867-1868-1874), de Kervyn de Lettenhove (t. I, p. 43), véritable corpus commynien, auquel on ne rendra jamais l'hommage qu'il mérite, et que nous citerons désormais de manière abrégée : Kervyn, I, 43, le chiffre romain désignant le tome et le chiffre arabe indiquant la page. Sans doute y a-t-il dans cette somme des erreurs, des outrances, voire des naïvetés ; mais que de précieux documents, et aussi de fines analyses, d'ingénieux rapprochements qui suggèrent (sans toutefois approfondir) des éléments capitaux !

(14) Voir E. de Monstrelet, **Chronique,** éd. Douët d'Arcq en 6 volumes, Paris, 1857-1862 **(Société de l'Histoire de France),** t. IV, p. 374 : « ...premier y estoit ledit duc, chef et fondateur et d'ycelle, en apres y estoit Guillaume de Viane... **(suit une longue énumération)** ...messire Jehan de Commines... ». Ou encore J. Marchand, ou Lefèvre de Saint-Rémy, éd. Morand, Paris, 1876-1881 **(Société de l'Histoire de France),** t. II, p. 173. Selon ce dernier (t. II, p. 177), il participa au siège de Compiègne en 1430, au cours duquel fut capturée Jeanne d'Arc.

(15) Monstrelet, **éd. cit.,** v. 59 ; « Et adonc furent faiz de chascune partie de nouveaulx chevaliers. Entre lesquelz le fut fait ledict duc par la main de messire Jehan de Luxembourg. Lequel duc fist apres chevalier Philippe de Saveuses ; et si le furent faiz de son costé Colard de Commines, Jehan d'Estenguse, Jehan de Roubaix... » Cf. Chastellain, éd. Kervyn de Lettenhove, en 8 volumes, Bruxelles, 1863-1866, t. I, p. 257 ; Commynes, éd. E. Dupont, t. I, p. XV.

(16) Chastellain, I, 288. Nous nous bornerons désormais à indiquer le nom de l'auteur, le tome en chiffre romain, la page en chiffre arabe.

(17) Monstrelet, V, 64.

(18) **Idem,** V, 214.

(19) **Ibidem,** 239.

(20) **Ibidem,** 267.

(21) **Ibidem,** 331.

(22) **Ibidem,** 285.

(23) **Ph. de Commynes,** Bruxelles, 1945 **(Collection Nationale),** p. 5.

(24) **Ed. cit.,** I, XVI, n. 3.

« Cy gist noble et puissant seigneur messire Collart de Comisnes, seigneur de Runescure et de Saint-Venant, en son temps souverain bailly de Flandres, qui trespassa l'an 1451, le 11 juing.

Cy gist noble et puissante dame madame Marguerite de Trasengis, dame Dermue, en son vivant femme et espouse de messire Collart de Comisnes qui trespassa l'an 1477, le 12e jour d'octobre.

Priez pour leurs ames. »

(25) Registre XIV des chartes, fol. 29, v°.

(26) Ed. des **Mém.**, I, II, n. 3.

(27) Ed. des **Mém.**, 2 volumes, Paris, 1901-1903, (**Collection de textes pour servir à l'étude et à l'enseignement de l'histoire**), t. II, p. II.

(28) **Eloge de Commynes,** dans la trad. latine de 1548, publiée à Strasbourg.

(29) Ed. Calm., I, 4.

(30) **Ibidem,** III, 222.

(31) G. Charlier, **Commynes,** Bruxelles, 1945 (**Collection Notre Passé**), p. 8, l'admet, encore qu'il ajoute : ... « mais rien de tout cela n'est assuré », tandis que J. Calmette (**Autour de Louis XI,** Paris, 1949, p. 184) affirme : « Il paraît tout à fait hors de conteste que la naissance de notre personnage doive se placer en 1447 ».

(32) Ed. Dupont, I, XVII, n. 1.

(33) **Ibidem,** III, 181.

(34) **Ibidem,** I, XVIII, n. 3.

(35) **Ibidem,** I, XIX.

(36) **Seizième Siècle,** Paris, 1894, p. 1 : « Orphelin de bonne et mal élevé par un tuteur négligent, il n'apprit guère qu'à monter à cheval, et ne sut jamais ni grec ni latin, dont il eut regret plus tard, peut-être à tort, car ceux qui croient les études antiques funestes dans l'éducation, ne manquent jamais de citer son nom avec celui de La Rochefoucauld, et cela le met en bonne compagnie et entretient sa gloire ». A. Jeanroy (**Extraits des Chroniqueurs français,** Paris, 1891, 16e éd. revue, 1932, **Classiques Hachette,** p. 336) est dans le vrai, quand il note : « Il avait reçu l'éducation qui était alors celle des gentilshommes ou des bourgeois aisés ».

(37) I, XIX, n. 2. D'ailleurs, beaucoup, à cette époque, n'entendaient pas la langue du Cicéron. Voir M. Sanudo (**La Spedizione di Carlo VIII in Italia,** éd. R. Fulin, Venise, 1883, **Archivio Veneto,** ser. I, t. III, p. 649) parlant du comte de Pitigliano : « ...et per sier Nicolò Michiel, dotor, più

zovene, li fo fatta una oration latina. El qual dicendo non intendea latino, la fece di nuovo vulgare et sempre sapientissima ». Nous citerons désormais l'ouvrage de la façon suivante : Sanudo, **la Spedizione...**

(38) **Op. cit.**

(39) I, 2.

(40) III, 234.

(41) Luc Hommel, **G. Chastellain**, Bruxelles, 1945 (**Collection Notre passé**), p. 26.

(42) A. Jeanroy, **op. cit.**, p. 354 : « Commines se plaint quelque part de n'avoir « aucune littérature »; un lecteur moderne est tout disposé à l'en féliciter : le « quelque peu d'expérience et de sens naturel » qu'il se reconnaît aussitôt après lui ont beaucoup mieux servi. S'il eût étudié, peut-être eût-il été, lui aussi, un maladroit imitateur des périodes cicéroniennes, un ridicule « escumeur de latin ». Mieux vaut certes n'avoir aucun souci littéraire que de n'avoir pas d'autre souci ».

(43) Cf. Charlier, **op. cit.**, p. 9.

(44) **Les Phrases hypothétiques commençant par « si » dans la langue française, des origines à la fin du XVIe siècle,** Paris, 1939, p. 117.

(45) **Ibidem**, p. 348.

(46) Cf., dans notre **Destruction des mythes dans les Mémoires de Ph. de Commynes**, Genève, Droz, 1966 (**Publications romanes et françaises**, n° LXXXIX), le ch. 4, 4e partie : **Un roi dur dans un monde dur**, pp. 294-298.

(47) Comme l'ont répété à l'envi tous les commentateurs, de G. Charlier, **op. cit.** (« ...une incohérence totale et un profond gâchis ») à A. Prucher, **I « Mémoires » di Philippe de Commynes e l'Italia del Quattrocento, Florence, 1957** (p. 8 : « ...confusa battaglia dalle sorte e incerte che gli lascerà per sempre nell'animo l'impressione dell'inutilità dei conflitti armati »). A se rappeler aussi la phrase de Ch. de Gaulle, dans **Le Fil de l'épée**, Paris, Union Générale d'Éditions, 1962, œuvre si commynienne à bien des points de vue : « Ceux-là mêmes aujourd'hui qui maudissent le plus âprement la guerre ne négligent pas de faire savoir à l'occasion qu'ils s'y sont bravement comportés ».

(48) Nous jugeons inutile de raconter ces épisodes : il suffit de se reporter aux **Mémoires.** En outre, nous leur consacrons de nombreuses pages dans la **Destruction des mythes...**

(49) Kervyn, I, 54, n. 2.

(50) Selon Kervyn, le chroniqueur n'avait pour paye que 18 sous par jour en 1469. Mais, d'après Brun-Lavainne, cité par Dupuis (**op. cit.,** p. 91), en 1471, il recevait 33 sous par jour.

(51) II, 154.

(52) Ed. Dupont, I, XXII, n. 2; III, 189; Kervyn, I, 56, n. 5.

(53) Ed. Kervyn de Lettenhove, **Chroniques relatives à l'histoire de la Belgique sous la domination des ducs de Bourgogne,** t. I, **Textes latins. Chroniques des religieux des Dunes,** Bruxelles, 1870, p. 514.

(54) Ed. des **Mém.,** I, IV.

(55) Ed. Buchon, Paris, 1838 (**Le Panthéon littéraire**), ch. 64, p. 307, col. 1. Chastellain (V, 235) donne les mêmes noms, mais, au lieu de Commines, l'éd. Kervyn porte : Comminges.

(56) **Mémoires et opuscules,** éd. H. Beaune et J. d'Arbaumont, en 4 volumes, Paris, 1883-1888 (**Société de l'Histoire de France**), t. III, p. 192. Charlier (**op. cit.** p. 12) en parle, mais a tort de ne pas préciser que Commynes se tait sur cet épisode.

(57) II, 66.

(58) I, 139. Edouard IV raconta lui-même à Commynes ses dangers et ses mésaventures.

(59) Ed. des **Mém.,** II, IV.

(60) Ed. des **Mém.,** I, IV.

(61) Nous l'avons montré dans la **Destruction des mythes...,** au ch. 3, 5e partie, pp. 182-193. Charlier, **op. cit.,** p. 14 l'a senti : « ...lui-même ne cache point qu'il en ait eu un [**rôle**], et décisif ».

(62) **Histoire de Gaston IV de Foix,** éd. H. Courteault, 2 vol., Paris, 1893-1896, (**Société de l'Histoire de France**), t. II, p. 245.

(63) I, 142. Cf. Forgeot, **Jean Balue,** Paris, 1895 (**Bibliothèque de l'École des Hautes Études, sciences historiques,** n° 106), p. 64 n° 1 : « Comme les interrogatoires ne justifient que de 13 à 14 000 écus (alors que le roi a confié au cardinal d'Angers 15 000 écus), il n'est pas impossible que le sire d'Argenton ait été acheté à Péronne ». Calmette pense que le « mouchard » pourrait bien être Commynes.

(64) Ed. Dupont, III, 12. Voir un peu plus loin : « ...attendu la cause desdits cession et transport, qui est pour la redemption de nostre personne, et d'eviter l'eminent danger et peril d'icelle .....attendu que le don et transport que

faisons presentement a nostredit conseiller et chambellan desdites terres et seigneuries est pour recompense des grands services qu'il a faits, et aussi de la perte de ses biens meubles et immeubles, qu'il a eu et soustenu pour nous, et mesmement pour le grand service et ayde qu'il nous fit a la delivrance de nostre personne, qui est chose privilegiee que plus ne pourroit estre... »

(65) Cf. l'arrêt du Parlement du 22.3.1486, dans l'étude de Barbaud, « Notice sur Ph. de Commines et la principauté de Talmont », dans le **Bulletin du Comité des travaux historiques,** 1900, n°s 1 et 2, pp. 49-65.

(66) I, 145-168.

(67) I, 208. En mars et avril 1469, il assista à Arras aux rencontres de Charles de Bourgogne, d'abord, avec Sigismond d'Autriche, puis avec Warwick (I, 140).

(68) Il indique que cette vision lui a été imposée par les faits et qu'au début, il ne comprit pas quelle était la position réelle de Wenlock. Ce qui lui conciliera les moralistes les plus rigoureux (I, 198, 207). A la différence de Chastellain, il ne condamne pas l'Anglais, se demandant s'il faut appeler sa déloyauté tromperie ou habileté.

(69) I, 209.

(70) I, 210. Voir Michelet, **Histoire de France,** Paris, A. Le Vasseur, **sans date,** t. VIII, p. 162, n° 1.

(71) II, 242.

(72) Kervyn, I, 71. Sur Commynes et l'Angleterre, voir notre vol. en préparation, **La Sagesse de Commynes.**

(73) III, 3 et s.

(74) Cette ignorance s'explique aisément si Commynes a rencontré secrètement Louis XI. En outre, on voit par ce document que chaque prince avait des espions dans l'autre camp : on comprend que le mémorialiste ait invité les rois à se méfier de leur entourage.

(75) Voir Sanudo, **La Spedizione...,** p. 31 : « ...e maxime da Hercule da la cha di Este di Ferrara, nemicissimo di Venetiani per le guerre tra loro seguite, cupido di nove cose. Questo messe a soldo dil re uno suo fiol secondo, chiamato Ferrante, et **etiam** ne l'anno 1492 fense di aver voto di andar a San Jacomo di Gallicia... »

(76) Dont nous pouvons lire des dépêches dans les éd. Mandrot-Samaran, **Dépêches des ambassadeurs milanais en France, sous Louis XI et François Sforza,** t. III et IV, Paris, 1920-1923 (**Société de l'Histoire de France**), et Gingins-

la-Sarraz, **Dépêches des ambassadeurs milanais sur les campagnes de Charles le Hardi de 1474 à 1477,** en deux volumes, Genève-Paris, 1858.

(76α) Voir **La Destruction des mythes...**, ch. 1, 5 partie : **Commynes et Campobasso,** pp. 54-64.

(77) Voir J. Bastin, **op. cit.,** p. 7 : « l'intelligence du roi, et peut-être son or, attirèrent Commynes ». Il faudrait plutôt dire : et surtout son or.

(78) Ed. Dupont, I, XXXIV.

(79) **Ibidem.**

(80) **Ibidem,** III, 127.

(81) **Ibidem,** 128. C'est l'avis de P. Champion, **Louis XI,** Paris, 1927, t. II, pp. 228-229, d'A. D. Fontenelle de Vaudoré : « Posons comme un point donné que Commynes se vendit à Louis XI » ; de Varenberg, « Mémoire sur Philippe de Commynes comme écrivain et comme homme d'État », dans les **Mémoires couronnés par l'Académie de Belgique,** t. XVI, Bruxelles, 1864, p. 39. « Lorsque je conclus que l'intérêt seul le guidait quand il changea de maître et qu'il se vendit le plus cher possible, je crois émettre une opinion conforme à la logique » ; mais non pas celui de Burgener, **Commynes et la Suisse,** Bienne, 1941, p. 12 : « Nous ferions injure à Commynes en expliquant sa défection par son avarice et son goût de l'argent. Ces défauts pouvaient y être pour quelque chose. Cependant, il ne fallait pas une grande avarice pour préférer les conditions nouvelles aux anciennes : une superbe pension, des terres dont la principauté de Talmont à elle seule valait 3 à 4 millions de livres, un mariage avantageux à plus d'un point de vue, tout cela en compensation de quelques pauvres terres et de 18 sols par jour ». Quant à E. Faguet (**op. cit.,** p. 2), il lui saura gré d'avoir hésité : « Au bout d'un certain temps, qui fut long, ce qui est à l'honneur de Commynes, le prudent et sagace Flamand se demanda ce qu'il faisait auprès d'un tel homme, rabroué, brutalisé même, paraît-il, par lui et ne lui servant à rien ».

(82) Il en existe plusieurs versions (éd. Dupont, I, XXIII, n. 1). Commynes ayant accepté que son maître lui retirât ses bottes, celui-ci les lui aurait jetées au visage, à la grande joie des courtisans.

(83) Voir **La Destruction des mythes,** ch. 3, 5ᵉ partie, pp. 182-193.

(84) II, 233-234. Cette capture se situe en 1471.

(85) I, 135. Pour en finir avec ce voyage, rappelons que le beau-fils et la fille de Commynes feront eux aussi le vœu d'aller à Saint-Jacques de Galice (Fierville, **Documents inédits sur Philippe de Commynes,** Paris, 1881, 2e éd., Le Havre, 1890, p. 122).

(86) II, 1-4. Cf. **La Destruction des mythes...**, ch. 6, 2e partie : **Loups, renards et chacals,** pp. 441-2.

(87) Louis XI n'avait-il pas une idée derrière la tête, puisque Commynes ne partit pas avec l'argent ? Mais il est possible que tout ait déjà été combiné entre les deux compères.

(88) I, XXXVI. Cf. éd. B. de Mandrot, II, VI.

(89) Voir Lanson, **Histoire de la littérature française,** 7e éd., Paris, 1902, p. 174 : « Commynes, né serviteur et devenu favori du duc Charles, reçoit une pension de Louis XI : la position lui plaît; il continuerait volontiers ce service en partie double, avec doubles honoraires, si le roi de France qui avait besoin d'un tel esprit, ne lui mettait le marché à la main ».

(90) Ed. Dupont, III, 11.

(91) Kervyn l'a bien vu (I, 87). Notons du même quelques lignes pénétrantes (**ibidem, 86**). Rapportant un passage des **Mémoires** où il est dit : « [**Louis XI**] plus travailloit a gaigner ung homme qui le povoit servir ou qui luy povoit nuyre. Et ne se ennuyoit point a estre reffusé une fois d'un homme qu'il pratiquoit a gaigner, mais y continuoit largement et donnant par effect argent et estat qu'il congnoissoit qui lui plaisoient... » (I, 67), il ajoute : « Ne faut-il pas retrouver ici le souvenir des résistances, des tentations et des défaillances que traversa la conscience de Commynes ? » Tant il est vrai que les **Mémoires** sont, en plus d'un endroit, pour les lecteurs attentifs, une discrète confession !

(92) I, 227-228.

(93) « L'autorité historique de Philippe de Commynes » dans la **Revue historique,** t. LXXIII, p. 255.

(94) I, 87.

(95) Par ex. à la page 276 du tome I de l'éd. B. de Mandrot, **Journal, connu sous le nom de Chronique scandaleuse,** 1460-1483, en deux volumes, Paris, 1894-1896 (**Société de l'Histoire de France**) que nous désignerons désormais ainsi : **Chronique scandaleuse,** suivi d'un chiffre romain

indiquant le tome et d'un chiffre arabe pour signaler la page.

(96) I, 237.

(97) **Chronique scandaleuse,** I, 30 : « Et ilec fist plusieurs ordonnances et desappoincta les plus grans et principaux officiers de sondit royaume, comme le chancelier Juvenel, le mareschal, l'amiral, le premier president de Parlement, le **prevost** de Paris, et plusieurs autres, et en leurs lieux y en mist d'autres tous neufz ».

(98) **Testament,** vers 1389, 1394-1397. Voir notre note, « Villon et Robert d'Estouteville », dans **Romania,** 1964, t. LXXXV, 2-3, pp. 342-354.

(99) Cf. notre ch. sur Louis XI, dans **La Destruction des Mythes...,** pp. 260-261.

(100) II, 55-6 : « A chascune de ces deux tables avoit fait seoir cinq ou six hommes de bonne maison, fort gros et gras, pour myeulx plaire a ceulx qui avoyent envye de boyre ; et y estoit le seigneur de Craon, le seigneur de Bricquebec, le seigneur de Bressuyre, le seigneur de Villiers et autres ».

(101) II, 57. Commynes, lui, réussit à persuader son maître. Cf. notre ouvrage cité ch. 3, 4e partie : **l'art de la comparaison,** pp. 175-176.

(102) II, 275. De même à Abbeville (II, 163) : ce n'est pas à lui que revient le mérite de la reddition de la ville.

(103) Ed. Dupont, III, 11 ; Kervyn, I, 88.

(104) Jean de Croy qui fut à l'origine d'un grave différend entre le duc Philippe et son fils Charles.

(105) La Marche, III, 221 ; Molinet, I, 119 ; Wielant, **Recueil des Antiquités de Flandre** dans le **Corpus Chronicorum Flandriae,** éd. J.-J. de Smet, t. IV, Bruxelles, 1865, p. 377.

(106) V, ch. XI-XV, pp. 472-483 ; cf. Thomas Basin, **Histoire de Charles VII et de Louis XI,** éd. J. Quicherat, en 4 volumes, Paris, 1855-1859 (**Société de l'Histoire de France**), t. II, pp. 234-243 ; Jean de Haynin, **Mémoires,** éd. D. D. Brouwers, en 2 volumes, Liège, 1905-1906 (**Société des Bibliophiles liégeois**), t. II, pp. 94-95.

(107) V, 483. (107α) Tout comme son maître le Téméraire (cf. Michelet, **Histoire de France,** t. VIII, pp. 190-191).

(108) **Opera historica omnia,** Louvain, 1549, p. 142, c. 2 : « ...relicto rege, cum fratre in gratiam redierat ».

(109) Panigarola, c. r. de la bataille, éd. Ghinzoni, **Archivio storico lombardo,** serie seconda, vol. IX, anno XIX, p. 104.

(110) Cf. De Cherrier, **Histoire de Charles VIII,** en 2 vol., Paris, 1868, t. I, p. 162.
(111) Lettres de don d'oct. 1472 (éd. Dupont, III, 13).
(112) I, 240.
(113) Nous l'avons montré tout au long de notre vol. sur **La Destruction des mythes.**
(114) **Vie de Commynes.**
(115) I, 250.
(116) III, 167.
(117) III, 227.
(118) II, 252.
(119) II, 180 : « Apres ces gens d'armes, y en entra d'autres qui ont faict merveilleux dommaiges es deux pays dessusdictz depuis, comme d'avoir pillé maintz beaulx villaiges et maintes belles censes, plus au dommage des habitans de Tournay que d'autres »... Rappelons que Commynes avait des intérêts dans cette région.
(120) II, 281, 285.
(121) II, 38.
(122) Comme Sanudo, **op. cit.,** p. 207 : « Non voglio qui descriver le spurcizie usano Franzesi, le violentie di donne etc... come tutto di sotto, in loco più necessario, per mi sarà scritto ».
(123) III, 208.
(124) III, 51.
(125) II, 170.
(126) Ch. 4, 3e partie : **Une grandeur limitée, Robinet d'Oudenfort et Saint-Omer,** pp. 270-271.
(127) Bien qu'aujourd'hui, Saint-Omer soit dans le département du Pas-de-Calais, et Renescure dans celui du Nord.
(128) Ed. Dupont, I, XVI, n. 3.

CHAPITRE DEUXIÉME

LE PRINCE DE TALMONT
ou
AU SERVICE DE LOUIS XI

> « *Ainsy se servent les roys comm'il leur plaist, laissans les uns, et prenans les autres, selon leurs fantazies et non des autres* ».
>
> *Brantôme.*

LES FAVEURS ROYALES

Louis XI lui-même s'est chargé de nous présenter le chroniqueur en cette fin d'année 1472 (1) :

> « *Et a present nous sert continuellement a l'entour de nostre personne, au fait de nos guerres et autrement, en plusieurs manieres, en tres grant cure, loyauté et diligence* ».

Sa défection fut bien payée. Jusqu'à la mort du Téméraire, les faveurs royales s'accumulèrent. Titres honorifiques, certes : Commynes fut conseiller et chambellan ; mais surtout compensations financières (2). Pour éviter de disperser nos commentaires, nous croyons utile d'énumérer, dès maintenant, tous les avantages que le transfuge retira de sa nouvelle situation.

A peine eut-il rejoint le roi que lui furent accordées 2000 livres (3), et, le 28 octobre 1472, par lettres signées à Amboise, une pension de 6000 livres tournois, dont le détail était le suivant : 4000 sur le sel passant aux Ponts-de-Cé (4), 1000 sur le grenier à sel de Chinon, 1000 sur la valeur des assises, huitième et équivalent aux aides de la même ville (5). Le Parlement entérina ce don, le 1er mars 1473, par un acte dont nous tenons à isoler une phrase : Louis XI parle de la pension que *depieça* il a donnée à Commynes. Quelle est la valeur précise de l'adverbe de temps ? Ne s'agirait-il pas des 6000 livres attribuées au cours du voyage à Saint-Jacques, déposées chez Jean de Beaune et un moment confisquées ?

En octobre 1472, notre auteur reçut la principauté de Talmont et d'autres seigneuries (6) :

> « *Par la teneur de ces presentes, donnons, cedons, quittons, transportons et delaissons par pure, vraye et irrevocable donation audit Philippe de Comines pour lui, ses hoirs, successeurs et ayans cause, les principautez de Talmont, baronnies, chasteaux et chastellenies, terres et seigneuries dudict lieu, Aulonne, Curzon, Chasteaugontier et la Chaulme, assises en nostre pays de Poitou ; aussi la terre et seigneurie, chastel et chastellenie de Berrye, assise au pays d'Anjou* » (7).

Or ces dons ne furent enregistrés par le Parlement (8) que le 13 décembre 1473, et par la Chambre des Comptes (9) que le 2 mai 1474. Pourtant, le souverain était revenu à la charge, le 21 février, par l'intermédiaire de G. de Cerisay, auprès de la Chambre des Comptes. Il avait même, de sa propre main, ajouté à son message quelques lignes particulièrement pressantes (10). Que conclure de cette lenteur ? Elle ne s'explique que parce que des oppositions s'étaient manifestées. Elles émanaient d'un avocat, Champront, qui défendait les droits de la famille La Trémoïlle, et qui alla jusqu'à s'écrier : « *Et licet princeps sit solutus legibus, tamen secundum leges vivere debet* ». Il est bon de préciser les raisons de cette action judiciaire dont les péripéties nous éclaireront sur les vicissitudes de la fortune du chroniqueur, sur son caractère, sur le comportement de Louis XI à l'égard de ses acolytes.

TALMONT (11)

L'affaire commença du vivant de Louis d'Amboise, vicomte de Thouars. Il avait trois filles. La première, Françoise, fut demandée en mariage par le favori de Charles VII, Georges de La Trémoïlle, pour son fils aîné. Mais le père la promit à Pierre de Bretagne, fils cadet du duc régnant. Pour se venger, La Trémoïlle fit arrêter Louis d'Amboise qui, jugé le 8 mai 1431 (12), fut reconnu coupable de lèse-majesté, condamné à mort et à la confiscation de tout son patrimoine. Gracié par le roi, il ne recouvra pas ses biens. En 1434, il fut relâché, et rentra en possession de la vicomté de Thouars et d'autres terres. En janvier 1438, la totalité de sa fortune lui fut restituée, mais à la condition qu'il ne mariât pas sa fille aînée sans la permission du souverain. Alors, se célébrèrent les mariages qui avaient été à l'origine de tant de mésaventures. Pierre de Bretagne épousa Françoise ; Louis de La Trémoïlle, le 22 août 1446, convola avec la troisième des filles, Marguerite (13), qui, pour sa part, obtint Talmont et ses dépendances. Toutefois, le père s'en réserva l'usufruit. Mais, par ses prodigalités, il dilapidait son patrimoine. Aussi un arrêt du Parlement fut-il rendu contre lui, le 16 janvier 1457, à la demande de ses enfants : il lui était interdit d'aliéner ses biens sans le consentement de maître R. Thiboust.

Plus tard, effrayé par l'échec d'une mission délicate (il devait marier avec le duc de Savoie sa fille aînée, la duchesse de Bretagne, devenue veuve), soumis à de multiples pressions, frappé de sénilité mentale, Louis d'Amboise se laissa convaincre de donner à Louis XI la vicomté de Thouars. Pour mener à bien cette entreprise, le roi fit, d'abord, casser l'arrêt du Parlement, le 5 septembre 1462 (14), puis, le 25 du même mois, il lui acheta son héritage pour 100.000 écus. En réalité, la vente était presque fictive, puisque le souverain ne paya que 10.000 écus, et promit une pension de 4.000 livres tournois. La fille aînée du vicomte, la duchesse de Bretagne, protesta ; et, lorsqu'elle entra en religion, elle céda, le 24 mars 1468, tous ses droits à Louis de La Trémoïlle, fils de sa sœur Marguerite. Le 28 février 1470, comme Louis d'Amboise se mourait, Louis XI éloigna de lui sa femme, ses enfants, ses parents, et il mit la main sur son château, en alléguant que le défunt avait marié sa fille à l'héritier de Bretagne sans l'autorisation de Charles VII.

Tels étaient les biens que Commynes reçut de son nouveau maître. De prime abord, on serait tenté de s'écrier avec J. Bastin (15) : « Une faveur vraiment royale vint bientôt : la donation de la belle principauté de Talmont avec ses dépendances et ses beaux rivages ». Mais qui ne voit qu'il s'agissait d'un cadeau empoisonné (16) et d'une donation intéressée ?

Cadeau empoisonné : le roi opposa ainsi son favori à l'une des grandes familles de France, et se l'attacha étroitement, en lui ôtant toute possibilité de se retourner, dans l'immédiat, vers les factions princières ; le seul recours de

Commynes était dans la force royale, puisque ses droits ne s'appuyaient pas sur la justice — comme très souvent à cette époque : on dépouillait les uns pour récompenser les autres.

Donation intéressée, ensuite. Comme l'a bien montré B. Fillon (17), le Poitou revêtait aux yeux de Louis XI une importance capitale. Étant situé entre la Bretagne et l'apanage autrefois attribué à son frère Charles, c'était une plaque tournante très utile pour diriger une attaque contre des vassaux prédisposés à la révolte, et pour empêcher la rencontre des forces bretonnes et des contingents méridionaux. Le souverain avait une confiance très limitée dans la noblesse indigène qui, le plus souvent, se ralliait aux ennemis de la Couronne. C'est pourquoi il tenait à s'appuyer sur des éléments sûrs. Pour atteindre ce but, il accorda aux bourgeois le droit d'acquérir des fiefs nobles ; il anoblit les échevinages ; il encouragea le commerce et, par là, l'apparition d'une force nouvelle ; il empêcha, enfin, que les biens immenses de L. d'Amboise ne passassent à la maison de Bretagne, et il s'opposa à la constitution d'une famille trop puissante en les refusant aux La Trémoïlle. Aussi nous expliquons-nous qu'il les ait d'abord donnés à Nicolas de Calabre, marquis du Pont, en prenant, d'ailleurs, ses précautions, puisqu'il plaça l'heureux bénéficiaire sous la surveillance de Jean d'Appellevoisin. Malgré tout, il jugea le marquis trop peu sûr, et il révoqua sa donation.

C'est ainsi que Talmont échut à notre chroniqueur. Cet homme seul, sans appuis, qui avait rompu les ponts avec la Bourgogne, reçut en Poitou une puissance exceptionnelle. Il importe, enfin, de signaler qu'il n'éprouva aucune répugnance à accepter des biens dont il connaissait, ou connut bien vite, l'origine douteuse, sinon frauduleuse, comme le manifestent les dispositions que nous lisons dans les lettres de don (18).

AUTRES DONS

En cette fin d'année 1472, affluèrent d'autres faveurs qui arrondirent le domaine du transfuge dans l'Ouest, et y assirent sa puissance. En octobre, lui fut donnée la principauté de Mellerant, située à quelques lieues d'Argenton-le-Château. Mais Commynes ne semble pas l'avoir possédée longtemps. Sans doute y eut-il une transaction par laquelle notre auteur renonça à cette terre (19). Le 8 novembre, le roi lui accorda l'office de capitaine des châteaux et donjon de Chinon (20). En décembre, il ajouta à Talmont Bran et Brandois (21). Il exempta de toutes tailles les paroisses d'Olonne et de La Chaulme pour favoriser le développement du port « bon et bien seur » des Sables (22) :

> « ...*exemptons et affranchissons par ces presentes les manans et habitans des parroisses d'Ollone et de la Chaulme de toutes tailles et autres subventions quelconques, mises et a mettre sus en nostre royaume, tant pour la soulde et paymens de nos gens de guerre que autrement, moyennant ce qu'ilz seront tenus faire clorre et fermer de tours, portaux et murailles ladicte ville des Sables, et faire les fortifications...* »

Ici encore, les dons de Louis XI s'inspiraient de son intérêt politique : entre Nantes, ville bretonne, et la Rochelle dont il se méfiait, ne tenait-il pas à favoriser un port dont l'activité dépendît de son conseiller ?

UN OPULENT MARIAGE

Mais surtout, au cours de cette même période, le souverain procurait à notre chroniqueur une riche héritière. Il le gratifia d'une somme de 41.200 livres tournois,

« pour trente mille escus d'or dont ledict seigneur luy a fait don en faveur de plusieurs services qu'il luy a faits ; et ce, pour luy aider a acquerir et achepter de monseigneur de Monsoreau sa terre et seigneurie d'Argenton » (23). Le 27 janvier 1473, fut signé le contrat de mariage du prince de Talmont avec Hélène de Chambes, fille de Jean de Montsoreau et de Jeanne Chabot. Commynes recevait

> *« les chastel, ville, baronnie, terre et seigneurie d'Argenton en Poitou, les chasteaux, chastellenies, hostels, terres et seigneuries de la Motte-du-Compos, la Motte-Boisson, Villentras, Lairegodeau, le Bugnon-en-Gastinois, Vausselles, Gourges, Precigné, Souvignes, Agenais, la Vacherasse, avec toutes et chacunes leurs appartenances et appendances »* (24).

On estima que l'ensemble valait 50.000 écus. Hélène apportait en dot 20.000 écus. Le mémorialiste paya à ses beaux-parents une somme identique. Cinq membres de l'entourage royal se portèrent garants pour les 10.000 écus restants : Jean Hébert, Jean Bourré, Gilles Flamand, Pierre d'Oriole et G. de Cerisay (25). Dans son œuvre, Commynes ne nomme jamais les trois premiers de ces personnages qui intervinrent pourtant dans sa vie privée, et dont Bourré, pour le moins, joua un rôle important tout au long du règne : pour s'en rendre compte, il suffit de parcourir les lettres de Louis XI qu'a éditées J. Vaesen. Les deux autres, surtout d'Oriole, n'apparaissent que pour être critiqués (26).

Par ce mariage, l'historien entrait dans une vieille famille de l'Ouest. Sa belle-mère était la fille de Thibaut Chabot, tué à Patay, et de Brunissant d'Argenton, la belle-sœur de Ch. de Châtillon, sieur de Blatigny, la sœur de Louis II Chabot, qui était chambellan et capitaine de cent hommes d'armes. Devenu un homme de premier plan, Commynes obtint du pape le droit d'avoir un autel portatif, de faire célébrer la messe en tous lieux, même avant le lever du jour, par le chapelain de son choix, sans que nul y pût apporter quelque empêchement que ce fût.

ARGENTON

Quelle était l'importance de cette baronnie ? Fierville (27) *classe les différentes seigneuries en 7 groupes :*

1°) *La baronnie d'Argenton et la seigneurie du Breuil-Fretier, relevant de la baronnie de Mortagne.*

2°) *La Vacherasse et Agenais, relevant du fief de la Fougereuse.*

3°) *La Carrie, Massais, le Ruau-en-Cersay et Vauzelles, relevant de la vicomté de Thouars.*

4°) *La Motte-Coppoux, la Motte-Brisson* (28), *Souvigné, relevant de Parthenay* (29).

5°) *Les fiefs de Lairegodeau, Gourgé, Orfeuille, Pressigny* (30).

6°) *Le Beugnon-en-Gastine, les borderies d'Azay-sur-Thouet, de Secondigny, de Soutiers, de Saint-Georges-de-Noisné* (31), *relevant de Parthenay.*

7°) *La seigneurie de Villentrois-en-Berry, relevant du comté de Tonnerre* (32).

Le receveur d'Argenton percevait les cens et rentes sur 28 paroisses (33), *s'étendant sur quatre cantons, ceux d'Argenton-Château (avec Argenton-Château, Argenton-l'Église, Boesse, le Breuil-sur-Argenton, Cersay, la Coudre, Étusson, Massais, Moutiers, Saint-Aubin-du-Plain, Saint-Clémentin, Saint - Maurice - la - Fougereuse, Saint-Pierre-a-Champ, Ulcot, Voultegon), de Bressuire (Beaulieu, Cham-*

broutet, Noirlieu, Noirterre) de Châtillon-sur-Sèvre (les Aubiers, Nueil), de Cerizay (Bretignoles), six étant situées en Maine-et-Loire (Cléré, Saint-Hilaire-du-Bois, Saint-Paul-du-Bois, Les Serqueux-sur-Maulevrier, Les Serqueux-sous-Passavant, Yzernay).

Ici encore, fort de la confiance et de l'appui de Louis XI, Commynes n'hésita pas à accepter des terres plus ou moins suspectes, que se disputaient plusieurs héritiers, et qui, finalement, échappèrent à ses descendants, puisqu'un arrêt du Parlement condamna, le 21 juillet 1515, sa veuve, H. de Chambes, et son gendre, René de Brosse, à rendre à Jean de Châtillon le château d'Argenton et la moitié des autres biens qui avaient appartenu à Antoine d'Argenton.

UNE HISTOIRE DE FAMILLE

Quand Commynes reçut cette seigneurie en 1473, quels intérêts s'opposaient les uns aux autres ? Nous voici, de nouveau, plongés dans une sombre et sordide histoire de famille, comme il y en eut tant au 15e siècle. A. d'Argenton était en conflit avec sa sœur Brunissant, épouse de Th. Chabot. Louis II Chabot plaidait contre sa mère, la même Brunissant, et contre son beau-frère, Jean de Chambes, époux de Jeanne Chabot, dame de Montsoreau. Sans nous égarer dans le détail de ces démêlés et procès (34), bornons-nous à signaler quelques étapes de ces longues et interminables disputes.

- *5 juillet 1455 : Brunissant héritera des terres et seigneuries d'Argenton, si son frère Antoine meurt sans enfants.*
- *15 février 1459 : celui-ci est condamné à ne pas aliéner ses biens.*
- *27 juillet 1460 : Louis II Chabot obtient les terres d'Argenton de son oncle qui en conserve l'usufruit.*

— *12 décembre 1462 : Antoine meurt. Brunissant, la mère, et Louis II, le fils, revendiquent Argenton. Le second essaie de tuer la première, en jetant sur elle de grosses pierres.*
— *4 avril 1462 : Jean de Chambes, le beau-fils, se fait céder par Brunissant ses droits sur la succession d'Antoine. En échange, il la libère de ses dettes.*
— *6 avril 1462 : Louis II Chabot terrorise sa mère, et lui extorque des lettres antidatées par lesquelles elle lui transporte les biens en litige.*
— *16 avril 1462 : Jean de Chambes prend possession d'Argenton.*
— *9 mai 1462 : à la suite de lettres « de fournissement de complainte », accordées à Louis II Chabot, Jean de Chambes doit abandonner Argenton aux mains de commissaires royaux.*
— *10 avril 1465 : un arrêt de récréance est rendu en faveur de Jean de Chambes.*
— *1469 : L. Chabot obtient Argenton et la moitié des terres contentieuses ; son adversaire doit se contenter du reste.*
— *1472 : Jean de Chambes fait « appointer » Chabot devant le sénéchal de Poitou en instance possessoire.*

A ce moment, interviennent Louis XI et, derrière lui, notre mémorialiste. Le sieur de Chambes avait deux filles. L'une, Colette, veuve de L. d'Amboise, avait été la maîtresse du duc de Guyenne (35) *et l'avait précédé dans la tombe* (36). *C'est la fameuse dame de Montsoreau. L'autre, Hélène, épousa Commynes. Le roi tenait à se concilier une telle famille et à combler son favori. Jean de Chambes désirait acquérir la faveur du souverain et se débarrasser d'un procès incertain. La cupidité poussait notre historien à agrandir son domaine, fût-ce de pièces suspectes. Ainsi s'explique le contrat du 27 janvier 1473 qui, soulignons-le, ne se préoccupait en aucune manière du jugement de 1469 et transportait au prince de Talmont tous les biens qui avaient été attribués à L. Chabot. Commynes ne pouvait l'ignorer. Une fois de plus, comme beaucoup de ses contemporains, il n'hésita pas à mépriser les décisions de la justice. Il alla plus loin : il attaqua L. Chabot ; il le fit emprisonner, déclarer faussaire et suborneur de témoins, déposséder de tout ce qui lui avait été accordé en 1469 et condamner à une amende de 15.000 livres parisis* (37).

Sur cette seigneurie nouvellement acquise, notre chroniqueur se livra à une grande activité de constructeur. Abattant la vieille habitation, il la réédifia dans des proportions beaucoup plus considérables, lui ajouta deux cuisines, une boutillerie, un autre corps de logis, une grange, une étable double, une maison pour le portier (38). Il fortifia le château, il reconstruisit les tours des Gardes, de l'Horloge, de la Fauconnerie. Il répara brèches, portes et ponts. Il fit noyer les terres en contre-bas du côté de l'Ouère, pour remédier à l'insuffisance des fossés ; il fit faire, à cette occasion, une chaussée qui, à elle seule, coûta 5.000 livres (39). Sans doute y réunit-il un mobilier « de grant valleur et estimacion », des manuscrits comme les traductions de Valère-Maxime, de la *Cité de Dieu* ou la *Chronique* de Froissart, des bijoux dont une partie lui fut volée en janvier 1487 lors de son arrestation par Charles du Mesnil-Simon. Activité dans tous les domaines : construction ou réparation de ponts, de chaussées, de halles, de métairies, de greniers, de fours à ban, de vitraux ; entretien des étangs, des bois taillis et de haute futaie ; soins accordés aux vignes, aux terres (un homme était payé à l'année pour détruire les taupes), aux jardins (avec un jardinier en chef bien appointé). Toutes ces précisions laissent apparaître un amour certain de l'ordre, de l'économie et du rendement.

En même temps, Commynes, qui avait le goût de la puissance, s'entoura d'un personnel nombreux : gens de loi, capitaine, sénéchal, châtelain, procureur, substitut, greffier, prévôt, sergent, receveur... A lire les listes de ses familiers, on s'aperçoit que les mêmes personnes restèrent longtemps à son service. Ainsi, A. Ledoux, procureur en 1486, fut receveur de 1487 à 1498. Ils défendirent ses intérêts avec acharnement. René de Poillé, écuyer, homme de confiance, contrôleur officieux des recettes et dépenses, s'opposa au roi et au Parlement pour conserver Talmont à son maître : quand un sergent, au nom des La Trémoïlle, voulut prendre possession du château, il lui en refusa l'accès. De même, en 1515, quand des experts vinrent inventorier le mobilier, les serviteurs les menacèrent, en sorte qu'on dut soit les séquestrer dans une chambre, soit les expulser par la force.

ENCORE DES DONS

Le 2 janvier 1473, le roi donna à Commynes 4.880 livres tournois « *es bailliages de Tournay... en faveur des grans et recommandables services qu'il luy avoit rendus en ses plus secrettes et importantes affaires* » (40). Étant donné la date de cette faveur, ces « *secrettes et importantes affaires* » n'appartiendraient-elles pas à la période bourguignonne de la vie du chroniqueur ? On s'explique aussi que, dans les *Mémoires,* de nombreux passages aient été consacrés aux événements qui concernent cette ville de Tournai, et que leur auteur souffre de voir les hommes d'armes français dévaster la campagne avoisinante. Le 3 juillet 1474, Louis XI exempta les habitants d'Olonne et de La Chaume de la taille sur leurs vins et leurs blés pendant vingt ans. Le 7 octobre, il accorda au mémorialiste la terre de Chaillot-les-Paris (41). A quoi s'ajoutèrent des dons divers : 3.850 livres en 1476, puis 200 marcs pour avoir annoncé un des premiers la défaite de Morat. Commynes poursuivait son implantation en Poitou. Le 24 novembre 1476, il en devint sénéchal. Il était alors au faîte de la puissance, et il n'avait que 29 ans.

Toutes ces marques de bienveillance s'accumulèrent dans un laps de temps très court (un peu plus de quatre ans), d'octobre 1472 à la fin de 1476, de la défection de notre écrivain à la mort du Téméraire. Ensuite, nous le verrons, la faveur royale devint capricieuse. L'influence de Commynes ne fut plus prépondérante.

Toutefois, la disgrâce ne fut jamais complète. Il convenait à Louis XI de sauvegarder les apparences et de ne pas pousser l'historien à quelque acte fâcheux. Aussi récompensa-t-il ses services par de menus avantages. C'est ainsi que, le 2 février 1477, il le nomma capitaine du château de Poitiers (mais cette promotion ne fut-elle pas un moyen d'éloigner Commynes de la cour ?) (42) ; c'est ainsi qu'en septembre 1477, il lui accorda, sur les dépouilles de Jacques de Nemours, condamné à mort et décapité, une rente de 262 livres, « assise sur le corps de nostre ville de Tournay, a cause des bois de Breuze, et pareillement quarante bonnyes de bois ou environ assis au bailliage de Tournesis, et generalement tous et chacune les autres terres et seigneuries que ledict Jacques d'Armagnac tenoit et possedoit, tant en nostre ville de Tournay que au bailliage de Tournesis » (43). Une fois de plus donc, le mémorialiste eut sa part (une petite part, il est vrai), quand son maître dispersa l'héritage d'une de ses victimes. Il devenait, de ce fait, le complice des actes qui furent jugés les plus odieux. C'est pour cette raison (et pour d'autres aussi) (44) qu'il se contente de moins d'une ligne pour signaler dans son œuvre la mort du duc de Nemours (45).

Enfin, tout au long de ces dernières années, des gratifications d'argent : en 1471, en 1481, en 1482, 1.200 livres tournois pour la garde du château de Chinon, 1.000 livres pour fortifier Argenton ; en 1483, une plus grosse somme : 4.000 livres (46).

LA TOUTE-PUISSANCE

De 1472 à 1476, Commynes fut une sorte de premier ministre (47) qui élaborait avec son maître la politique du royaume dont aucun domaine ne lui était interdit (48). Si l'on en croit les *Mémoires*, une part importante lui revient dans les succès royaux et les habiletés diplomatiques de cette période : rallongement des trêves avec le Téméraire qui se jeta dans la vaine et coûteuse aventure de Neuss (49) ; constitution de la ligue antibourguignonne (50) ; traité de Picquigny : le chroniqueur consacre de nombreuses pages à toutes les phases de sa mise au point et au récit de l'entrevue, nous apprenant qu'il fut le serviteur efficace et nécessaire de l'habile meneur de jeu que fut Louis XI (51) ; exécution du connétable de Saint-Pol (52) ; retournement des alliances après les défaites suisses de Charles de Bourgogne (53). Inutile, sur ces différents points, de paraphraser et de diluer la relation de Commynes, que nous étudions dans notre volume sur la *Destruction des mythes*.

Il est plus intéressant de constater ici que l'on peut, jusqu'à la mort du Téméraire, calquer l'itinéraire de notre auteur sur celui de son maître, alors que, par la suite, ils seront souvent éloignés l'un de l'autre. Ce qui signifie qu'avant 1477, Louis XI éprouva le besoin d'avoir constamment à ses côtés notre chroniqueur, pour le consulter sur l'ensemble des problèmes politiques. Commynes, alors, est véritablement le second, presque l'*alter ego* du souverain, comme le montre ce détail symbolique : le jour de l'entrevue de Picquigny, il porta le même habit que le roi : « Le plaisir du roy avoit esté que je fusse vestu pareil de luy ce jour » (54). Signe de faveur exceptionnelle à n'en pas douter, contrairement à ce que soutient Kervyn (55), pour qui ce fut un moyen de garantir la sécurité de Louis XI. Passé cette date de janvier 1477, le prince se sépara facilement de son conseiller, et lui confia des missions nettement spécialisées. D'autres, comme Jean de Daillon, s'étaient glissés au premier rang.

Quoi qu'il en soit, il semble que le mémorialiste ait suivi le souverain, de mars à mai 1474, à Senlis, à Ermenonville et à Paris (56) ; il l'accompagna à Fargniers le 14 mai 1474, et fut chargé de présenter les excuses de son maître au connétable de Saint-Pol. Durant les trois premiers mois de 1475, les voici à Paris (57). Puis, ils s'en allèrent dans le Nord où, comme « la treve faillit entre le roy et ledict duc de Bourgongne » (58), reprit l'offensive des troupes françaises. Notre chroniqueur assista, le 2 mai 1475, à la prise d' « ung meschant petit chasteau, appellé le Tronquoy (59) » ; le lendemain, il était à Montdidier, et, deux jours après, à Roye. Chaque fois, les places se rendirent à lui, mais il ne put empêcher leur destruction. Le 11 mai, nous le retrouvons au siège de Corbie et, à la fin du mois, à Rouen et dans le pays de Caux. En août, les deux compères remontèrent vers le Nord, traversant Beauvais le 1er, Creil le 4, Compiègne le 5, Notre-Dame-de-la-Victoire le 15, Amiens le 25, Picquigny le 29. Là se tint la célèbre entrevue entre Louis XI et Édouard IV. Commynes y assista, et les *Mémoires* lui réservent une importance particulière. De retour à Amiens, ils y accueillirent « grant force Anglais ». Septembre 1475 : la Victoire-près-Senlis le 3, Senlis le 11, Soissons le 12, Saint-Quentin le 15, où l'historien pénétra avec un jour d'avance pour « faire departir les cartiers » (60) ; Notre-Dame-de-Liesse, à côté de Laon, le 17 ; Vervins, le 21, où il participa aux négociations franco-bourguignonnes, qui décidèrent du sort de Saint-Pol. Bref, il ne quittait jamais le roi. Avec lui, au Plessis-du-Parc, en janvier 1476. Avec lui, à Lyon, de mars à juin, où, tour à tour, arrivèrent des ambassadeurs de Charles de Bourgogne, du duc de Milan, de René de Sicile et d'Anjou. Au cours des tractations qui aboutirent à la cession par le vieux René de la Provence, Commynes joua un rôle (61) qu'il semble minimiser dans les *Mémoires* (62). En juillet, pèlerinage à Notre-Dame-du-Puy-en-Velay. La fin de 1476 se passa, pour la plus grande partie, au Plessis. En novembre, notre historien fut de ceux qui accueillirent Yolande de Savoie, récemment délivrée de sa prison bourguignonne.

Cette fastidieuse énumération montre bien qu'il a suivi le souverain dans tous ses déplacements ; qu'il a participé de près aux grandes négociations de cette période ; que son maître l'a associé à sa politique d'opposition à Rome, tant pour la réunion d'un concile à Lyon et pour la remise aux mains de Julien de La Rovère des affaires relatives aux bénéfices de France que pour l'interdiction qui fut faite aux religieux de se rendre à des chapitres tenus hors du royaume (63).

De tous côtés, affluait l'argent. Commynes aide-t-il les Milanais ? Ce n'est pas gratuitement. Cicco Simonetta lui annonce l'envoi d'une pièce de drap d'or et d'une chaîne en or pur (64) ; et on lui promet davantage : « Ce que nous lui offrons, dit un ambassadeur, ce n'est point comme présent, mais en signe de bienveillance ; et à l'avenir, nous nous souviendrons encore mieux de lui » (65). Le 31 octobre 1475, les habitants de Tournai lui donnent une tapisserie « de la valeur de XL livres de gros » (66) et le remercient d'avoir empêché que leur cité ne soit aliénée au profit du Téméraire. N'imaginons pas que l'intervention de notre écrivain ait été pure de toute arrière-pensée. Il avait reçu une rente sise « es bailliages de Tournay », et il risquait de la perdre, si le duc de Bourgogne mettait la main sur cette ville, comme il en avait été question pendant les tractations au cours desquelles Louis XI et son vassal se concertèrent sur le sort à infliger à leur ennemi commun, Saint-Pol. D'ailleurs, il y eut de longs débats entre Commynes et Tournai, au sujet de la perception des revenus des francs-fiefs et des nouveaux acquêts (66).

La lettre d'un ambassadeur milanais nous permet de mesurer quelle fut, durant cette période, l'importance du seigneur d'Argenton. En effet, le 20 juillet 1476, Francesco de Petrasancta, observateur sagace et impartial, écrivait à son maître Galéas Sforza :

> « *Pour tout dire, Monseigneur, en ce qui se rapporte au bon succès de ces affaires, Monseigneur d'Argenton a été le principe, le milieu et la fin.* Solus, *il gouverne et couche avec le roi. C'est lui qui est tout* in omnibus et per omnia. *Il n'y a personne qui soit un si grand maître, ni d'un si grand poids que lui. Il s'attend à ce que Votre Seigneurie, appréciant un si grand service, lui accorde quelque rémunération honorable. S'il en était* aliter, *il pourrait à coup sûr en résulter quelque préjudice* in futurum. *Si Votre Seigneurie dispose de lui, elle pourra dire qu'elle dispose du roi. Votre Seigneurie est très sage, et je lui signale ce qui me paraît le plus avantageux* » (67).

Le même témoin revint à la charge le 4 novembre, c'est-à-dire à peu près deux mois avant la mort du Téméraire. Il estime qu'il n'est pas inutile de parler de nouveau de notre mémorialiste, car

> « *chaque jour voit grandir sa faveur et son crédit, et sa Majesté le Roi lui confie la plus grande*

> *partie des affaires les plus importantes, surtout celles de Bourgogne, de Suisse, de Portugal et celles de Madame de Savoie. C'est par ses mains que toute cette affaire est conduite* » (68).

Les interventions de Commynes sont efficaces, chaque jour qui passe en a convaincu l'Italien, « connaissant et ressentant encore à toute heure l'avantage et le fruit qu'on a retiré et qu'on peut retirer de son entremise et de son appui » (69). Il convient donc de ne pas s'aliéner l'amitié d'un tel allié, d'autant plus qu'il est le seul à défendre auprès de son maître les intérêts milanais (70).

Grâce à ces lettres, nous pouvons esquisser un portrait de notre chroniqueur. Ministre tout-puissant, il s'occupe de toutes les affaires importantes ; il exerce un certain ascendant sur l'esprit de Louis XI dont il ne s'éloigne guère ; il ne semble pas avoir de rival qui menace sa prépondérance ; il oriente la politique du royaume. Il soutient la cause de plusieurs princes italiens (71), et, contre de fortes rémunérations, il utilise à leur service son influence. Il entend être bien payé. A en croire Petrasancta, son comportement se modifierait sans aucun doute, si l'on oubliait de lui accorder de substantielles récompenses ; et il se retournerait alors vers des princes plus généreux. En un mot, le tout-puissant favori n'a rien d'un homme désintéressé. Faut-il aller jusqu'à penser que les intérêts de son maître passaient quelquefois après ses profits personnels au cours de ces tractations italiennes ? Un autre ambassadeur. Colleta, fait état de renseignements très confidentiels que lui a fournis Commynes (72).

Quand on aborde la fin de 1476 et le début de 1477, on ne peut manquer de se poser une question : Le seigneur d'Argenton, qui était alors au sommet de sa puissance, a-t-il joué un rôle important dans la mise à mort du Téméraire ? Sur ce point, il est impossible d'apporter une réponse nette, faute de documents précis ou de confidences claires. Tout au plus pouvons-nous signaler quelques faits qui nous poussent à croire qu'il ne fut pas étranger aux dernières péripéties et à l'épilogue du long duel qui opposa le suzerain français à son vassal bourguignon. D'abord, les *Mémoires* rapportent, à plusieurs reprises et avec de nombreux détails, les propositions réitérées de Campobasso qui offrit de tuer ou de livrer le duc (73) : seul, un témoin privilégié était à même de faire de semblables révélations. Ensuite, Commynes lui-même nous apprend qu'il a connu deux ou trois des séides que le condottiere italien avait laissés après son départ, avec la mission d'assassiner le Téméraire. En outre, il affirme, par deux fois et contre toute vraisemblance (74), que Louis XI repoussa avec énergie et dégoût les avances du traître : n'est-ce pas un moyen habile de suggérer qu'il n'y eut aucune collusion d'aucune sorte entre lui-même et les meurtriers ? Enfin, et nous l'avons déjà dit, il dénonce avec une violence inaccoutumée la félonie et la bassesse de Campobasso. Cet acharnement nous incite à réfléchir sur les mobiles de notre mémorialiste : n'a-t-il pas voulu rejeter sur un autre la mort du Téméraire dont il se sentait responsable ? N'a-t-il pas voulu infirmer le témoignage d'un homme qui pouvait le mettre en cause ? N'a-t-il pas voulu éloigner de notre esprit l'idée que, non content de changer de camp, il n'ignora rien des sombres machinations qui aboutirent à la ruine et à la mort de son premier maître ?

Surgit alors une dernière question : pourquoi Louis XI a-t-il fait de Commynes son familier le plus écouté ? Sans doute parce que le transfuge était d'une singulière habileté, mais aussi, peut-être, parce qu'il était le seul à avoir été, pendant huit ans, le confident du Téméraire et que, le connaissant mieux que quiconque, il était à même de conseiller au roi les mesures les plus sûres et les choix les plus pertinents pour abattre son adversaire, sans se mesurer avec lui dans une guerre.

DISGRACE ?

Le duc de Bourgogne abattu, Commynes garda, pendant quelque temps, la confiance du souverain. Il assista, en particulier, au repas qu'ordonna Louis XI pour fêter cet événement tant attendu. Les *Mémoires* nous l'apprennent, et, en même temps, ils nous amènent à penser que le chroniqueur se plaisait à espionner les courtisans, à guetter leurs réactions (75). Mais il est évident que, très rapidement, le favori perdit la première place qu'il avait occupée jusqu'alors et qu'il ne retrouva jamais, bien qu'il semble, çà et là, insinuer le contraire et qu'à plusieurs reprises, il soit revenu dans le cercle des familiers.

Pourquoi cette désaffection ? Nous avons déjà suggéré une première raison : Louis XI débarrassé de son vassal, le seigneur d'Argenton devenait moins utile ; et peut-être le maître regimba-t-il contre l'emprise d'un serviteur trop adroit.

Commynes avance une autre explication, à savoir un désaccord avec le roi sur la politique à appliquer envers la Bourgogne. Il voulait mettre fin au conflit par un mariage entre la jeune duchesse Marie et le dauphin, ou un prince français ; le souverain prétendait disloquer une fois pour toutes un État qui avait menacé l'existence même du royaume. Mais faut-il, avec G. Charlier (76) prendre pour argent comptant les allégations de notre auteur ? Nous ne le croyons pas. D'abord, est-il vraisemblable qu'il ait suffi d'une divergence sur un problème certes essentiel pour qu'un ministre, jusqu'alors prépondérant, soit écarté de la cour et exilé en Poitou ? Ensuite, est-il certain que le désaccord ait été aussi profond que l'affirment les

Mémoires, et que Louis XI ait été absolument hostile au mariage franco-bourguignon ? Duclos ne le pense pas (77). Mais il est surtout un fait qui demeure troublant. Lorsque nous considérons la période qui suit février 1477, nous constatons que Commynes ne retourna plus dans le nord de la France où se déroulaient les plus importantes opérations militaires et tractations diplomatiques. Tandis que le maître se trouvait en Picardie et en Artois, d'avril à août 1478, le serviteur fut envoyé en Poitou, en Bourgogne, en Italie. Sont-ils de nouveau réunis, en octobre 1478 ? C'est en Touraine. Pourquoi, de la part du roi, cette volonté tenace d'écarter le mémorialiste du Nord ? Il n'est pas absurde de soutenir qu'au cours de ses conversations avec les représentants de l'État bourguignon (dont il prétend avoir rallié certains à Louis XI), le seigneur d'Argenton se laissa gagner par des offres alléchantes, et qu'on lui suggéra que, le Téméraire mort, rien ne s'opposait à ce qu'il recouvrât le patrimoine perdu, à condition de rendre quelques services, et, d'abord, en arrêtant les hostilités. Ces offres étaient d'autant plus intéressantes que les derniers démêlés avec la famille La Trémoïlle avaient démontré que les droits de Commynes sur Talmont étaient bien fragiles.

Si l'on accepte cette hypothèse, notre auteur aurait recommandé le mariage franco-bourguignon, préoccupé de ses propres intérêts autant que de ceux de son maître. Il aurait pu ainsi abolir le passé, retrouver sa patrie, faire du traître qu'il était un précurseur et un sauveur. Nous savons qu'il n'avait pas oublié sa terre natale, malgré ce qu'avance Varenbergh (78). Plus tard, rédigeant ses *Mémoires,* il s'efforça de présenter la politique qu'il préconisa comme la meilleure solution à un problème difficile (79). Déçu dans ses espoirs, il condamna sévèrement Louis XI et ses nouveaux conseillers ; il dénonça leurs fautes morales et politiques qu'il ne chercha plus à passer sous silence : comment qualifier la conduite du souverain qui usurpa l'Artois, essaya de s'emparer d'une terre de l'Empire, le Hainaut, et remit aux Gantois une lettre confidentielle de Marie de Bourgogne, sa jeune filleule, vouant à la mort deux hommes éminents, Humbercourt et Hugonet ?

En faveur de notre hypothèse, nous disposons d'un second argument, que nous fournit le chroniqueur lui-même. N'écrit-il pas, à propos de son départ de Bourgogne : « Cela, avec quelque autre petite suspicion, fut cause de m'envoyer tres soudainement a Florence » (80) ? Cette formule vague et minimisante, ces réticences, nous poussent à rechercher la nature de ces soupçons derrière les phrases habiles et enveloppantes des *Mémoires*. Mais, dira-t-on, l'auteur aurait pu escamoter cette notation si elle était l'écho de bruits plus ou moins infamants. Nous répondrons que, cette affaire étant venue aux oreilles de plusieurs, Commynes a préféré prendre les devants en les mentionnant et prévenir les attaques en ramenant à d'inconsistantes suspicions des accusations plus graves.

UNE RÉVOLUTION DE PALAIS

Reprenons maintenant notre récit à la mort du Téméraire. Avant même que celle-ci ne fût confirmée, notre écrivain fut envoyé en Picardie et en Artois, où, de l'avis du roi, il obtint de maigres résultats ; mais les *Mémoires* s'efforcent de diminuer cet échec : nous l'avons vu ailleurs (81). Un passage de cette œuvre sollicite notre attention. Kervyn en a pressenti l'importance (82). En effet, nous lisons au ch. 15 du livre 5 :

« *Ung chevalier de Haynault estoit arrivé la devers moy, n'y avoit point demye heure, et m'apportoit nouvelles de plusieurs autres a qui j'avoye escript*

> *en les pryant de se vouloir reduyre au service du roy. Ledict chevalier et moy sommes parentz, et est encores vivant, par quoy ne le veulx nommer, ne ceulx de qui il m'apportoit nouvelles* » (83.)

Quelles leçons tirer de ces lignes ? D'abord, que Commynes était resté en rapport avec sa famille, qu'il pouvait servir d'intermédiaire entre elle et Louis XI, mais que, réciproquement, elle était à même de l'aider à se rapprocher de sa patrie d'origine. Ensuite, s'il refuse de nous révéler le nom de son interlocuteur, c'est peut-être non pas parce qu'il s'efforce de ne pas compromettre des personnages encore vivants, comme il le prétend, et comme le croit Calmette (84), mais parce qu'il désire jeter la suspicion sur d'autres membres de sa famille flamande et insinuer qu'il ne fut pas le seul à trahir : ce serait une justification à usage interne.

A son retour, il est fraîchement accueilli par le roi qui paraît se méfier, et écoute de plus en plus les avis intéressés de Jean de Daillon qui fait, désormais, figure de favori, encore qu'il ait déjà occupé une place importante avant la disparition du Téméraire. Les *Mémoires* l'attestent. Daillon, en compagnie de Commynes, reçut l'envoyé de Saint-Pol (85) ; il lui posa même une question maladroite, comme le chroniqueur le signale, pour souligner sa propre supériorité. De même, préoccupé de dénoncer la cupidité de son rival (86), l'historien nous apprend que Daillon « estoit en grant auctorité avec le roy ».

Il semble qu'en l'absence de Commynes, et à son détriment, il y ait eu une sorte de révolution de palais, et qu'une nouvelle équipe ait pris la relève, avec Daillon, L. d'Amboise, Boffillo, et, dans l'ombre de ceux-ci, O. Le Dain, puis Doyat et Coictier. Cette impression se confirme, quand on considère les dons et les charges que Louis XI accorda aux uns et aux autres. Suivons, par exemple, la carrière de Daillon après 1477. Il effectua plusieurs missions dans le Nord, où il inspira de la crainte par sa rigueur, et où il signa, avec quelques autres, les lettres de composition et d'amnistie, données aux Arrageois les 1er avril et 4 mai 1477 (87). La garde du Quesnoy lui fut confiée, le 8 juin 1478. Notre mémorialiste était éloigné de cette région, et on lui reprocha sa modération en Bourgogne. En 1479, Daillon reçut le serment de fidélité des nobles et des officiers de ce duché ; il escorta en France le légat du pape, le cardinal de Saint-Pierre-aux-Liens. Et les dons affluaient. Le 10 avril 1477, il devint vicomte de Domfront ; en septembre, il obtint les seigneuries non seulement de La Ferté-Milon et de Nogent, mais encore de Leuze et de Condé-en-Hainaut, arrachées au duc de Nemours, cependant que Commynes ne recevait, sur ces dépouilles, qu'une modeste rente. En juillet 1481, le voici, en outre, seigneur de Gezy-lès-Lens, enlevé à Jean de Chalon, prince d'Orange. Observons, en passant, que les *Mémoires* consacrent trois pages à ce dernier, à la fois parce qu'il changea de camp plus d'une fois, qu'il prêta serment de fidélité entre les mains de notre auteur, et que, dans son histoire, apparaissent G. de La Trémoïlle et Daillon, deux ennemis de Commynes (88).

Cette brève émunération permet de voir que le nouveau favori était mieux traité que le chroniqueur. Désire-t-on une dernière preuve ? Empruntons-la aux *Mémoires*. Lorsque Louis XI, en mars 1479, subit sa première attaque d'apoplexie, Commynes était à Argenton (89), mais Daillon se trouvait auprès de son maître, avec Louis et Charles d'Amboise et le maréchal de Gié (90).

Que penser aussi des titres et des charges qui furent prodigués à Olivier Le Dain ? Le barbier devint comte de Meulan, gouverneur de Saint-Quentin, capitaine du château de Vincennes et du pont de Saint-Cloud, garde de la garenne de Rouvray, c'est-à-dire du bois de Boulogne, seigneur haut-justicier de Crone ; et nous omettons de multiples menues faveurs. Mais qu'on ne s'y trompe pas : Daillon est le mieux pourvu, et Commynes l'a attaqué avec une vigueur particulière, parce qu'à coup sûr, il conduisit, de 1477 à 1481, la politique royale, comme l'a senti Michelet (91).

Un autre indice nous amène à la même conclusion. Pour se convaincre que le mémorialiste a connu la défaveur, il suffit d'ouvrir les tomes XVIII et XIX des ordonnances des rois de France. Entre 1477 et 1483, le nom de Commynes disparaît. Nous ne le lisons que deux ou trois fois, dans des lettres signées au Plessis-du-Parc, le 4 décembre 1477 et le 9 janvier suivant. Dans ce cas-ci, il s'agit du traité de paix avec Venise (92). Précisons :

1°) que ces deux textes ont été dictés en Touraine ;

2°) que, le 4 décembre, le nom de Daillon figure au bas de la lettre et qu'il y est encore le 8, tandis que celui de notre mémorialiste est absent ;

3°) que nous retrouvons le nom de Daillon au bas de lettres données dans le Nord et la région parisienne aussi bien que dans la vallée de la Loire ;

4°) qu'à la fin du statut des bouchers de Saumur, fixé en novembre 1481 à Argenton, le seigneur du lieu n'est pas cité, mais peut-être est-il compris dans le groupe des « autres presens » : il se perd alors dans l'anonymat de l'entourage royal, au lieu d'être au premier plan ;

5°) que nous rencontrons fréquemment le nom de Du Bouchage et, plus ou moins souvent, ceux de G. de Cluny, de Pierre de Rohan, comte de Marle et maréchal de France, de Louis d'Amboise, évêque d'Albi, de J. Bourré, de J. de La Vacquerie, du sénéchal de Normandie, de G. Bische, gouverneur de Péronne, de Jean de Montespedon, bailli de Rouen, de Jean Doyat, de Pierre de Beaujeu, de Ph. de Crèvecœur, de J. Coictier, d'A. Cato, archevêque de Vienne, de Jean Chambon. Certains sont des transfuges de fraîche date ; d'autres, des fidèles de tout le règne ; et quelques-uns, enfin, apparaissent dans la courte liste dressée par Commynes, quand il relate la première attaque de Louis XI (93).

EN POITOU

Sa place prise par d'autres, et quelque suspicion aidant, le chroniqueur fut envoyé en Poitou. Pour masquer la réalité de cette disgrâce (94) et la dissimuler sous un prétexte, Louis XI le nomma capitaine du château de Poitiers (95) en lui prodiguant des éloges : ne veut-il pas honorer ses « grans sens, vaillance et loyauté, prudhomie et bonne diligence » ? Mais le souverain restait dans le Nord, où se jouait la partie la plus délicate. Un fait, qu'a signalé Kervyn (96), est à noter : il confirme notre hypothèse. Commynes se mit en route vers le Poitou, avant que son maître ne rencontrât les représentants de la duchesse Marie, Humbercourt et Hugonet. Louis XI a voulu empêcher qu'il n'y eût des contacts entre les porte-parole bourguignons et son chambellan, afin que ce dernier ne pût les conseiller utilement, ni peut-être négocier avec eux son retour au pays natal. Nous comprenons mieux ainsi pourquoi les *Mémoires* font de Hugonet un « tres notable personnaige et saige » et de Humbercourt le plus avisé et le plus habile des gentilshommes ; pourquoi les *Mémoires* stigmatisent en termes vifs le comportement de Louis XI, responsable de leur mort, d'autant plus que celle-ci accéléra la décomposition de l'État bourguignon et peut-être (97) ferma pour toujours à notre auteur les portes de la Flandre. Il n'avait pas oublié sa patrie : en témoignent, d'une part, ses durs propos contre les Gantois qui s'appliquèrent à affaiblir, à mutiler, à démembrer l'héritage du Téméraire ; de l'autre, ses longues remarques sur la désolation qui a frappé ces riches provinces.

Il semble que son exil ait duré assez longtemps. Les *Mémoires* le mentionnent (98), sans employer le mot de disgrâce, ni lier cet éloignement à l'échec diplomatique que le seigneur d'Argenton essuya en Artois. De toutes façons, on ne saurait soutenir avec J. Bastin : « Il ne quittera plus le roi, et sera pendant onze ans son chambellan et fidèle conseiller » (99). A-t-il supporté cette défaveur avec philosophie ? Nous ne le croyons pas. Un fait semble établir qu'il en a gardé contre son maître et son entourage une rancune tenace. Que trouvons-nous, en effet, dans les *Mémoires*, après le récit des événements de janvier et de février 1477, après une analyse détaillée de l'échec d'Olivier Le Dain et des déplorables conséquences à Gand de la politique poursuivie par la nouvelle équipe ? De longs développements didactiques, des conseils aux princes, une énumération de leurs fautes, dont certaines ont été commises par Louis XI (100). Commynes dénonce l'oppression financière qui accable le pauvre peuple (101) ; il prend la défense des états généraux ; il demande une limitation du pouvoir royal ; il rappelle que Dieu châtie les grands avec sévérité. N'est-ce pas le signe que, plus de dix ans après, le souvenir de son infortune restait fiché en son cœur, l'amenant à prononcer un vif réquisitoire contre la toute-puissance royale et à rechercher une compensation dans l'affirmation de la justice divine ? Il n'avait pas davantage oublié les paroles mordantes que Daillon lui adressa à son départ (102) ; et, s'il a sans doute travesti la réalité (103), ce personnage n'en demeure pas moins lié à sa disgrâce.

EN BOURGOGNE

Au début de 1478, en compagnie de Boffillo del Giudice, il participa aux négociations avec la République de Venise. Comme l'a montré P.-M. Perret (104), il semble bien qu'il n'ait été que le second de ce Boffillo que les *Mémoires* ne mentionnent jamais. Ensuite, il fut envoyé en Bourgogne, spécialisé dans des missions d'ambassadeur, cependant qu'à l'ordinaire, son maître résidait au Plessis. Commynes n'est souvent qu'un exécutant dans un domaine limité, et de moindre importance. Mais pour calmer sa rancœur, on continue à le flatter. On crée pour lui des titres plus ou moins prestigieux, témoin ces lignes des *Mémoires* (105) : « Et estoye lors present : car le roy m'y avoit envoyé avec les pensionnaires de sa maison. Et fut la premiere foiz que il eust baillé chef ausdictz pensionnaires ; et depuis a esté accoustumee ceste façon jusques a ceste heure ». On lui donne le collier de l'Ordre de Saint-Michel (106). Il doit se contenter de ces colifichets, mais il n'est pas dupe : dans son œuvre, il n'est parlé qu'une seule fois de cet ordre, et alors il sert à payer le ralliement de Lescun (107). En Bourgogne, il ne réussit pas mieux que dans le Nord. Du moins est-ce l'avis du roi qui l'envoya, nous est-il dit dans les *Mémoires*, « tres soudainement a Florence ». Que lui reprochait-on ? D'avoir été, comme il le prétend, trop politique et trop modéré au point de ménager à l'excès les bourgeois de Dijon ? S'était-il, de nouveau, laissé fléchir par les cadeaux des notables ? Nous en connaissons certains (108), dont la modestie nous incline à penser qu'il y en eut d'autres plus importants. Ainsi s'expliquerait qu'il ait jugé bon de dénoncer la cupidité des deux gouverneurs de cette province, de G. de La Trémoïlle et de Ch. d'Amboise. A ce séjour, il ne consacre que quelques lignes, manifestant une discrétion un peu suspecte, d'autant plus que, nous précise-t-il, sa mansuétude ne fut pas le seul motif qui poussa Louis XI à lui ordonner de partir pour Florence. Peut-être sa mission a-t-elle été trop insignifiante pour qu'il s'y attarde.

L'AMBASSADE A FLORENCE (1478)

Louis XI lui-même, dans une de ses lettres, après avoir évoqué l'attentat des Pazzi et le meurtre de Julien de Médicis, nous annonce la venue de son ambassadeur :

> « *Et abbiamo pensato di mandare verso Vostre Signorie il nostro amato e fidele consigliere et cameriere, el signor d'Argenton, siniscalco del nostro paese de Poitou, che è oggi uno degli uomini che noi abbiamo, nel quale abbiamo maggiore fidanza, per farvi sapere bene a lungo la nostra intenzione* » (109).

N'accordons pas plus de crédit qu'il ne convient à ces formules banales : le roi veut flatter les Italiens et, par la même occasion, Commynes. Les relations entre le maître et le serviteur demeurent ambiguës : le premier se méfie du second, mais ne cesse de lui prodiguer éloges et marques d'estime. Si nous comprenons bien le texte des *Mémoires,* que nous avons déjà cité (110), Louis XI semble avoir envoyé notre chroniqueur à Florence non pas parce qu'il avait apprécié ses talents d'ambassadeur, mais plutôt pour l'éloigner de la Bourgogne où il le soupçonnait de mener une politique étrangère à la sienne. Autrement dit, le sire d'Argenton a été spécialisé dans des affaires italiennes sans doute parce qu'il y était expert (il avait déjà négocié avec Yolande de Savoie, avec Milan et Venise), mais aussi afin qu'il ne pût s'occuper de la succession de Charles le Téméraire.

Quelles furent les étapes de ce voyage (111) ? Commynes passa, d'abord, par Turin, où il éconduisit R. di San Severino (112), hostile au gouvernement milanais de C. Simonetta, et, partant, émigré, sans toutefois le décourager totalement, puisqu'il lui fit dire par Jean de Leyguyne que « si sa Majesté n'avait pas d'autre guerre, elle favoriserait puissamment messire Roberto » (113). Ce dernier, peu satisfait de cette réponse, rejoignit les ennemis de la France et se mit au service des Aragonais de Naples. Le mémorialiste ne parle ni de cette rencontre, ni de ce qui peut passer pour une maladresse. Le 16 juin 1478 (114), l'ambassadeur A. d'Applano annonça que notre chroniqueur se dirigeait vers Milan où il arriva le 18, et qu'il quitta le 22 pour gagner Florence (115), où il fut accueilli triomphalement (116), cependant que Pierre de Beaujeu, le beau-fils du roi, se rendait à Rome. En dépit de ce qu'affirme Kervyn (117), Commynes n'alla pas dans la ville pontificale : sur ce prétendu voyage, L. Cerioni a bien mis les choses au point (118).

De quoi s'entretint-on à Florence ? Les *Mémoires* sont, une fois de plus, bien discrets. Ils nous suggèrent que notre auteur réussit dans sa mission, et qu'il donna satisfaction à ses interlocuteurs, puisqu'il fut « tres bien traicté d'eulx et a leurs despens, myeulx le dernier jour que le premier » (119). Paroles prudentes, qui étonnent. Et il est un fait important dont nous sommes surpris que Commynes ait perdu le souvenir : c'est le traité de confédération avec Milan qu'il signa le 18 août (120), de concert avec Laurent de Médicis, désigné par Louis XI pour assister son envoyé :

> « ...*promettans de bonne foy, en parolle de roy, avoir agreable, ferme et estable tout ce que par nostredict cousin Laurent de Medicis et nostre conseiller et chambellan ledict d'Argenton sera faict et besongné en ceste partie* » (121).

Les lettres des ambassadeurs milanais à Florence (122) le signalent à plusieurs reprises. Pourtant, dans son œuvre, le mémorialiste ne mentionne ni le traité, ni le rôle du Magnifique, qui est incontestable : la duchesse de Milan ne s'adressait-elle pas à lui pour lui demander de la défendre auprès du souverain français (123) ? En revanche, la mémoire de notre auteur retrouve toute sa vigueur pour rappeler qu'au nom de son maître, il reçut du jeune duc de Milan l'« hommaige de la duché de Gennes » (124) : alors, il était seul à représenter le roi, comme l'attestent les pouvoirs qui lui furent envoyés le 13 juillet (125) et une missive de Sacramoro et de Talentis, datée du 10 août (126). Pourquoi deux poids, deux mesures, puisqu'il est certain que Commynes avait deux missions à accomplir ? Les ambassadeurs milanais sont formels :

> « *En vertu de ce mandat, il peut recevoir l'hommage et le serment de fidélité de Vos Altesses pour Gênes et Savone, comme s'il était la propre personne du roi. Il a une autre commission, c'est de renouveler et conclure les alliances etc... et cette commission, il l'a, nous dit-il, en commun avec le Magnifique Laurent* » (127).

Leur témoignage est confirmé par une lettre que la duchesse de Milan écrivit à Laurent de Médicis, le 18 juin 1478 (128).

Pourquoi ce silence sur un point essentiel ? On peut penser que Commynes a masqué le rôle du Magnifique pour rester seul sur le devant de la scène, et surtout pour éloigner de notre esprit l'idée que Louis XI avait jugé bon de suppléer à l'inexpérience de son ambassadeur par la finesse et la compétence du Florentin. N'oublions pas qu'en 1478, notre mémorialiste n'était pas encore le diplomate retors de l'expédition napolitaine, et qu'il continuait à s'initier aux problèmes complexes de la péninsule, et qu'il était encore jeune, et qu'il n'était plus le favori tout-puissant. C'est pourquoi il ne semble pas qu'il faille accepter sans réserves l'opinion de Kervyn (129) : « Leur envoyer un négociateur comme Commynes, c'était, tout en servant l'intérêt de la France, leur rendre un éclatant hommage ». Et que penser de cette affirmation de J. Bastin : « En 78, la carrière de Commynes est au zénith » ? En outre, cette mission à Milan n'obtint pas le succès que d'aucuns ont cru, puisque le sire d'Argenton ne réussit pas à convaincre ses interlocuteurs de s'engager à fond dans le conflit qui divisait l'Italie et de mener une action militaire contre Naples et Rome (130). L'on s'explique ainsi, pour une part, pourquoi il porte dans ses *Mémoires* un jugement sévère contre Bonne de Savoie, et pourquoi il parle avec indifférence de C. Simonetta avec qui il échangea des lettres amicales.

On peut même soutenir que le chroniqueur a volontairement brouillé les cartes avec une habileté qui se manifeste de plusieurs manières. D'abord, il accorde plus de place à la conjuration des Pazzi, au meurtre de J. de Médicis et aux représailles qui s'ensuivirent qu'à son action personnelle à Florence (131). Ensuite, il ne mentionne ni la collaboration de Laurent avec qui il eut cependant à se concerter (132) ; ni le renouvellement de l'alliance franco-milanaise, et pourtant ce fut la cause de son séjour prolongé dans la cité toscane (133) ; ni les longs débats relatifs à la somme de deniers que Milan aurait à verser à Louis XI, alors qu'il consacra plusieurs entretiens à cette question et que les ambassadeurs des Sforza s'interrogèrent sur les desseins réels de l'émissaire français :

> « *...o per adoperarsi il meglio possibile in favore del proprio sovrano, cercando di spuntare... una certa somma di denaro... o forse per crearsi con la rinuncia di queste pretensioni una maggior*

> *riconoscenza dagli Sforza i quali possono credere che la rinuncia sia dovuta esclusivamente a lui* » (134).

En outre, si l'on suit le texte adopté par J. Calmette, il prétend n'être resté qu'un seul mois à Florence (135) ; en réalité, il séjourna dans cette ville presque deux mois, comme l'a relevé Y. Labande-Mailfert (136). Mais, sur ce point, il convient de préciser que tous les manuscrits présentent la même leçon : « Je demouray audit lieu de Florence *un an* ». Erreur manifeste. Mais à qui l'attribuer ? Aux copistes, et alors nous aurions eu *un mois* ? Ou bien à Commynes lui-même ? Comme il s'efforça, en vain, pendant de nombreuses journées, d'apporter une solution aux problèmes qui lui étaient posés, il lui sembla qu'il était resté très longtemps à Florence. D'où cette faute, quand il dicta ses *Mémoires*. Enfin, il émet, sur le compte de Laurent de Médicis, des précisions, plutôt défavorables, bien faites pour suggérer que le Magnifique n'était pas à même de venir à bout, seul, de ses difficultés et que, par conséquent, il était heureux et nécessaire que Commynes s'en mêlât :

> « *...et fut grand adventure que de tous poinctz lesditz Florentins ne furent detruictz, car ilz avoyent esté longtemps sans guerre, ny ne congnoissoyent leur peril. Laurens de Medicis, qui estoit chef en la cité, estoit jeune et gouverné de jeunes gens. On se arrestoit fort a son oppinion propre* » (137).

Dans ces conditions, le lecteur non prévenu est dans l'incapacité d'imaginer que Laurent et notre auteur collaborèrent étroitement pour tout ce qui concernait les relations franco-milanaises.

Mais nous devons nous poser une autre question : Commynes a-t-il aidé les alliés florentins, alors en guerre avec les Napolitains ? Donnons-lui la parole, et considérons, en premier lieu, comment il nous présente les faits (138) :

1°) il accentue et la faiblesse de Florence et la force de ses ennemis (139) ;

2°) il indique qu'il ne disposait que de moyens exigus : « La faveur du roy leur feit quelque chose, non point tant que j'eusse voulu, car je n'avoye point d'armee pour leur ayder, mais seulement j'avoye mon train » ;

3°) en manière de conclusion, il nous apprend qu'il fut très bien traité par les Florentins, « myeulx le dernier jour que le premier », et que Louis XI, à son retour, lui réserva un accueil chaleureux.

Si l'on s'en tient à la version des *Mémoires*, il ressort que le chroniqueur, vu la situation et ses moyens, a réussi autant qu'il lui était possible.

En réalité, quand Commynes quitta Florence, aucun problème n'était réglé (140). Le pays était attaqué de trois côtés (141), et l'avenir demeurait fort sombre. Finalement, Laurent ne fut sauvé, dans l'immédiat, que par un voyage à Naples (142) et, un peu plus tard, que par une attaque fort opportune du Turc qui s'empara d'Otrante, le 11 août 1480. F.-T. Perrens nous a laissé une démonstration convaincante (143) :

> « ...*Le duc de Calabre, rappelé par son père, abandonnait le pays de Sienne, où il occupait tant de places, aux vengeances, aux revendications, aux conquêtes de la République voisine, et le roi de Naples en venait même (vers 1481) à exiger des Siennois qu'ils rendissent gorge spontanément, pour éviter que Florence, leur déclarant la guerre dans son intérêt propre, n'en fût détournée d'expédier les secours qu'il en espérait contre le Turc. De son côté, Sixte IV, qui jus-*

> *qu'alors avait refusé tout pardon, tant que Lorenzo ne serait pas venu se prosterner à ses pieds, consentait à recevoir, en son lieu et place, des ambassadeurs. Le 4 novembre 1480, il en était désigné douze* » (144).

Et, si un Français intervint avec efficacité, ce fut plutôt l'évêque de Montauban, P. Palmier qui prépara la rencontre entre L. de Médicis et le roi aragonais (145), et dont le départ pour Naples fut annoncé à Milan par Ch. Visconti et J.A. Cagnola les 20 et 21 septembre 1479 (146). On chercherait en vain dans les *Mémoires* le nom de Palmier. Cependant, Commynes fut en correspondance avec lui, comme l'atteste une lettre qu'il lui envoya du Plessis-du-Parc, le 3 octobre 1479 (147).

Dans une étude bien informée, L. Cerioni admet elle aussi que les tentatives de Louis XI échouèrent :

> « *La politica di Luigi XI fallisce in quello che è il suo punto principale, l'azione contro il papato ed il re di Napoli, poichè il concilio resta solo un episodio e la pace viene solo più tardi, raggiunta per il felice compromesse Lorenzo de Medici-Ferdinando d'Aragona* » (148).

Aussi sommes-nous surpris de lire sous la plume de Mandrot (149) que « Commynes paraît avoir entièrement réussi à Turin, à Milan et à Florence », et sous celle de Charlier (150) : « Aussi bien à Florence Commynes va-t-il connaître un des plus grands succès diplomatiques de toute sa carrière ».

Mais, objectera-t-on, comment, dans ces conditions, expliquer que l'ambassadeur ne soit pas revenu les mains vides ? Comment expliquer que les puissances italiennes l'aient loué outre mesure dans les lettres qu'ils adressèrent à Louis XI ? Laurent le Magnifique et la Seigneurie, en effet, lui donnèrent des cadeaux d'une valeur respective de 300 et de 4 à 500 ducats (151) ; et Commynes évoque ces générosités dans cette phrase volontairement vague : « ...tres bien traicté d'eulx et a leurs despens » (152). On savait que, pour s'attirer ses faveurs, on pouvait, sans craindre de le choquer, lui parler ouvertement de rémunérations. Du moins était-ce l'avis du Magnifique qui le confia aux Milanais Talentis et Sacramoro (153). Les potentats italiens ne se contentèrent pas de le payer en bel et bon argent. Ils furent encore plus prodigues d'éloges et compliments, comme l'a noté J. Bastin (154) : « Un flot de louanges italiennes déferle aux pieds du roi, au sujet du magnifique seigneur d'Argenton ». Qu'écrit la Seigneurie florentine à Louis XI ?

> « *Entre les innombrables et immortels bienfaits dont nos personnes, notre ville et la nation tout entière sont redevables à Votre Majesté Très Chrétienne, ce n'est pas la moindre de nous avoir envoyé pour ambassadeur le magnifique et très illustre seigneur d'Argenton, votre conseiller... Monseigneur d'Argenton est, autant que nous avons pu en juger, un homme d'un esprit éminent et d'une rare vertu, bien digne d'être aimé de Votre Majesté et de lui être cher* » (155).

Laurent renchérit (156) :

> « *...Votre Majesté en sera informée et avisée par Monseigneur d'Argenton auquel... je me tiendrai obligé tout le temps de ma vie. Il eût été impossible en effet d'user de plus de sagesse et de zèle envers cette Seigneurie et envers ma famille et moi-même en particulier... Je vous recommande avec instance ledit monseigneur d'Argenton qui, sans contredit, est un homme d'un mérite éminent, doué des plus hautes qualités, bien digne d'être aimé, chéri et tenu en profonde estime.*

> *Quant à moi, en particulier, je ne voudrais pas (autant que mon appréciation puisse valoir ici) ne pas l'avoir vu et connu, à cause du grand bien qui est en lui : je crois qu'il a peu de pareils, s'il en a même un seul, en Italie et en France, et que Votre Majesté doit le tenir en grande estime et affection* ».

Mais ce qui nous gêne dans ces lettres fort élogieuses (157), c'est que s'y rencontrent toujours les mêmes formules dithyrambiques ; qu'elles sont adressées au roi et que, par conséquent, elles parviendront à la connaissance de Commynes, qui en a peut-être plus ou moins suggéré le contenu ; enfin, que Laurent indique qu'il est toujours en guerre avec ses ennemis qui voudraient l'écraser et le soumettre (158), et que, par conséquent, le seigneur d'Argenton n'a pas entièrement réussi dans sa mission.

Il convient aussi de ne pas oublier que Louis XI pratiquait en Italie une politique assez trouble. D'un côté, il appuyait L. de Médicis en guerre contre Naples (159). De l'autre, il accordait la main d'Anne de Savoie à un prince napolitain, Frédéric de Tarente, dont Commynes, dans ses *Mémoires*, présente un portrait flatteur. Le souverain prétendait (160) qu'il n'était pour rien dans ce mariage, et qu'il continuerait à protéger Milan et Florence ; mais les Vénitiens, qui n'étaient pas dupes, recommandaient de se méfier (161). Le 16 avril 1479, Cagnola annonça à ses maîtres l'arrivée en France de Frédéric. Il ajouta que, selon Commynes et Boffillo, Louis XI en était mécontent (162). Lorsqu'on connaît le machiavélisme des uns et des autres, on peut se demander si cette mauvaise humeur n'était pas feinte, et qui cherchait à tromper les Milanais : le roi ou ses serviteurs ? Ou bien le roi et ses serviteurs ?

Si l'on tient compte de ces deux séries de remarques, il n'est pas déraisonnable d'estimer que les lettres de

Laurent et de la Seigneurie étaient adressées à Commynes autant qu'à Louis XI. Le Magnifique, fin psychologue, avait compris que notre mémorialiste, en dépit du masque de modestie dont il s'était couvert le visage, ne dédaignait pas les louanges, et que celles-ci, en outre, pouvaient aider à un retour en grâce : faire un éloge emphatique du sire d'Argenton, c'était inciter le souverain à recourir dans l'avenir aux services de ce précieux ambassadeur, c'est-à-dire à laisser à la direction des affaires italiennes un homme enclin par sa cupidité et sa vanité à défendre et à soutenir les intérêts florentins. Laurent faisait d'une pierre deux coups : il encourageait Commynes à persévérer dans cette voie, et, par la flatterie, il déterminait son comportement. Au reste, il était plus habile de feindre la satisfaction que de marquer sa déception.

Le chroniqueur quitta Florence le 24 août 1478. Le 28, il apprit, à Asti, la mort d'Yolande de Savoie (163). Le 30, il était à Pavie (164). Le 3 septembre, il atteignit Milan où, le 7, il reçut l'hommage du fief de Gênes et de Savone. Il joua, en cette occasion un rôle officiel très honorable, puisqu'il remplaçait son maître. En outre, la présence de Laurent de Médicis ne l'offusquait plus. Aussi les *Mémoires* accordent-ils une place à cette cérémonie : ...« et, en passant a Milan, receuz le duc de Millan qui est a present, appelé Jehan Galliasse, a hommaige de la duché de Gennes ; au moins madame sa mere me feit l'hommaige pour luy ou nom du roy » (165). L'auteur ne s'attarde pas, à la fois parce que ces pompes magnifiques l'intéressaient peu, et pour que l'on ne puisse l'accuser de céder à la vanité. Il est plus important de remarquer qu'il évite de mentionner que Peron de Baschi était présent, et qu'en même temps fut renouvelée publiquement la ligue franco-milanaise (166). Il est très probable qu'ici encore, il n'eut pas à se plaindre de ses hôtes, et qu'il fut bien payé. Une phrase de la duchesse Bonne nous permet de le penser : « De notre côté, nous userons de tant de discrétion et de reconnaissance envers monseigneur d'Argenton qu'il sera bien content de nous à son départ » (167). On comprend que ces dons n'aient pas laissé de traces. Peut-être, à l'instar du chambellan anglais Hastings dont il est parlé dans les *Mémoires* (168), Commynes a-t-il refusé de signer des reçus qui pussent témoigner contre lui. Il est possible aussi que les registres où furent inscrites les sommes qu'il toucha aient été détruits. Mais il n'est pas douteux que L. Cerioni ait raison d'affirmer :

> « *Quanto è certo è che le promesse tante volte ripetute a Firenze sono state certamente mantenute dato che negli anni seguenti gli inviati milanesi hanno sempre buone accoglienze e buoni consigli dal sire d'Argenton, che sa come le promesse degli Sforza non siano vane parole* ».

De Milan comme de Florence, parvint en France le même flot de louanges à la gloire de l'historien. Le jeune duc écrivit au roi (169) :

> « *...Le seigneur d'Argenton nous a si bien fait connaître les bonnes intentions de Votre Majesté envers nous qu'on peut, à juste titre, l'appeler dans le monde entier son véritable élève et le meilleur ministre de sa volonté. Il est remarquable par son talent, plein de sagesse, doué d'un noble esprit, et, s'il n'était pas, dès son enfance* (170), *consacré aux affaires de Votre Majesté, il eût pu assurément prétendre aux positions les plus élevées* ».

Nous pouvons saisir sur le vif la manœuvre italienne. S'adressant à Louis XI, le duc de Milan fait le plus vibrant éloge de Commynes. Mais, quand sa mère correspond soit avec le marquis de Mantoue (171), soit avec ses ambassadeurs à Venise (172) et à Florence (173), elle se contente d'observer que le seigneur d'Argenton lui a dit, de la part de son maître, les paroles les plus affectueuses. Rien sur son génie ; rien sur sa noblesse. Tout au plus lui décerne-t-elle le titre de « *magnifique ambassadeur* », mais c'est une formule banale.

Après un bref séjour à Milan, Commynes s'en alla le 10 septembre. Il repassa par Turin, où ne l'attendait aucune réception officielle, car la duchesse Yolande était morte le 28 août (174). Son décès créait une situation nouvelle qui ne pouvait manquer de préoccuper Louis XI et notre chroniqueur : le pouvoir risquait de tomber entre les mains des oncles du duc encore mineur. Commynes s'entretint avec des émissaires de Milan et de Montferrat. Il s'entremit en faveur de transfuges bourguignons, que le roi ne voulait pas prendre à son service, mais il demandait que l'on facilitât leur voyage en direction de Florence (175). Notre auteur aida-t-il alors à amener auprès de son maître les princesses de Savoie ? Le Milanais Bossio annonce leur départ (176) ; les *Mémoires* ne soufflent mot de cette affaire.

Parti de Turin le 21 septembre, il arriva, au début d'octobre, à Lyon, où il attendit en vain les ambassadeurs de la Ligue (177). Le 6 octobre, il quitta les bords du Rhône et atteignit, le 12, le Pont-de-Sauldre, à côté de Romorantin. Peu après, il était à Tours auprès du roi.

Les Italiens s'étaient attachés à gagner Commynes à leur cause. Ils n'avaient rien laissé au hasard, à en juger par ce message que, de Florence, les ambassadeurs milanais envoyèrent à leurs maîtres, le 24 juillet 1478 : « Nous ne manquerons pas de lui faire escorte et de lui témoigner notre respect comme les Seigneuries nous l'ont prescrit » (178). Ils semblent avoir pleinement réussi, puisque Lionetto de Rossi écrivit le 6 octobre (179) :

> « *Il revient aussi content qu'on peut le dire des illustres seigneurs de Milan et de notre seigneurie de Florence et de notre chef, et il est fort disposé à s'employer en leur faveur. Tous les honneurs qu'on lui a rendus sont bien payés* ».

Flatté, soudoyé, Commynes défendra les intérêts de Milan et surtout ceux de Florence. Chargé d'appuyer une politique favorable à ces deux puissances, et en particulier à Laurent de Médicis, il guida les émissaires lombards dans leurs démarches auprès de Louis XI (180). Une lettre de Bonne de Savoie nous éclaire sur ce point : « Jusqu'à ce que nous envoyions là-bas un ambassadeur, qui devra y tenir une résidence fixe pour s'occuper de nos affaires, nous nous reposerons principalement sur Votre Magnificence » (181).

Mais, à l'égard des gouvernants qui dirigeaient le duché de Milan, on ne saurait prétendre que le jeu de notre auteur ait été très clair. D'un côté, il était l'informateur du chancelier Cicco Simonetta qu'il renseignait sur les activités secrètes et les manœuvres de son ennemi Roberto di San Severino, alors exilé (182) ; il recommandait à son destinataire de brûler sa missive, écrite en hâte au Pont-de-Sauldre, le 12 octobre (183). De l'autre, il engageait la duchesse Bonne à ne pas renoncer à l'alliance avec Florence (et surtout avec L. de Médicis), et aussi à se réconcilier avec R. di San Severino :

> « *Je crois, madame, que vous avez assez souvenance de la paine en quoy le roy se mist envers vous de remettre le seigneur Robert en vostre bonne grace, du temps que le differant y estoit ; et pensez que a luy et a tous autres semble chose plus raisonnable que l'auctorité de vostre maison soit entre les mains de vos parens que*

> *de nulle autre personne, et qu'ils sont mieulx personnaiges pour vous servir et deffendre* » (184).

Maintenant, ouvrons les *Mémoires* au livre VII, qui fut rédigé à la fin de 1495. Une surprise nous attend, car nous entendons un tout autre son de cloche :

> « *...elle les* (185) *rappella, par sotise, cuidant qu'ilz ne fissent nul mal audit Cico : et ainsi l'avoient juré et promis. Le tiers jour après, le prindrent [...] Et fut mené a Pavy en prison, au chasteau, ou depuis il mourut* » (186).

Étonnante contradiction : Commynes reproche à Bonne d'avoir appliqué à la lettre ses propres conseils. Mais on peut répondre qu'en soutenant Simonetta, le sire d'Argenton menait une politique personnelle, différente de celle de Louis XI qui était plus favorable à la faction des San Severini, et qui chargea notre écrivain de réclamer la libération de Donato de Conti, emprisonné pour avoir participé à un complot contre la duchesse Bonne (187). L'ambassadeur Cagnola nous apprend même que le souverain français voulait un « mal mortel » à C. Simonetta « principalement à cause de Donato de Conti » (188). Cependant, d'après une autre lettre du même Cagnola (189), il semble qu'à la cour de France, le coup de force contre Simonetta n'ait pas été bien accueilli dans l'immédiat, car on craignait que L. de Médicis ne pâtît de cette révolution ; mais une nouvelle dépêche, en date du 4 octobre (190), dément cette impression, et met les choses au point : le roi sera fort satisfait, si la politique du duché ne change en rien à l'égard tant de Florence que de Naples.

AUPRÈS DU ROI

A son retour, Commynes fut bien accueilli par son maître. Du moins l'indique-t-il dans ses *Mémoires*, en mentionnant les faveurs dont il fut l'objet, avec une insistance qui nous pousse à penser que ce traitement privilégié ne lui était plus habituel :

> « *...me feit bonne chere et bon recueil, m'entretint* (191) *de ses affaires plus qu'il n'avoit faict jamais, moy couchant avec luy, combien que ne fusse digne et qu'il en avoit assez d'autres plus ydoines* » (192).

Remarquons la concessive finale. Le bon apôtre s'est pourtant appliqué à démontrer la médiocrité, la cupidité et la faillite des conseillers de Louis XI, soit dans le nord de la France, soit en Bourgogne. A la fin de 1478 et au début de 1479, le roi et son serviteur résident le plus souvent au Plessis-du-Parc, aux Forges près de Chinon, à Thouars (193). Mars 1479 : le souverain est frappé d'une première attaque d'apoplexie, en l'absence de notre historien qui le rejoint aussitôt et couche dans sa chambre, remplissant auprès de lui, nous dit-il (194), les fonctions d'un valet de chambre. Mais d'autres, que nous avons énumérés (L. et Ch. d'Amboise, Gié, Daillon), s'occupent des affaires de l'État. Commynes ne fait pas partie de ce petit groupe de favoris, toujours présents et associés étroitement au gouvernement du royaume.

Au sujet de ce passage que nous venons de citer (195), deux faits sont à observer. D'abord, le mémorialiste s'efforce de brouiller les pistes, passant avec adresse de l'indéfini *on* aux pronoms personnels *je* et *nous* (196), en sorte qu'il semble participer à l'activité politique du moment. Ensuite, dans les six premiers livres, ou bien il parle très peu des personnages éminents qui lui ont été préférés (L. d'Amboise n'est nommé qu'à cette occasion, et Gié n'est mentionné, ailleurs, qu'une seule fois, lorsqu'en 1475, les Anglais sont invités à venir festoyer dans les tavernes d'Amiens (197) ; ou bien il les critique avec force (tel Daillon) ; ou bien il entremêle les roses aux épines.

C'est le cas à propos de Ch. d'Amboise. D'une part, celui-ci est habile, vaillant et diligent (198). Il délivra Yolande de Savoie de sa prison bourguignonne ; mais l'entreprise n'offrait aucune difficulté, car les gens qui gardaient la duchesse ne redoutaient plus leur maître (199). En 1478 et 1479, il recouvra, par de subtiles « pratiques », de nombreuses places en Franche-Comté et en Bourgogne ; mais les *Mémoires* cherchent surtout à discréditer G. de La Trémoïlle ; de plus, Ch. d'Amboise vint à bout de Dôle un peu par hasard, la ruse des mercenaires allemands se retournant contre eux (200) ; il s'empara d'Auxonne, parce que les chefs ennemis avaient été achetés par l'or de Louis XI, et qu'il y avait peu de défenseurs dans la cité (201) ; il reprit Beaune qui s'était révoltée (202), grâce, surtout, à la sottise de ses adversaires (203) ; et Commynes finit par mettre au crédit du roi l'alliance conclue avec les Suisses (204). D'autre part, d'Amboise était cupide. Il éveilla les soupçons du souverain :

> « *...et aussi le roy le sollicitoit fort et craignoit que ledict gouverneur ne voulsist tousjours quelque place desobeissante audit pays, affin que on eust plus affaire a luy et aussi affin que le roy ne le renvoyast point de la pour s'en servir ailleurs. Car le pays de Bourgongne est fertille et il en faisoit comme s'il eust esté sien. Ledict seigneur de Craon, dont j'ay parlé, et ledict gouverneur seigneur de Chaulmont, tous deux y feirent bien leurs besongnes* » (205).

Et que penser de sa fidélité, puisque, pendant le Bien Public, « messire Charles d'Amboyse... qui depuis a esté grand homme en ce royaulme » (206) se trouvait dans le camp des grands féodaux révoltés ?

En juillet 1479, Louis XI et son historien, après être restés quelques jours à Nemours, se dirigèrent vers Dijon et Vézelay, où ils apprirent sans doute la demi-défaite de Guinegatte, survenue le 7 août. Encore n'est-il pas certain que Commynes vive constamment dans l'entourage immédiat du souverain : nous le verrons plus loin. En outre, des lettres des 10 et 12 août 79 (207) attestent que d'autres l'ont supplanté. Par exemple, Jean Doyat, dont l'influence ne cesse de grandir : n'est-il pas conseiller et chambellan du roi, baron de Montréal, « seigneur de Verjaut et de Junchaut, gouverneur de haut et bas Auvergne, bailly de Montferrant, des ressors et exemptions du dit pays » (208) ? Ne s'était-il pas acquitté de ses diverses tâches au gré du prince qui, en février 1482, l'appela auprès de lui ? Encore un nom qui ne se lit jamais dans les *Mémoires*, bien que Commynes ait rencontré Doyat soit à la cour de Louis XI, soit, plus tard, au cours de l'expédition d'Italie, où ce rival, qui avait accompagné Charles VIII, mourut en 1495.

Par un hasard curieux, c'est, à en croire notre mémorialiste, au moment où il a repris sa place auprès du roi, que celui-ci éprouva le besoin d'introduire des réformes dans son royaume :

> « *Ce temps durant, eust ung desir fort singulier, luy procedant de tout son cueur, de povoir donner une grant pollice en ce royaume, principallement sur la longueur des proces, et, en ce passaige, bien brider ceste court de Parlement : non point diminuer le nombre ne leur autorité, mais il avoit contre cueur plusieurs choses dont il la hayssoit* » (209).

Accordons quelque attention aux termes employés, qu'ils soient vagues comme ce *temps durant,* ou intensifs, comme : *fort singulier, de tout son cueur, une grant pollice.*

4

COMMYNES VU PAR LES AMBASSADEURS ITALIENS

Les ambassadeurs de Milan, Cagnola et Visconti, nous ont laissé une correspondance précieuse qui nous permet de déterminer quels sont les rapports de Commynes avec son maître, au cours des neuf premiers mois de 1479, et de jeter quelque lumière sur sa physionomie, sa vie et son importance (210).

Tout d'abord, nous apprenons que, le plus souvent, *le sire d'Argenton suit d'assez loin la cour,* réduite, alors, à sa plus simple expression. Il ne jouit pas du privilège insigne d'être de ce petit groupe qui vit constamment aux côtés du roi, lequel, écrit Visconti le 12 juin 1479 (211), chassait à l'ordinaire « dans des villages où elle [*Sa Majesté*] n'était accompagnée que de sa garde et de quelques personnes, en petit nombre, dont elle désirait la société ». L'intimité qui a marqué le retour de notre ambassadeur, ne paraît pas avoir duré longtemps. Le 28 novembre 1478, Cagnola informe ses maîtres (212) qu'après avoir promis aux Milanais de leur obtenir une audience, Commynes, le lendemain, les fait prévenir qu'il n'a pas eu l'occasion de parler à Louis XI de leur affaire : est-ce l'indice d'une grande familiarité ? Certes, notre auteur est envoyé vers le chancelier, le 11 mars 1479, pour lui expliquer la conduite à tenir avec les ambassadeurs anglais (213) et, le 12 mai, pour examiner les charges contre Maximilien d'Autriche, accusé d'avoir manqué à sa parole à propos de Cambrai (214). Dans ces deux cas, on peut prétendre qu'il s'agit d'une mission de confiance. Mais Cagnola, dans une lettre de Paris en date du 20 juin, nous révèle que la cour et Commynes logent encore dans cette ville, tandis que le souverain a repris sa route (215). Selon le même informateur, l'historien, le 18 juillet, séjourne dans la capitale qu'il n'a pas quittée depuis un certain temps ; et Louis XI lui envoie les diverses correspondances italiennes ; il est précisé que « quand monseigneur d'Argenton est là, c'est lui qui engage l'escarmouche et se fait le champion de la Ligue » (216). Autant d'éléments qui nous invitent à conclure que notre écrivain ne vit pas de manière continuelle dans l'entourage immédiat du prince qui, en juillet, réside, le plus souvent, à Nemours (217). Le 1er août, Cagnola écrit que le Florentin Gaddi est chargé par le roi d'apporter à Commynes un message du Pape (218), et que Louis XI se dirige vers Dijon, tandis que le chroniqueur reste à Paris, en attendant de s'en retourner à Tours (219). Le 1er septembre, Visconti rapporte que le sire d'Argenton a précédé de trois jours son maître à Orléans (220) et, le 16, que celui-ci est parti pour Notre-Dame-de-Béhuard, sans que son serviteur l'ait suivi (221).

Deuxième leçon

Certains personnages continuent à exercer un grande influence sur le souverain, et l'on recourt à leurs bons offices, plutôt qu'à ceux de Commynes. Voici un ambassadeur de France à Rome qui est, d'abord, très mal reçu au point d'être injurié et traité de fou, et qui ne réussit à se faire écouter que grâce aux instances de Jean de Daillon et de l'évêque d'Albi, Louis d'Amboise (222). Nous avons là une confirmation de ce que nous avons précédemment avancé. D'aucuns répliqueront qu'il n'y eut que comédie dans le comportement de Louis XI qui négociait avec les deux camps, avec Rome et Naples aussi bien qu'avec Florence et Milan. Si ce document se prête à deux interprétations opposées, un autre est net. C'est la lettre de Visconti du 1er septembre 1479 (222a) où nous lisons que les Italiens s'adressent à Daillon pour obtenir une audience du roi qui se dérobe ; et ce, bien que Commynes soit présent. D'autres sont donc plus puissants que lui. Ailleurs, grâce à Cagnola (223), nous apprenons qu'en décembre 1478, le prince a député vers les Flamands Louis d'Amboise, Boffillo et Ymbert de Batarnay : le mémorialiste est toujours écarté de cette région où se joue la partie la plus difficile.

Troisième leçon

Notre auteur est chargé des relations avec les ambassadeurs milanais (224) ; il sert d'intermédiaire entre eux et le souverain (225) qui, souvent, correspond avec lui par l'entremise d'un secrétaire (226). Mais il est bon d'attirer l'attention sur deux points. D'abord, Louis XI juge plus importantes les affaires du Nord et de la Franche-Comté, et s'intéresse davantage à la succession bourguignonne, comme il ressort à plusieurs reprises des dépêches de Visconti et de Cagnola (227). Ensuite, la plupart du temps, est adjoint à Commynes, outre L. d'Amboise, Boffillo del Giudice. De nombreuses lettres le confirment (228). Ce personnage qui participa à de multiples tractations avec les Italiens, intervint dans les négociations entre la France et les héritiers du Téméraire. Molinet (229) le cite au nombre des six dignitaires qui furent chargés de régler les questions en suspens entre le royaume et la Bourgogne, au moment des trêves de 1478. L'influence de Boffillo n'a cessé de grandir après la mort du duc Charles. Il emporta une large part des dépouilles de J. d'Armagnac, puisqu'il obtint le comté de Castres et la seigneurie de Lézignan. En août 1477, il élabora avec les Vénitiens l'alliance qui fut conclue le 9 janvier 1478. Il épousa Marie d'Albret. Un autre théâtre fut bientôt offert à son activité débordante : il s'occupa du Roussillon et reçut la garde du château de Perpignan (230). Malgré son importance de plus en plus affirmée, il n'apparaît jamais dans les *Mémoires*. Silence d'autant plus curieux que Commynes, partant pour la Savoie en octobre 1479, se fit remplacer, pour les affaires italiennes, par ce même Boffillo et par Du Bouchage (231).

Quatrième leçon

Notre historien s'entretient longuement avec les ambassadeurs transalpins (232), il les informe, il les flatte (233), il les conseille sur la conduite à tenir à la cour (234), sur ce qu'ils ont à faire et à dire pour acquérir les bonnes grâces du roi (235). Cagnola et Visconti reviennent à plusieurs reprises sur les éminents services qu'il leur rend :

> « *Dans les affaires de Vos Excellences, il remplit réellement l'office d'un ami, et sans lui nous perdrions parfois la tête, surtout dans les affaires particulières de Vos Excellences* » (236).
>
> « *Vos Altesses ne peuvent assez reconnaître ce que fait Monseigneur d'Argenton* » (237).
>
> « *Monseigneur d'Argenton agit pour vous* » (238).

Une lettre nous paraît mériter une étude particulière. Elle a été écrite par Visconti, le 9 septembre 1479, qui affirme, parlant de Commynes :

> « *Je me conformerai à son avis et à son conseil, non seulement parce que Vos Excellences me l'ont ordonné dans mes instructions, mais aussi parce qu'il connaît à fond le caractère de Sa Majesté. Je continue à le trouver plein d'affection et de zèle pour les intérêts de Vos Excellences, et par égard et considération pour vous, il me caresse et m'honore beaucoup, et parfois* cogit me *à monseigneuriser avec lui, et je le laisse faire d'autant plus volontiers que je montre ainsi que je n'ai pas d'éloignement pour les mœurs de ce pays et surtout pour sa conversation, laquelle est vraiment très agréable... S'il arrive que Vos Seigneuries écrivent au seigneur*

> *d'Argenton, jugeant que cela est dans leurs intérêts, elles pourront lui faire entendre que vous connaissez toute l'affection qu'il porte aux affaires de Vos Excellences et à leurs serviteurs. Je crois que cela ne peut avoir d'autre effet que de servir à le confirmer dans le même esprit* » (239).

Se dégagent de ces lignes quelques traits essentiels de la personnalité de notre chroniqueur : une connaissance intime de son maître, qui lui permet de ne pas commettre de bévues et même d'agir sur lui ; à l'instar de Louis XI, une extrême amabilité et une politesse raffinée envers ses interlocuteurs qu'il cherche à séduire ; beaucoup d'entregent, de sociabilité, de charme ; une vanité certaine qu'il n'est pas inutile de flatter.

Mais, à lire ces dépêches, nous nous sentons assez vite mal à l'aise, car nous sommes amenés à nous interroger sur la loyauté de notre mémorialiste. De temps à autre, nous nous demandons si Commynes ne livre pas des renseignements à l'insu de son maître, et ne pratique pas une politique personnelle à l'avantage de ses amis milanais. Mais il convient de préciser que nous n'avons que des soupçons. Voici une lettre que Cagnola écrivit à Tours le 17 avril 1479, révélant à la duchesse que Louis XI ne cherche qu'à gagner du temps dans ses négociations avec Édouard IV :

> « *...on les* (240) *a dédommagés par mille belles paroles d'espérance etc... Cependant, d'après tout ce que j'apprends, l'intention bien formelle du roi est que le mariage* (241) *n'ait pas lieu ; mais il temporise jusqu'à ce qu'il soit arrivé à ses fins* » (242).

Dans la première partie de sa missive, l'Italien, qui reproduit les propos des Français, décrit la politique de temporisation du souverain et signale l'avidité d'Édouard IV, à peu près de la même façon que Commynes dans ses *Mémoires*. Mais le nom de notre auteur n'est pas immédiatement cité ; nous n'avons que des formules vagues ; *d'après tout ce que j'apprends, ...me disent mes amis...* Ce nom, nous le rencontrons assez loin, au deuxième tiers de la lettre : « Monseigneur d'Argenton m'a averti de *tout cela*, et j'ai cru devoir en avertir Vos Excellences, pour qu'elles soient sur leurs gardes » (243). Que représentent les mots *tout cela* ? S'agit-il seulement des tractations relatives à un mariage anglo-milanais, ou bien aussi de celles qui étaient en cours pour retarder la conclusion du mariage du dauphin avec la fille d'Édouard IV ? De plus, Commynes agit-il à l'insu de Louis XI, ou en plein accord avec lui ? Le problème demeure entier. En effet, d'un côté, on peut se demander si le roi avait intérêt à ce que fût divulguée sa politique de temporisation (mais, dans ce cas, est-ce notre historien qui est l'indiscret ?) ; de l'autre, on fera état de la fin de notre document où Cagnola révèle que, comme les envoyés d'Édouard IV l'interrogeaient sur les dispositions de ses maîtres à l'égard de l'alliance anglo-milanaise, il leur répondit de façon évasive, en présence de Boffillo et du sire d'Argenton qui, ajoute-t-il, l' « avaient prié, de la part de Sa Majesté, de parler de la sorte ». Il est donc raisonnable, au terme de cette analyse, d'accorder à Commynes le bénéfice du doute.

Pourtant, un fait demeure : il est répété que notre écrivain agit en faveur de la duchesse de Milan, aussi bien dans les messages de Visconti et de Cagnola (244) que dans les instructions qui furent données à A. d'Applano, partant pour la Savoie : il lui est recommandé de rendre visite à « Sa Magnificence qui nous porte un amour singulier et qui s'est toujours montrée on ne peut plus favorable et plus affectionnée à nos intérêts » (245).

Désire-t-on un autre témoignage ? La duchesse écrit à Commynes :

> « *S'il s'en présente quelque occasion, vous pouvez être certain que nous n'employerons aucune autre entremise plus volontiers que la vôtre ; et il nous semble qu'il n'est pas nécessaire de la réclamer, puisqu'elle s'offre spontanément et promptement en toutes nos affaires* » (246).

Notre historien se déclare tout dévoué à L. de Médicis, son « bon fils et especial amy (247) » ; il affirme : « ...se y vous plaist riens que je puisse de par desa, je l'accompliray de tres bon cœur » (248) ; il obtient pour son émissaire Gaddi d'entrer librement au Plessis (249), il est chargé de faire valoir auprès du roi les arguments de la Ligue italienne (250).

Toutefois, plutôt que d'analyser toute cette volumineuse correspondance, il est préférable de s'attarder sur deux lettres. L'une fut écrite à Orléans le 1er septembre 1479 par Visconti qui relate une longue conversation qu'il a eue avec le sire d'Argenton. Celui-ci le renseigne d'abord sur les sentiments de Louis XI : le prince demeure très favorable aux Milanais, mais il aimerait que soit aplani le différend qui oppose le duché aux Suisses, et il estime que 40 à 50.000 florins du Rhin suffiraient à calmer les montagnards (251). Suit un échange d'arguments. Et voici la fin de l'entretien :

> « *Il* [Commynes] *me fit observer aussi de lui-même qu'il ne restait plus qu'un mois ou un peu plus pour faire la guerre. Il me parut vouloir indiquer par là que quand même l'accommodement n'aurait pas lieu, et que vous auriez le moyen de leur résister, le roi s'en contenterait plus facilement peut-être qu'il ne veut le laisser voir, afin de calmer et d'entretenir les Suisses*

> *et d'en obtenir des hommes, peut-être bien aussi pour les empêcher de se réunir au duc Maximilien... Il dit encore qu'il n'était pas à craindre que le roi condamnât Vos Excellences à aucune somme déterminée, ni qu'il prononçât contre vous aucune sentence* » (252).

La seconde de ces lettres porte la même signature. Expédiée de Paris le 12 juin 1479, elle nous apprend que

> « *Monseigneur d'Argenton et le comte Boffillo communiquent tous les avis, lettres et copies de documents écrits ou envoyés à Sa Majesté, soit par ordre exprès du roi, soit de leur propre chef pour se rendre agréables, car tout le monde aime à chasser la caille lombarde, gibier gras et facile à prendre* » (253).

Que conclure de ces deux documents ? Il semble bien que notre mémorialiste soit payé par les gouvernements de Florence et de Milan pour défendre leurs intérêts ; qu'il lui arrive de leur livrer des renseignements à l'insu de son maître ; qu'il ne soit pas le seul à agir ainsi. Si l'on poursuit l'enquête, on relève cette phrase de Cagnola (254) qui rapporte une réponse de Commynes : « Il fera pour Vos Excellences ce qu'il ferait pour son propre seigneur ». Bref, encore qu'il soit impossible de rien affirmer avec une certitude absolue dans un domaine aussi secret (car il se pourrait qu'il s'agisse là de manœuvres subtiles du tortueux Louis XI dont notre auteur serait le complice), il demeure que la cupidité de l'historien est indéniable et qu'il échappe difficilement à la suspicion. Mais les princes italiens ont-ils été satisfaits de ses services ? Un message adressé à Cagnola le 1er avril 1480 nous amène à penser qu'ils ont voulu se passer de son intermédiaire :

> « *Nonobstant tout ce que vous avez fait par l'entremise de monseigneur d'Argenton, nous dési-*

> *rons que vous vous efforciez de montrer vous-même à Sa Majesté l'extrait de nos lettres chiffrées et que vous nous informiez de la réponse qu'elle vous fera* » (255).

Dernière leçon

Si Commynes n'est pas désintéressé, il n'est pas davantage l'homme des grandes fidélités. Après avoir proclamé son dévouement absolu à la duchesse de Milan (256) et à C. Simonetta (257), il accepte facilement, avec son maître (258), qu'ils soient écartés du pouvoir par la coterie de Ludovic le More — comme le feront d'ailleurs les ambassadeurs Cagnola et Visconti (259). Il affirme qu'il servira avec zèle les nouveaux gouvernants : « ...ledit d'Argenton nous dit... que, dévoué comme il l'est à Vos Excellences, il fera tout ce qui dépendra de lui pour votre service et le bien de vos États » (260). Il leur propose ses bons offices dont il vante l'efficacité :

> « *Il assure que, si Vos Excellences ou quelqu'une de vos illustres seigneuries ont à s'adresser au roi, il est bon qu'il le sache d'abord parce que, grâce à la manière dont il écrira au roi, les choses seront exposées avec une telle habileté que ces lettres auront toujours d'heureux résultats et porteront de bons fruits* » (261).

Et les deux envoyés milanais recommandent de le flatter (262). En outre, est-on sûr qu'il n'ait pas joué double jeu parmi les Italiens ? Il répète qu'il défendra la cause de Milan contre les entreprises de Naples et de Rome ; mais, au livre VII de ses *Mémoires*, il nous apprend que Frédéric de Tarente lui avait promis une grosse somme d'argent (263), s'il lui arrivait de ceindre la couronne : dès lors, est-il concevable que notre auteur se soit opposé avec force aux Aragonais qui régnaient sur le sud de l'Italie ?

COMMYNES ET LES LA TRÉMOILLE (suite)

Cependant, la famille La Trémoïlle n'avait accepté ni la saisie par Louis XI de la principauté de Talmont, ni sa cession à Commynes. Elle poursuivait sa résistance. Le Parlement et la Chambre des Comptes, après avoir enregistré avec beaucoup de lenteur l'acte de donation, avaient émis des réserves. D'où de nouveaux démêlés judiciaires, qui expliquent que notre écrivain ait été favorable à une réforme de la justice, et hostile tant au Parlement qu'aux avocats. Au chapitre 5 du livre VI, il se plaint de « la longueur des proces », de « la cautelle et pillerie des advocatz » (264). Autrement dit, les réformes qu'il soutient ou propose sont rarement désintéressées.

Il somma le procureur du roi de le garantir de tous troubles dans la jouissance de ses biens. Comme les débats portaient sur les mérites des uns et des autres, ses partisans alléguaient les services qu'il avait rendus à Louis XI ; ses adversaires répondaient qu'il n'avait eu aucun mérite à agir ainsi, « étant né de ce royaume » (265) : réponse d'avocat, empruntée aux lettres mêmes du souverain. Le Parlement demeurait sensible aux arguments des La Trémoïlle : Louis d'Amboise, vicomte de Thouars, était interdit quand il vendit ses biens au roi ; de plus, c'était une vente simulée (266).

Aussi les avocats de Louis XI utilisèrent-ils d'autres armes. Ils invoquèrent les lettres de confiscation de Charles VII contre le vicomte qui n'avait recouvré son patrimoine qu'à la condition de ne pas marier Jeanne d'Amboise sans l'autorisation du roi. Promesse non tenue, disaient Commynes et les siens ; promesse tenue, ripostaient les La Trémoïlle qui demandèrent de pouvoir en établir la preuve : elle se trouve, disaient-ils, dans le chartier de Thouars. Le souverain, on s'en souvient, avait fait saisir, par le seigneur de Bressuire, le château et tous les papiers, dès les premiers signes de la maladie de L. d'Amboise (267). Il ordonna à une commission de rechercher dans ce dossier des pièces qui pussent le servir :

> « *Elles* [les lettres] *demourerent es lieux ou elles estoient, sous la garde de il qui deppose* (268), *jusqu'a ce que le Roy lui dit, en effet et substance, telles parolles ou semblables : « le sire de la Tremoïlle plaide contre moi touchant Thouars et Tallemont et autres seigneuries ; il faut que vous voyez s'il y a point de lettres qui me servent au procez ». Et, pour scavoir la verité de ce, y envoya il qui deppose, maistre Jehan Chambon, les officiers estant a Thouars, maistre Loys Tindo, le sire de Commynes, seigneur d'Argenton, avecques eulx* » (269).

On découvrit alors deux documents émanant de Charles VII. L'un accordait au vicomte de Thouars la restitution de tous ses biens confisqués ; l'autre, la permission de marier sa fille à Pierre de Bretagne. Toute la démonstration qui avait été élaborée par les avocats du roi, s'écroulait. Dépité et inquiet, Commynes aurait recouru à l'argument suprême : il aurait essayé de brûler les lettres, mais Jean Chambon, l'un des commissaires (270), l'en aurait empêché. On se sépara. Certains des membres apportèrent les papiers compromettants à Louis XI qui résidait à Saint-Martin-de-Candes (271), et qui les aurait jetés au feu (272), en plaisantant, si l'on en croit la déposition de Jean Chambon, témoin produit par la famille La Trémoïlle, et qui ne révéla ces faits qu'en janvier 1484, c'est-à-dire après la mort du souverain (mais l'eût-il pu auparavant sans courir de grands risques ?) :

> « *Honorable et saige maistre Jehan Chambon, conseiller et maistre des requestes ordinaires de*

l'hostel du Roy, aagé de 60 ans et environ, tesmoing produit par ledict seigneur de la Tremoïlle, dit que, visitant les lettres de Thouars, quant messire Philippes de Commines ouyt dire a il qui deppose, et a autres qui les visiterent, qu'il y en avoit une de la restitution de Thalemont, et l'autre de la permission de mariage, icelluy de Commines les print et jetta au feu. Et lors il qui deppose dit que c'estoit tres mal faict, et se leva hastivement, et les retira dudict feu, et dist qu'il ne voudroit point estre present a telles choses, mais conseilla que l'on les portast devers le Roy. Et ne set depuis que devindrent lesdictes lettres, sinon qu'il ouyt depuis dire aux dessusdicts que ledict feu roy les avoit jettees au feu. Et est bien recors que, certain temps après, ledict feu seigneur luy dit, ainsi que dessus a dit, que lesdictes lettres n'estoient en ciel, ny en terre, et, en disant cela, luy monstra le feu qui estoit en la chambre, en se sousriant » (273).

De ce témoignage ainsi que d'autres (274), de l'interrogatoire de Commynes le 28 juillet 1484, on peut conclure que ces accusations n'ont rien d'invraisemblable. Notre chroniqueur n'hésita pas, semble-t-il, à charger son maître défunt pour se disculper (275), et à inventer, pour se défendre, des arguments assez peu convaincants. Par exemple, il soutint qu'il n'y avait pas de feu dans la chambre où l'on examina les documents : comment garder un tel souvenir dans l'esprit, près de dix ans après les événements, surtout si, à aucun moment, on n'eut à se servir du feu ? Le choix des moyens lui importait peu ; et les exigences de la justice ne pesaient que d'un faible poids à ses yeux.

Quoi qu'il en soit, le roi contraignit Jean Chambon à plaider en sa faveur et à gagner le procès au profit de Commynes (Arrêt prononcé le 20 juillet 1479). Notre auteur obtenait Talmont, Château-Gontier et Berrye ; mais aux héritiers La Trémoïlle revenaient Olonne, Curzon, la Chaume. La principauté était donc fortement amputée (276). C'est pourquoi on tenta d'annuler les effets du jugement par une transaction : en échange des terres que nous venons de citer, Louis de La Trémoïlle recevrait Marans, l'île de Ré, Mauléon, la Chaise-le-Vicomte, Vierzon et Issoudun. Mais il refusa. Louis XI et son historien tournèrent l'obstacle en se livrant à un véritable chantage. Comme les enfants La Trémoïlle désiraient entrer au service du souverain, on leur fit comprendre que leurs vœux seraient exaucés s'ils acceptaient le marché qu'on leur proposait. Pour aplanir les difficultés, on leur donna comme curateur leur beau-frère, le bâtard du Maine, qui était acquis au roi. L'accord fut signé le 8 mai 1480 (277). Mais, avant d'en passer par les volontés de Louis XI, les enfants avaient témoigné, devant notaire, qu'ils avaient cédé à la violence morale que l'on avait exercée sur eux (278). Leur père, à son tour, protestait le 18 mai :

> ...« *protestant que pour ce que, a present, pour plusieurs causes a declairer en temps et lieu ne poons ou ozons appeller dudit lieutenant a sa personne, ne poursuir ladite appellacion que ce ne nous prejudice, icelle appellacion poursuir en temps et lieu et toutes et quantes fois que congnoisterons que faire le pourrons et serons oïz ad ce faire* ».

Le don de Talmont et de ses dépendances fut renouvelé par les lettres patentes du roi, le 19 mai 1480, qui furent enregistrées le 31 juillet par le Parlement et le 26 août par la Chambre des Comptes (279).

VOYAGE DANS LE SUD-EST

Nous avons déjà vu que la duchesse Yolande de Savoie était morte le 29 août 1478, et que régnait un enfant de treize ans, le duc Philibert. Commynes annonça lui-même son départ aux ambassadeurs italiens. « Le roi m'envoie moi-même en Dauphiné et en Savoie pour faire mettre tout en ordre, s'il en est besoin » (280). Louis XI nous le confirme dans une lettre à Dunois, où se retrouve le style volontiers familier du souverain :

> « M^r d'Argenton yra et partira assez tost ; mais je l'ai ung peu empeschié icy pour mes affaires. Par luy serez adverti de toutes choses, mais il est force que vous menez cette espousee au moustier » (281).

Dans cette dernière formule, il ne semble pas qu'il faille voir, avec Kervyn (282), quelque langage chiffré, mais une expression populaire du XVe siècle, qui signifiait : mener l'affaire à bon terme (283).

Rendu à Lyon le 24 octobre 1479 (284), le mémorialiste n'était pas encore arrivé à Valence le 18 novembre (285). Il défendait alors avec force les Florentins que pouvait menacer la révolution survenue à Milan, où Cicco Simonetta avait été renversé et exécuté (286). A. d'Applano, s'adressant le 20 novembre à ses nouveaux maîtres, leur rapportait les propos de notre écrivain :

> « *Il dit que le roi son maître n'a pas été mécontent que messer Cicco ait été démis du gouvernement...... Mais si vous abandonniez ledits seigneurs florentins et le magnifique Laurent, et si vous favorisiez le roi Ferrand, comme quelques-uns veulent l'induire de l'affaire des fils et de la suite du seigneur Robert, Sa Majesté ne le tolérerait jamais* » (287).

Commynes paraît peu favorable à Ludovic le More, qu'il menace de graves représailles, s'il aide Naples contre Laurent de Médicis : il ordonnera d'arrêter tous les marchands et sujets milanais qui se trouvent en France, en Savoie et en Piémont ; il acheminera de Bourgogne et de Franche-Comté et lèvera en Savoie comme en Dauphiné des troupes qui marcheront sur Verceil et Asti, et qui feront la guerre au duché de Milan, ou plutôt à ses dirigeants actuels ; bien plus, si besoin est, Louis XI joindra toutes ses forces à celles du duc d'Orléans (288). Et d'Applano de conclure que son interlocuteur semble être de mauvaise humeur (289). Cette colère était-elle feinte ou réelle ?

Commynes resta quelques jours à Valence (290), où sa présence est encore signalée le 23 novembre 1479. Le 30, nous le retrouvons à Lyon, où il converse à voix basse avec d'Applano, lui répondant « avec tendresse de cœur dans ses paroles » et l'assurant qu'il sera toujours prêt à servir les Milanais « en tout ce que son rang et ses biens lui permettraient de faire » (291). Un petit problème se pose à nous. L'ambassadeur italien écrit : « Sa Seigneurie *[Commynes]* me répondit... qu'elle recommanderait Vos Seigneuries au roi et qu'elle serait toujours prête à les servir ». Qui est désigné par l'expression *Vos Seigneuries* ? Bonne de Savoie et son fils à qui s'adresse d'Applano ? Ou bien aussi Ludovic le More, qui est maintenant le maître réel du duché ? En tout cas, notre auteur ne s'emporte plus contre ce dernier.

Quelle était sa mission dans le Sud-Est où l'escortaient deux cents archers de la garde du roi (292) ? Louis XI l'avait envoyé vers le jeune Philibert qui résidait alors à Valence, sous la garde vigilante de Dunois et du sire d'Illins, un parent de Du Bouchage. Commynes avait la charge de le persuader, ou plutôt de lui ordonner, de se rendre à Tours (293) ; selon d'Applano, il apportait aussi un message relatif aux troupes du Dauphiné et aux affaires d'Italie (294). Le duc de Savoie, devenu majeur, risquait de tomber sous l'influence de ses oncles, les seigneurs de Bresse, de Romont et de Genève, qui, à des degrés divers, étaient favorables à la cause bourguignonne. C'est pourquoi, comme le roi voulait écarter ce danger, le jeune prince fut mis en route et, après un arrêt à Lyon, amené à Chinon. Ajoutons que d'Applano se méfie un peu de notre historien qui dissimule, surtout, semble-t-il, pour supplanter Dunois, présent, lui aussi, dans cette région (295).

Les *Mémoires* ne soufflent mot de ce voyage, alors qu'ils mentionneront celui de 1481. Pourquoi ce silence ? Une première raison s'impose à notre esprit. La mission de Commynes, en effet, n'est pas sans ressemblance avec celle d'Olivier de La Marche qui, sur l'ordre du Téméraire, enleva, en 1476, Yolande de Savoie et le futur duc Charles. Piètre exploit que signale, sans éclat de voix, le sire d'Argenton, attentif à noter les actes peu chevaleresques de son premier maître (296). Ce rapprochement n'est pas dénué de tout fondement, puisque l'initiative de Louis XI suscitait rumeurs et colères dont A. d'Applano se fait l'écho :

> « *Plus tôt le roi renverra ledit duc de Savoie, mieux ce sera pour couper court aux bavardages qui se débitent et aux menées qu'on fera de ce côté, en Allemagne et en Bourgogne, si Sa Majesté le garde devers elle* » (297).

A quoi Commynes répondait qu'il ne s'agissait pas d'arrêter le duc, mais seulement d'empêcher la prépondérance d'éléments probourguignons (298). Notre mémorialiste élimine systématiquement de son œuvre tout ce qui peut se retourner contre lui. En outre, n'a-t-il pas été, une fois de plus, trompé dans ses espérances et blessé dans son amour-propre ? Tout comme Dunois, il désirait devenir gouverneur du duc de Savoie et, ainsi, diriger, en fait, le duché (299). C'est du moins ce qu'affirment A. d'Appiano (300) et Visconti (301), le premier écrivant de Lyon et le second de Tours. Il fut rappelé (302) et chargé, pendant un certain temps, de veiller sur le duc de Savoie (303) qui était retenu en Touraine et que les ambassadeurs milanais ne pouvaient approcher (304). Ce ne fut même pas lui qui, en mars 1480, ramena Philibert dans son duché (305), mais Louis d'Amboise, l'évêque d'Albi, que nous avons cité à maintes reprises. Bref, pour notre chroniqueur, un voyage à mettre au chapitre des ambitions déçues.

ENTRE DEUX MISSIONS

Commynes semble être resté quelque temps auprès du roi. Les émissaires italiens nous signalent, le 5 juin 1480, sa présence, attestée, d'autre part, par des lettres qu'il écrivit du Plessis, l'une le 12 octobre (306), l'autre, plus de six mois après, le 22 mars 1481. On ne parle pas beaucoup de lui. Sans doute est-il, de nouveau, dans une demi-disgrâce, malgré les allégations de Mandrot (307). En mars 1481, il assista à la seconde attaque d'apoplexie dont fut frappé Louis XI : de concert avec Du Bouchage, il voua à saint Claude le malade qui, sur le champ, retrouva la parole (308). De nouveau, le voici éloigné. Ce laps de temps (assez long puisqu'il s'étend d'avril à octobre 1481) n'a droit dans les *Mémoires* qu'à une fort brève mention : « Et alloyt *[le roi]* par pays, comme par devant » (309).

Le sire d'Argenton réside en Poitou, comme nous l'apprend, dans une lettre du 25 juin, le Florentin Gaddi qui lui fait remettre une mappemonde et des médailles (310). Le même Gaddi s'étonne, le 29 juillet, que le chroniqueur ne soit pas revenu à la cour ; il ajoute : « D'après ce que j'entends, son absence est tout à fait volontaire » (311). Qu'est-ce à dire ? Sans doute que Commynes n'est pas retenu, malgré lui, par les soins que requiert la gestion de ses terres (comme le croit Kervyn), et qu'il préfère vivre loin de l'entourage royal, où il se sent inutile, rejeté au second plan, négligé par son maître qu'il ne peut plus approcher comme par le passé, sans, toutefois, être formellement disgracié.

Durant cette période, Louis XI visite le camp de Pont-de-l'Arche (312). Éloigné, notre mémorialiste émet un jugement critique sur la cherté de cette armée et sur la cruelle taille qui en résulta (313). Ces mesures qui visaient à créer des troupes plus solides, destinées à remplacer les francs-archers vaincus à Guinegatte, avaient été prises sur les conseils de Ph. de Crèvecœur, dont l'influence n'avait cessé de grandir depuis 1477, au détriment de notre auteur. Nous ne pensons pas que Mandrot soit dans le vrai quand il note : « Peu épris de spectacles et de parades militaires, le seigneur d'Argenton profita du voyage de son maître en Normandie, au mois de juin 1481, pour se rendre en Poitou, et il laissa Louis XI passer sans lui la revue des 20.000 hommes que le seigneur d'Esquerdes avait réunis au camp de Pont-de-l'Arche » (314). Peut-on soutenir qu'il n'eût pas suivi le roi, s'il était demeuré le favori tout-puissant des années 1472-1477, qui avait l'habitude de l'accompagner dans tous ses déplacements ?

Pendant l'été, le souverain habite le plus souvent au Plessis (315). Le 28 septembre, Commynes était à Moulins, d'où il écrivit au duc de Milan (316), pour lui demander de faciliter le voyage d'un de ses serviteurs qui venait chercher des faucons pour Louis XI. Il s'efforçait donc de plaire, par des moyens divers, au prince dont il nous dit, dans ses *Mémoires*, qu'il achetait alors de tous côtés oiseaux et animaux (317). L'historien connut, sans doute, en cette fin d'année 1481, une sorte de retour en grâce, puisqu'à plusieurs reprises, en novembre et en décembre, le roi séjourna à Argenton, un roi obsédé par la chasse, comme l'atteste un billet qu'il adressa à M. de Bressuire, le 4 novembre, à moins que ces lignes n'aient été écrites pour donner le change à son entourage sur son état de santé (318). Elles comportent, d'ailleurs, le nom de Doyat qui a suivi son maître à Argenton (319) et qui est de plus en plus influent, comme nous le révèle Molinet :

> « *En ce tempoire, le roy Loys de France print telement en son amitié ung petit compagnon, nommé Doyac, qu'il fit en sa faveur fermer la ville de Cusset dont il estoit natif... Pour la grant faveur que ledit Doyac avoit du roy, il monta en tel orgoeul que les plus grans princes de France en firent leur mediateur pour avoir royale audience...* » (320).

Ainsi donc, au mieux, la confiance est partagée. Commynes n'est plus « l'especial amy ». Le 30 novembre, de Chinon, il rassurait Laurent de Médicis sur les sentiments réels de Louis XI à l'égard de Florence ; il lui faisait l'éloge de Fr. Gaddi qui « entend les choses de par deça mieulx que nul autres que vous y seussiez tenir » ; il lui conseillait de continuer à rechercher l'amitié de la France (321). Il est possible de découvrir une explication à ce regain de faveur que nous avons signalé. L'ennemi du chroniqueur, Jean de Daillon, se mourait : il trépassa à Roussillon-sur-le-Rhône, dans son gouvernement du Dauphiné, au début de 1482, ainsi que le note Molinet :

> « *En ce tempz aussy, advint que le seigneur du Lude, mignon du roy Loys de France, cheut en une maladie sy horrible qu'il ne voloit congnoistre son createur et morut en cest erreur* » (322).

NOUVELLE MISSION EN SAVOIE

Commynes évoque ce voyage, mais en termes assez confus, qui ont l'avantage de restituer le caractère ambigu de cette affaire :

> « *Il m'avoit envoyé en Savoye, comme il partit de Touars, contre les seigneurs de la Chambre, de Myollent et de Bresse, et les aydoit en secret, pour ce qu'ilz avoyent prins le seigneur des Lys* (323), *du Daulphiné, lequel il avoit mys au gouvernement du duc Philebert, son nepveu* » (324).

Pour tirer au clair le rôle de notre auteur, il est utile de rappeler quelques faits. Louis XI avait ordonné, en 1480, de ramener en Savoie Philibert, dont il avait confié la garde à Ph. de Grolée, sire d'Illins. Les oncles du jeune duc, l'évêque de Genève, les comtes de Romont et de Bresse, avaient renoncé, du moins en apparence, à s'opposer à la politique française. Mais entra en scène un nouveau personnage, Louis de La Chambre, qui secoua le joug et prit la direction du gouvernement. Pour répondre à ce coup de force, le roi s'accorda avec l'évêque de Genève ; surtout, il invita Grolée à se saisir de Philibert et à le conduire en Dauphiné. Et Grolée, exécutant les ordres, de s'éloigner de Turin avec le duc. Mais La Chambre ne tarda pas à rattraper les fugitifs, à emprisonner Grolée, à garder avec lui Philibert (325), avec, semble-t-il, la complicité secrète de Philippe de Bresse qui ne cessait de pêcher en eau trouble. Louis XI essuyait donc un nouvel échec. Que fit-il alors ? Il envoya Commynes avec une armée, mais aussi avec la mission de gagner à sa cause le comte de Bresse. Cette fine manœuvre réussit :

> « *Et envoya apres moy force gens d'armes, que je menoye a Mascon contre mons*[r] *de Bresse.*

> *Toutesfois luy et moy nous accordasmes en secret...* » (326).

Le rallié promit d'arrêter L. de La Chambre. Pour mener à bien cette délicate opération, on se garda de révéler au grand jour cet accord. Publiquement, on somma Ph. de Bresse de quitter la Savoie pour le Dauphiné ; en secret, on lui demanda de ne pas s'incliner devant cet ultimatum. Cette politique présentait un double avantage. D'abord, elle permit à Commynes de concentrer, aux frontières de la Bresse et de la Savoie, des troupes qui, d'une part, empêcheraient le comte de changer de camp une nouvelle fois, et qui, d'autre part, l'appuieraient, le cas échéant, dans le coup de force qu'il méditait à l'instigation de Louis XI. Ensuite, cette politique endormit la méfiance de L. de La Chambre. Dès lors, Philippe de Bresse ne rencontra, à la fin de janvier 1482, aucune difficulté pour rentrer à Turin, capturer La Chambre, libérer Grolée et s'emparer du gouvernement :

> « *...et print ledict seigneur de la Chambre, couché avec ledict duc, a Thurin en Pyemont ou il estoit, et puis le me feit assavoir* ».

Il n'y avait plus de problème. Commynes renvoya les troupes qui l'avaient accompagné. Il se rendit à Suse (327), puis à Turin (328). Il retrouva à Grenoble le jeune duc que lui avaient amené, le 9 mars, ses oncles, Jean-Louis et Philippe de Savoie (329) :

> « *Et incontinent je feiz retirer les gens d'armes, car il amena le duc de Savoye a Grenoble, ou monseigneur le mareschal de Bourgongne, marquis de Rotelin, et moy, l'alasmes recevoir* » (330).

Le malheureux Philibert fut, ensuite, emmené à Lyon, où il mourut le 22 avril, âgé seulement de 17 ans (331).

Le mémorialiste pouvait se flatter d'avoir, cette fois-ci, réussi dans son entreprise, puisqu'il avait réalisé, dans le plus grand secret, une belle tromperie, en achetant Ph. de Bresse et en dupant L. de La Chambre. Aussi consacre-t-il une quinzaine de lignes à cet épisode, sans toutefois mentionner la mort du jeune duc que l'on pouvait imputer aux nombreux va-et-vient et aux brusques changements qui furent imposés à cet être maladif.

LA FIN DU RÈGNE

Le seigneur d'Argenton rejoignit son maître à Beaujeu, entre le 9 et le 12 avril 1482, après qu'eut été annoncée à la cour la mort de Marie de Bourgogne, survenue le 27 mars (332). Et les *Mémoires* précisent : « Ledit seigneur me compta ces nouvelles, qui en eut tres grand joye ». Mais pour Louis XI aussi la fin approchait. Le chroniqueur s'étonna de sa décrépitude : « ...et fuz esbahy de le veoir, tant estoit maigre et deffaict, et me esbahissoye comme il povoit aller par pays, mais son grand cueur le portoit » (333). En juin, le souverain regagna les bords de la Loire, restant plusieurs mois à Cléry, puis retournant, fin septembre, au Plessis-du-Parc (334).

A ce qu'il semble, Commynes ne résidait pas auprès de lui, contrairement à ce qu'on a répété à l'envi. Qu'il nous suffise de citer C. de Cherrier (335) ou Kervyn : « Commynes était du nombre de ceux qui voyaient s'ouvrir devant eux les portes du Plessis » (336). Rien, dans les *Mémoires*, ne permet d'avancer une telle affirmation. Nous y découvrons plutôt un certain nombre d'indices qui suggèrent le contraire. D'abord, l'auteur ne dit pas qu'il était présent quand fut juré, le 23 décembre 1482, le traité d'Arras (337). Ensuite, il signale, à mainte et mainte reprise, que le prince « pour auctorité tenoit leans *[dans la demeure royale]* ung homme ou deux aupres de luy, gens de petite condicion et assez mal renommez » (338) ; que presque personne n'entrait au Plessis, à l'exception des domestiques et des archers (339) et que « nul seigneur ne grand personnage » n'y logeaient (340) ; que J. Coictier et Olivier le Dain régnaient sur l'esprit du roi qui vivait « avec peu de gens, sauf archiers » (341). Pourquoi, en outre, décrire avec minutie les terreurs de Louis XI, sa méfiance excessive (342), proche de la démence, sa déchéance physique et même intellectuelle ? Pourquoi répéter qu'il a éloigné de lui toutes les personnes de qualité, et jusqu'aux membres de sa famille, et ses bons et fidèles serviteurs qu'il a remplacés par des gens de basse extraction et des médiocres sans honnêteté ni intelligence ? Pour nous expliquer pourquoi lui, Commynes, ne réside plus continuellement auprès de son maître, et pour rejeter dans l'ombre sa disgrâce personnelle dont il s'obstine à masquer la réalité.

Certains détails sont révélateurs. En voici un, qui concerne François de Paule. Nous lisons dans tous les manuscrits qu' « entre les hommes renommez de devotion, il envoya querir ung homme en Calabre, appelé frere Robert » (343). Or tout ce qui suit est relatif à François de Paule. L'erreur est curieuse, et mérite qu'on s'y arrête. Calmette, qu'on peut quelquefois accuser d'être trop favorable à Commynes, pense (344), avec l'éditeur des *Acta Sanctorum* (345), que notre mémorialiste, ne connaissant que le surnom de l'ermite, *le sainct homme,* avait laissé en blanc le nom, et qu'un copiste zélé aurait complété l'original, introduisant le nom de *Robert* (un frère prêcheur du temps) et commettant ainsi une erreur. Rien n'étaie cette hypothèse. Mais, même si nous l'acceptons, il reste que notre auteur ignorait le nom du saint, qui, pourtant, apparaît dans le compte de Briçonnet. N'est-ce pas une preuve, parmi d'autres, qu'il n'était plus un familier de Louis XI ? Si nous poursuivons la lecture des *Mémoires*, nous remarquons, deux pages plus loin (346), que Commynes a souvent entendu prêcher et parler François de Paule « devant le roy qui est de present », c'est-à-dire devant Charles VIII : s'il avait fréquenté l'ermite au temps de Louis XI, ne l'aurait-il pas précisé ?

Recourons encore au témoignage de notre historien. Au chapitre 10 du livre VI, il écrit : « Et estoye present a la fin de la maladie, par quoy en veulx dire quelque chose » (347). Comme le souverain mourut le 30 août 1483, on peut conclure, de ce bref passage, que son chambellan fut à ses côtés pendant la dernière semaine, d'autant plus que la phrase qui suit immédiatement fait état de la congestion cérébrale qui frappa le roi le 25 août (348). Élargissons, si l'on veut, ce séjour à toute la durée du mois d'août : il reste qu'avant, Commynes, de son propre aveu, n'était pas dans l'entourage du prince.

Par conséquent, malgré les efforts et les précautions de notre écrivain, la défaveur transparaît dans les *Mémoires*. Nous disposons d'autres documents qui nous amènent à la même conclusion. Nous n'en retiendrons que deux. Le premier émane de la *Chronique scandaleuse* de Jean de Roye (et aussi du *Compendium* de R. Gaguin) (349). Ces deux historiens nous apprennent que Louis XI, mourant, recommanda nommément à son fils cinq de ses serviteurs : Olivier Le Dain, Doyat, Du Bouchage, G. Pot et Ph. de Crèvecœur. Commynes n'est pas cité parmi ces favoris. Les *Mémoires* rapportent la même recommandation (350), mais ne donnent aucun nom. En outre, quel sort réservent-ils à ces cinq privilégiés ? Deux, Doyat et Pot, ne sont jamais mentionnés. Deux autres sont critiqués. L'un, ouvertement : c'est O. Le Dain, comme nous le verrons dans un prochain volume (351). L'autre, Crèvecœur, de façon plus subtile. Sa trahison est minutieusement étudiée, et la plupart des éléments du dossier se retournent contre lui (352). Il lui est reproché d'avoir commis une grave faute à Guinegatte (353) ; d'avoir poussé son maître à établir une lourde taille que d'autres familiers s'empressèrent d'abolir lors de la première attaque de Louis XI (354). Le cinquième, Du Bouchage, est mieux traité. C'est un ami de notre mémorialiste qu'il ne supplanta pas, sa faveur étant très ancienne. De plus, son rôle est secondaire : il sert surtout à corroborer les affirmations et les critiques de Commynes.

Voici notre second document. Peu de temps après la mort du roi, le 9 septembre 1483, plusieurs témoins, dont E. de Vesc et Coictier, que le chroniqueur n'épargne guère, attestèrent, par serment (355), que leur défunt maître avait reconnu avoir injustement dépouillé les enfants de L. de La Trémoïlle, et avait demandé de leur restituer Thouars et Talmont, tout en dédommageant Commynes avec 2.000 livres de rente (356). Ainsi, parvenu au terme de sa vie, Louis XI ne rangeait plus le seigneur d'Argenton au nombre de ses serviteurs préférés, et l'abandonnait dans sa lutte contre les La Trémoïlle.

CONCLUSIONS

1°) Commynes connut, d'abord, la jouissance du pouvoir suprême ; mais après la mort du Téméraire, d'autres personnages lui furent préférés. Jamais, malgré quelques périodes heureuses, il ne retrouva la place de choix qu'il avait occupée dans la faveur royale, dans les années qui suivirent sa défection (357). Il ne fut pas spécialement recommandé au prince héritier. Il reçut des dons empoisonnés ; il eut le temps d'en reconnaître la nature douteuse avant la fin du règne ; il en fut même dépossédé dans les derniers moments. D'autres, après janvier 1477, furent comblés ; lui ne recueillit que les miettes du festin : le partage des dépouilles de Nemours l'atteste (358). Dans ces conditions, est-il vraisemblable que cet homme qui aimait passionnément le pouvoir et l'argent dont il se vit frustré après une période triomphante de 5 ans, n'ait pas éprouvé de la rancœur contre le souverain qui, pour parler net, ne respectait plus les clauses du traité secret qui avait déterminé la désertion ?

2°) Kervyn (359) et Mandrot ont pensé que c'est seulement dans les ultimes mois de sa vie que Louis XI, en proie à des craintes démentielles, « n'eut plus d'oreilles que pour ceux qui spéculaient sur ses terreurs et lui apportaient de vaines promesses de guérison » (360). En réalité, la désaffection et la suspicion dont fut victime Commynes apparurent dès 1477. Mandrot fait une remarque dont il n'a su tirer les conséquences : « On ne voit pas que Louis XI ait jugé utile de l'envoyer dans le Nord pour seconder le seigneur d'Esquerdes » (361). N'est-ce pas parce qu'il s'est méfié du transfuge au point de redouter une nouvelle trahison, et même un retour au pays natal ? C'est pourquoi il l'a spécialisé dans les affaires italiennes et il lui a ôté le contrôle de l'ensemble de sa politique. Au contraire, le seigneur d'Argenton a voulu suggérer et accréditer l'idée qu'il a joui de la faveur du roi tout au long du règne. Témoin les dernières lignes du *Prologue*, que nous avons étudiées ailleurs (362). De son côté, le souverain tint à conserver les apparences d'une cordiale entente, et à ne pas pousser son serviteur à la rupture. Contraint de mentionner son exil en Poitou, Commynes s'efforce de le présenter comme un accident de courte durée. A l'en croire, son élimination serait le fait des régents, A. et P. de Beaujeu, alors qu'il nous semble établi que Louis XI l'avait déjà éloigné de lui.

3°) Pendant cette dizaine d'années, ou tout de suite après, il se heurta à un certain nombre de personnes qui déposèrent contre lui, dans les procès relatifs à Talmont (J. Coictier, E. de Vesc, J. de Beaumont, L. de La Trémoïlle, Jean Chambon), ou qui le supplantèrent dans la faveur royale (Daillon, Ph. de Crèvecœur, Olivier Le Dain, J. Doyat, J. Coictier, Pierre de Rohan, Charles et Louis d'Amboise), ou qui, à ses côtés, et plus que lui, jouèrent un rôle essentiel (Boffillo del Giudice, Jean Bourré). Les *Mémoires* ne les citent jamais (ou, au mieux, une ou deux fois), ou bien les présentent sous un jour défavorable, avec une habileté qu'il convient de reconnaître.

4°) Quand notre auteur dicta ses souvenirs et ses réflexions, il opéra un tri judicieux. Il ne raconta que les épisodes capables de mettre en valeur soit son importance durant cette période, soit son dévouement, soit son activité et son adresse hors de pair. Il élimina ou tronqua les épisodes qui ne l'honoraient pas (ainsi, le premier voyage pour les affaires de Savoie), ou qui ne manifestaient pas un talent exceptionnel (par exemple, la conclusion de l'accord franco-milanais de 1478), sans compter que, plus d'une fois, il disposa ou déforma les faits de manière à les rendre favorables à sa cause.

5°) Déchirés les voiles de la légende et de l'hagiographie, notre chroniqueur apparaît intelligent, lucide, habile, cupide, peu scrupuleux, prêt à rendre d'éminents services, à condition d'être largement récompensé.

NOTES DU CHAPITRE DEUXIÈME

(1) Ed. Dupont, III, 13.

(2) Lanson, **op. cit.,** p. 174 : « Louis XI lui rend plus qu'il n'a perdu : grandes pensions, grands domaines, grand mariage, dépouilles des disgraciés, titres honorables, faveur déclarée, et ce qu'un esprit de sa trempe estime particulièrement, un maître digne du serviteur, et l'emploi de ses rares facultés tel qu'il le pouvait rêver ».

(3) Compte de Briçonnet, éd. Dupont, III, 184.

(4) C'est la ville où Commynes rejoignit Louis XI.

(5) **Extrait du registre O, estant au greffe de la Chambre des Comptes, commençant en janvier de l'année 1470, et finissant en aoust de l'année 1474.** Cf. éd. Dupont, III, 20; éd. Mandrot, **intr.,** VII; Kervyn, I, 91. Le roi parle des bonnes dispositions de Commynes à son égard « dès son jeune âge ». Est-ce une simple formule, destinée à convaincre le Parlement ?

(6) Ed. Dupont, III, 12; Kervyn, I, 93 et s.

(7) Ed. Dupont, I, XXXIX-XLV; éd. Mandrot, intr. VII-VIII; Barbaud, **art. cit.,** p. 49 et s.

(8) **Visa, lecta, publicata et registrata Parisius in Parlamento, 13 Decembris, anno 1473. Brunat.**

(9) **Lecta, publicata et registrata in Camera Computorum Domini nostri Regis, Parisius, die secunda Maii 1474. I. Badouillier.**

(10) « Vous pouvez cognoistre le grand desir que j'ay que ceste matiere soit bien expediee et a mon intention, et les causes qui a ce me meuvent, et pour ce gardez que vous n'y faictes point de difficulté, et n'en renvoyez point devers moy ».

(11) Cf. la note 7.

(12) Barbaud, **op. cit.,** p. 49.

(13) **Ibidem,** p. 53 : arrêt du 22.3.1485.

(14) **Ibidem,** p. 54.

(15) **Op. cit.,** p. 8. Cf. Charlier, **op. cit.,** p. 23 : « Toute une petite France de l'Ouest, dix-sept cents arrière-fiefs d'un riche terroir ». Commynes se hâta de les mettre en valeur, asséchant les marais, développant le port d'Olonne.

(16) P. Champion, **op. cit.**, p. 229 : « Louis le paye d'une monnaie qui n'est pas très loyale, les terres confisquées sur L. d'Amboise, vicomte de Thouars ».

(17) « Documents inédits sur Ph. de Commynes », dans la **Revue des Provinces de l'Ouest**, IV, sept., 1856, pp. 160-9.

(18) Cf. **Divers Traittéz...**, pp. 518-9 : « Et au cas que pour l'avenir il y eut aucuns qui vousissent donner quelque empeschement a nostredit Conseiller & Chambellan en la jouyssance desdites Terres & Seigneuries .... toutes lesdites actions & autres droicts que personnes quelconques voudroient ou pourroient pretendre sur lesdites Terres & Seigneuries dessus declarees, avons esteint & aboly, esteignons & abolissons, & mettons du tout au neant par ces presentes...... »

(19) Ed. Dupont, III, 184 ; Kervyn, I, 107.

(20) Ed. Dupont, III, 26-28.

(21) **Ibidem, 29-33 :** « Donné a Disne-Chien, près le Puy-Beliart en Poictou, au mois de decembre 1472. Registrees en Parlement, le 30 décembre 1473. Signé Brunat. Et en la Chambre des Comptes, le 2 mai 1474. Signé Badouillier ».

(22) **Ibidem**, 33-38.

(23) **Ibidem**, 183. « Extrait du 7e compte de Jean Briçonnet, receveur général des finances, depuis le 1er octobre 1472, jusques au dernier septembre 1473 ». Cf. Champion, **op. cit.** p. 229 : « Le petit seigneur de Renescure est Monseigneur d'Argenton, sénéchal de Poitou, capitaine de Poitiers ».

(24) **Ibidem**, 40. A noter la suite : « ...tant es parties & portions, dont lesdits Seigneur & Dame de Montsoreau jouyssent a present, & qui par Arrest de la Cour de Parlement leur ont esté adjugees, comme es parties & portions, que tient & possede a present Messire Louys Chabot Chevalier..... »

(25) **Ibidem**, 52.

(26) P. d'Oriole est soit un traître qui donne au Téméraire des conseils défavorables au roi dont il est pourtant l'ambassadeur (I, 229), soit, à Vervins, un négociateur maladroit et prétentieux qui attire contre lui le mécontentement de son maître (II, 80), soit, enfin, un familier de Louis XI qui ne se réjouit pas de la mort du duc de Bourgogne (II, 161). Cerisay est un être cupide (II, 189).

(27) **Documents inédits.....**, p. 76 et s.

(28) Commune de La Chapelle-Saint-Laurent (Deux-Sèvres).

(29) Canton de Saint-Maixent.
(30) Au N.E. de Parthenay.
(31) Au S.O. de Parthenay.
(32) Canton de Valençay.
(33) S'en rapporter, sur ce point, à un gros cahier, recouvert de parchemin, qui contient le compte complet d'Argenton et autres lieux, de Noël 1493 à Noël 1494. C'est un compte d'A. Ledoux (Archives des Côtes-du-Nord, fonds de Penthièvre).
(34) Voir Fierville, **op. cit.,** pp. 51-74.
(35) Est-ce une des raisons qui expliqueraient que Commynes ait beaucoup parlé dans ses **Mémoires** du frère de Louis XI, et l'ait traité sans ménagement ?
(36) H. Stein a prouvé que Louis XI n'était pour rien dans ces deux morts (**Charles de France, frère de Louis XI,** Paris, 1919, pp. 449-471). Commynes ne se prononce pas. Charles de France posséda successivement le Berry, la Normandie, la Champagne et la Guyenne.
(37) Arrêt du Parlement du 10.7.1473 (Fierville, **op. cit.,** p. 72). Cette rapidité de la justice indique que le favori était tout-puissant.
(38) Fierville, **op. cit.,** p. 89.
(39) **Ibidem,** p. 90.
(40) Ed. Dupont, III, 184-5.
(41) **Ibidem,** 54-58.
(42) **Ibidem,** 63.
(43) **Ibidem,** 69.
(44) Cf. **La Destruction des mythes...,** ch. 4, **Portrait critique d'un grand roi,** pp. 248-251.
(45) II, 166 : « Des ungs estoit vengé comme du connestable de France, du duc de Nemours et de plusieurs autres ».
(46) Ed. Dupont, III, 187.
(47) Cf. Lanson, **op. cit.,** p. 175.
(48) S'opposa-t-il à Tristan l'Ermite, comme l'avance avec prudence E. Dupont (I, p. XLVIII) ? Seul nous permettrait de le penser le témoignage de Thevet, qui est de 1584.
(49) II, 5.
(50) II, 16.
(51) II, 37-72. Cf. **La Destruction...,** ch. 3, 6e partie, pp. 193-199.
(52) II, 83-91.
(53) II, 110-114.
(54) II, 63.

(55) I, 121.
(56) Pour le détail, utiliser les **Lettres de Louis XI,** éd. Vaesen, t. X, pp. 138 et s.
(57) I, 58 : « Je y ai esté depuis ce temps la avecques le roy Loys demy an sans bouger, logié es Tournelles, **mengeant et couchant avecques luy ordinairement.** » Pour l'entrevue de Fargniers, voir I, 248.
(58) II, 17.
(59) II, 18.
(60) II, 85.
(61) Kervyn, I, 136.
(62) II, 112.
(63) **Ordonnances des rois de France de la troisième race jusqu'en 1514,** t. XVIII, pp. 165, 196, 205; Kervyn, I, 147. De tout cela, pas un mot dans les **Mémoires.**
(64) L. Cerioni, **La politica italiana di Luigi XI, e la missione di Filippo di Commynes (Giugno - settembre 1478), Archivio storico lombardo,** VIII, 2, 1950, p. 15; Kervyn, I, 144; II, 279.
(65) Lettre du 29.10.1476 (Kervyn, II, 279, n. 2).
(66) Kervyn, I, 128, n. 1; 131 et s.
(67) Kervyn, III, 3 (Cf. J. Bastin, **op. cit.,** p. 9).
(68) Kervyn, III, 7. Énumération intéressante, car, après 1477, Commynes ne s'occupera que des affaires italiennes.
(69) Même affirmation, le 29.11.1476 (Kervyn, III, 10).
(70) « Votre Seigneurie sait aussi que nous n'avons aucune autre personne pour nous servir auprès de S.M. le Roi ».
(71) Commynes l'écrit lui-même à Petrasancta (Kervyn, I, 143) : « **Ne vous sousyés, mais tenés en repous** des besongnes de vostre mestre; car y ne se fera respons ou vostre mestre ait honte, ny doumage, et ne parlés de vos besongnes a personne jusque a ma venue. De la main du tout vostre. Commynes ». Cf. encore Colleta et Petrasancta, le 29.11.76 : « Monseigneur d'Argenton a grand crédit en cette cour; il se montre très affectionné à Votre Excellence » (Kervyn, III, 9-10).
(72) Kervyn, III, 10.
(73) Voir **La Destruction des mythes,** ch. 1, **le poids de la trahison,** 5e partie, pp. 54-64.
(74) Voir Kervyn, I, 147. Il se peut que Commynes ait souffert de la mort de son premier maître, à la fois parce qu'il l'aimait encore, et qu'il comprit que, le Téméraire disparu, c'en était fait de sa toute-puissance.

(75) II, 160-161.
(76) **Op. cit.**, p. 28.
(77) **Histoire de Louis XI**, 3 vol., Paris, 1746, III, 87 : « Commynes qui écrivait de mémoire longtemps après que les faits étaient arrivés, est bien excusable dans des méprises si peu importantes; mais il ne l'est peut-être pas tant lorsqu'il avance que le Roi ne vouloit pas que le Dauphin épousât Marie de Bourgogne ». Cf. encore p. 94.
(78) **Op. cit.**, p. 41 : « Commynes ne regretta pas sa terre natale : les bienfaits du roi en effacèrent le souvenir de son esprit : Homère célèbre le lotus dont le fruit doux comme le miel faisait oublier aux étrangers leur patrie ».
(79) Michelet le contestera (t. VIII, p. 283) : « L'idée d'un mariage entre mademoiselle de Bourgogne qui avait 20 ans, et le dauphin qui en avait 8, d'un mariage qui eût donné à la France un quart de l'Empire d'Allemagne, pouvait être, était un rêve agréable, mais il était périlleux de rêver ainsi. Il eût fallu, sur cet espoir, laisser passer l'occasion, s'abstenir, ne rien faire, attendre patiemment que les Bourguignons fussent en état de défense, qu'ils eussent garni leurs places. Alors, ils auraient dit au roi ce qu'ils firent à la fin : « Il nous faut un mari et non pas un enfant... » Et la France restait les mains vides, ni Artois, ni Bourgogne; elle n'aurait peut-être pas même repris sa barrière du Nord, son indispensable condition d'existence, les villes de Somme et de Picardie. Ajoutez qu'en poursuivant ce rêve, on risquait de rencontrer une réalité très fâcheuse, une guerre d'Angleterre ».
(80) II, 268.
(81) Voir la **Destruction...**, ch. 3, **le panégyrique de l'auteur, § l'art de la comparaison**, pp. 177-179.
(82) I, 157, n. 2.
(83) II, 174.
(84) II, 174, n. 2.
(85) II, 73. Voir **La Destruction**..., ch. 3, p. 176.
(86) II, 159.
(87) Cf. éd. Lenglet-Dufresnoy, 4 vol., Londres-Paris, 1747, III, 505, 512; **Lettres de Louis XI**, IV, pp. 94-8 : notice.
(88) II, 204 et s.
(89) II, 281.
(90) II, 283.
(91) VIII, 341-342 : « Deux hommes étaient encore autour de lui, peu rassurants, MM. du Lude et de Saint-Pierre; l'un,

un joyeux voleur qui faisait rire le roi; l'autre, son sénéchal, sinistre figure de juge, qui eût pu être bourreau. Parmi tout cela, le doux et cauteleux Commines, qu'il aimait et faisait coucher avec lui; mais il croyait les autres ».

(92) Cf. aussi, selon Kervyn, une charte relative à Tournai, datée du 8.12.1479.

(93) II, 283.

(94) C'est le mot d'E. Dupont, I, p. LIII.

(95) Ed. Dupont, III, 63.

(96) I, 158-9.

(97) Nous répétons cet adverbe, car on ne saurait être trop prudent.

(98) II, 173.

(99) **Op. cit.**, p. 9. Il en est de même de ce jugement, plus nuancé, de Charlier (**op. cit.**, p. 35) : « Les cinq ans qui s'écoulent de son retour de Florence aux mois qui précèdent la mort du roi sont la période heureuse — peut-être même la seule période vraiment heureuse — de la vie de Commynes ».

(100) II, 215. Cf. **La Destruction**..., ch. 4, pp. 260 et s.

(101) II, 220.

(102) II, 174.

(103) Voir, sur ce point, dans notre **Introduction aux Mémoires de Commynes** (à paraître), les lignes consacrées à J. de Daillon.

(104) « Boffille de Juge, comte de Castres, et la République de Venise » dans les **Annales du Midi**, t. III, 1891.

(105) II, 267.

(106) Kervyn, I, 161.

(107) Kervyn se trompe, croyons-nous, quand il dit (I, 160) que cet « honneur devait témoigner hautement que Commynes avait recouvré toute la faveur dont il jouissait naguère ».

(108) Kervyn (I, 162) parle de 2 muids de vin et d'une émine d'avoine, offerts par le conseil de Dijon.

(109) Lettre de Louis XI à L. de Médicis, du 12.5.1478, citée par Desjardins, **Négociations diplomatiques de la France avec la Toscane**, Paris, 1859, t. I, pp. 171-2; Kervyn, I, 171; L. Cerioni, **op. cit.**, p. 21.

(110) II, 268.

(111) Connues grâce à une lettre du Milanais A. d'Applano, alors à Casale (Kervyn, I, 173 et s.). Sur la situation en Italie, lire, dans Kervyn, les p. 166 et s. du t. I.

(112) L. Cerioni, **op. cit.,** pp. 33-34.

(113) Applano, 18.6.1478 (Kervyn, I, 177).

(114) Kervyn, I, 176.

(115) Lettre de la duchesse de Milan, 22.8.78 (Kervyn, I, 182).

(116) Lettre de Talentis et Sacramoro (Kervyn, III, 11).

(117) I, 183 et s.

(118) **Op. cit.** pp. 28-9. Voir aussi L. Sozzi, « Lettere inedite di Philippe de Commynes a Francesco Gaddi » dans les **Studi di bibliographia e di storia in onore di Tammaro de Marinis,** Verone, 1964, t. IV, p. 241, note. A signaler dans le même temps des intrigues entre le roi de Naples et René d'Anjou (cf. lettre d'Applano, 16.6.78, Kervyn, I, 175; Lecoy de la Marche, **Le Roi René,** 2 vol., Paris, 1875, I, 423) Commynes joua peut-être un rôle.

(119) II, 273.

(120) Le texte est dans Kervyn, I, 190.

(121) **Ibidem,** 186. Les pouvoirs envoyés par Louis XI à Commynes et à L. de Médicis sont datés d'Amiens, le 13.7.1478 (Ed. Dupont, III, 327).

(122) Datées du 10.8.78 (Kervyn, III, 20) et du 12.8.78 (**Ibidem,** III, 12).

(123) Lettre du 18.6.78 (Kervyn, I, 180-1).

(124) II, 273. Charlier (**op. cit.,** p. 31) parle du traité, mais ne s'étonne pas que Commynes ne l'ait pas mentionné. A. Prucher (p. 27) trouve le chroniqueur un peu trop discret.

(125) Kervyn, I, 187-8.

(126) **Ibidem,** III, 21.

(127) **Ibidem,** 14; cf. aussi 21.

(128) **Ibidem,** I, 179-180. Cf. encore de la même au marquis de Mantoue (Kervyn, I, 198): « ...nous avons, le 7 de ce mois, ratifié solennellement entre ses mains ledit renouvellement de la ligue ».

(129) I, 164.

(130) Cf. L. Cerioni, **op. cit.,** p. 24.

(131) II, 269 et s.

(132) D'après les ambassadeurs de Milan, Laurent parle de « son collègue le magnifique seigneur d'Argenton » (Kervyn, III, 20). L. Cerioni a raison de noter (**op. cit.,** p. 31):

« I pieni poteri concessi dal re per il rinnovo della lega sono deferiti unitamente al Commynes ed al Magnifico contemporaneamente ».

(133) Cf. L. Cerioni, **op. cit.,** p. 22 : « ...il vero preciso incarico di Commynes, l'unico che appaia costantemente nei documenti che riflettono le sue trattative, é quello di stabilire e firmare la lega con Milano ».

(134) **Ibidem,** p. 40.

(135) II, 273.

(136) Dans son c.r. du livre de L. Cerioni (**Le Moyen Age,** année 1959, t. 65).

(137) II, 272. C'est l'avis de Guichardin : « Guichardin compte, parmi les erreurs auxquelles une confiance téméraire parfois l'entraîna, l'attitude de défi que, peu enclin au pardon des injures, il tenait en face du pape. Au roi de Naples, il gardait une trop vivace rancune pour prendre la peine de négocier avec lui un rapprochement » (A. Renaudet, **Laurent le Magnifique,** dans **Hommes d'Etat,** Paris, 1937, II, 449).

(138) II, 272-3.

(139) D'un côté, une armée très faible, peu de chefs ; de l'autre, des troupes puissantes, bien commandées par de grands capitaines qu'énumère Commynes.

(140) Sur ce point, on peut consulter Beaucaire de Péguillon, **Rerum gallicarum commentarii,** IV, 11.

(141) Delaborde, **l'Expédition de Charles VIII en Italie,** Paris, 1888, p. 128.

(142) Il est question de ce voyage dans la dépêche d'un ambassadeur milanais auprès de Louis XI, en date du 30.1.1480. Laurent se rendit à Naples le 6.12.1479. Voir Combet, **Louis XI et le Saint-Siège,** p. 173 : « Laurent comprit qu'il lui fallait passer sous les Fourches caudines. Il entra en négociation avec Ferrand qui, pour complaire à Louis XI et faciliter la conclusion de la paix, lui fit déclarer par Palmier qu'il pouvait lui envoyer un ambassadeur pour traiter ». Cf. L. Sozzi, **op. cit.,** p. 239, n. 1.

(143) **Histoire de Florence (1434-1531),** 2 vol., Paris, 1888-1890, t. I, l. 2, ch. 3.

(144) Voir aussi A. Renaudet, **op. cit.,** pp. 453-5.

(145) Voir Delaborde, **op. cit.** : « Ce dernier contribua plus que tous ses prédécesseurs à la paix de l'Italie ; car ce fut seulement après que Palmier lui eut préparé les voies,

que Laurent se décida à se rendre lui-même à Naples » (p. 135); L. Sozzi, **op. cit.**, p. 240, n. 3.

(146) Kervyn, III, 59 et 60.

(147) **Ibidem,** I, 294-5.

(148) **Op. cit.**, p. 24.

(149) Ed. des **Mém., Intr.,** p. XII.

(150) **Op. cit.,** p. 29. Cf. aussi, éd. Dupont, I, LVI; A. D. La Fontenelle de Vaudoré, **Philippe de Commynes en Poitou,** Paris, 1836, p. 30.

(151) Lettre de Sacramoro, Kervyn, III, 25; L. Cerioni, **op. cit.,** p. 46, n. 150.

(152) II, 273.

(153) Lettre du 5.8.1478 (Kervyn, III, 15; L. Cerioni, **op. cit.,** p. 37): « Quant à son caractère, il nous dit qu'en lui parlant **etiam aperte** de rémunération, il ne lui semblait point qu'il dût s'en fâcher aucunement, parce que dans son pays on n'y mettait pas de délicatesse, ni de scrupule ». Pour les dépêches italiennes, nous adoptons la traduction de Kervyn.

(154) **Op. cit.**, p. 13.

(155) Kervyn, I, 192.

(156) **Ibidem,** 193-4.

(157) Cf. encore cette dépêche des ambassadeurs (Kervyn, III, 15): « Nous nous attachons seulement à le louer de ses bonnes dispositions et de ses démonstrations, et à lui exprimer adroitement la reconnaissance de Vos Altesses ».

(158) Kervyn, I, 193.

(159) Cf. Delaborde, **op. cit.,** pp. 121 et s.

(160) Kervyn, I, 208 (lettre de Louis XI, du 8.9.1478). **Ibidem,** 212: « Prévenez Laurent de toutes ces choses qui sont l'exacte vérité: dites-lui que je ne laisserai pas pour cela de faire pour eux tout ce que je dois, comme aussi pour ceux de Milan. »

(161) **Ibidem,** 212. Cf. L. Sozzi, **op. cit.,** p. 218, n. 3.

(162) Kervyn, I, 245.

(163) Cf. Benoist, **Les Lettres de Commynes aux archives de Florence,** Lyon, 1863, p. 9 (à A. de Médicis, le 28.8.1478).

(164) **Ibidem,** p. 10 (à A. de Médicis, le 30.8.1478).

(165) II, 273.

(166) Voir la lettre de la duchesse de Milan au marquis de Mantoue (Kervyn, I, 198-9).

(167) Lettre du 18.6.1478 (Kervyn, I, 182).

(168) II, 242 et s. Cf. **La Destruction des mythes...**, ch. 1, pp. 53-54.
(169) Kervyn, I, 197.
(170) Le jeune duc (ou son premier ministre) oublie que Commynes avait 25 ans quand il passa au service du roi.
(171) Kervyn, I, 198-9.
(172) **Ibidem,** 199-200.
(173) **Ibidem,** 201.
(174) Lettre de Bossio, du 15.9.1478 (Kervyn, III, 29).
(175) Du même, lettre du 18.9.78 (Kervyn, I, 206 et s.).
(176) Kervyn, I, 203.
(177) Lettre de Lionetto de Rossi à A. de Médicis, du 6.10.78 (Kervyn, I, 214; L. Cerioni, **op. cit.,** p. 50) : « Monsignore è stato qui cinque o sei giorni aspettando li ambaxadori de la liga et visto che non vengono et che **(ici, une lacune)** ...nova veneria ha deliberato partirsi et cossi farà ».
(178) Kervyn, I, 185.
(179) 6.10.78 (Kervyn, I, 214). Sur Lionetto de'Rossi, voir L. Sozzi, **op. cit.,** p. 245, n. 2.
(180) Kervyn, I, 219-220.
(181) **Ibidem,** 219.
(182) **Ibidem,** 216.
(183) **Ibidem** : « Monstrez ces lettres a messer Chicque et puis les getés au feu ».
(184) Oct. 1478 (Kervyn, I, 215).
(185) **Ludovic le More et Roberto di San Severino.**
(186) III, 12.
(187) Lettres de Bonne de Savoie, le 14.12.78 (Kervyn, I, 227-8), de Cagnola, le 21.11.78. (**Ibidem,** III, 34). Cf. encore Talentis et Sacramoro, le 10.8.78 (**Ibidem,** III, 17).
(188) Le 5.10.79 (**Ibidem,** III, 70).
(189) Le 25.9.79 (**Ibidem,** III, 63).
(190) Cagnola et Visconti (**Ibidem,** III, 66), le 4.10.1479.
(191) Le ms. P est plus précis et plus flatteur : **m'entremit de** (II, 273).
(192) Il est hasardeux de conclure avec Kervyn (III, 30) que « Commynes revenait plus puissant que jamais », ou avec A. Prucher (**op. cit.,** p. 36) qui plagie Charlier, « Commincia allora por Commynes un periodo felice, force il più felice della sua existenza ».
(193) Cf. **Itinéraire de Louis XI, Lettres,** XI, 185 et s. A relever une erreur de Combet, **op. cit.** p. 165 et s. : Commynes

n'a pas été à Rome en 1479 avec A. et J. de Morlhon, Jean de Voisin et P. de Caraman.

(194) II, 281. Cf. **La Destruction des mythes...**, ch. 3, pp. 179-180.

(195) II, 283 : « ...dont avoyent la charge l'evesque d'Alby, son frere, le gouverneur de Bourgongne, le mareschal de Gyé, le seigneur du Lude : car ceulx la se trouverent a l'heure que son mal luy print, et estoient tous logez soubz sa chambre... »

(196) II, 283-4.

(197) II, 58.

(198) II, 263.

(199) II, 124-6.

(200) II, 265. Cf. **La Destruction des mythes...**, ch. 7.

(201) II, 265-6 : « ...il assiegea Aussonne, ville tres forte, mais il avoit bonne intelligence dedans (...) Audit Aussonne avoit peu de gens; et les chefs accordez avec ledict seigneur de Chaulmont gouverneur, qui au bout de cinq ou six jours la baillerent ».

(202) II, 267, Ch. d'Amboise n'a donc pas été capable de prévenir cette rébellion.

(203) II, 267-8 : « Lesquelles places furent reprinses par le sens et conduicte dudict gouverneur, et par la faulte de sens de ses ennemys ».

(204) II, 264 : « Ung pouvre roy n'eust sceu faire ce tour, et le tout luy tourna a son proffit... »

(205) II, 266.

(206) I, 39.

(207) **Lettres de Louis XI,** éd. Vaesen, VIII, 60 et s.

(208) **Ibidem,** VI, p. 301, n. 1.

(209) II, 278.

(210) Et sur la personnalité du roi. Nous citons, à l'ordinaire, dans la traduction de Kervyn.

(211) Kervyn, I, 257.

(212) **Ibidem,** I, 223.

(213) Lettre de Louis XI, citée par Kervyn, 1, 243.

(214) Lettre de l'ambassadeur de Venise, datée de Montargis, le 11.5.79 (Kervyn, I, 254).

(215) Kervyn, I, 266.

(216) **Ibidem,** I, 270-1. Cf. du même, III, 45.

(217) **Lettres de Louis XI,** XI, 194-5.

(218) Kervyn, I, 274.

(219) **Ibidem,** 276. Cf. Visconti, le 2.8.79 (Kervyn, III, 48).

(220) **Ibidem,** I, 284.

(221) **Ibidem,** III, 55 (lettre du 19.9) et 59 (lettre du 20.9).
(222) Cagnola, 1.8.79 (Kervyn, I, 274). (222a) Kervyn, I, 286.
(223) 30.12.78 (Kervyn, I, 234).
(224) 26.9.79 (Kervyn, III, 65) : « Nous avons ordre de S.M. d'adresser tout ce qui arrive à monseigneur d'Argenton qui le lui fait passer ensuite ».
(225) Cagnola, 16.4.79 (Kervyn, I, 245).
(226) Visconti, 26.6.79 (Kervyn, I, 261).
(227) Visconti, 20.6.79 (Kervyn, I, 261); Cagnola, 20.6.79 (Kervyn, I, 266-7).
(228) Cagnola, 30.12.78 (Kervyn, I, 234); 13.1.79 (**Ibidem** 238); 17.4.79 (**Ibidem** 242); 16.4.79 (**Ibidem** 245; voir encore pp. 251, 257, 269, etc...; lettre de l'ambassadeur de Venise, 11.5.79 (**Ibidem** 253).
(229) **Chronique.** I, 286.
(230) Cf. **Lettres de Louis XI,** V, 225, n. 4.
(231) Cagnola, 4.10.79 (Kervyn, III, 69). Rappelons que Boffillo quitta Naples pour suivre Jean d'Anjou, et que Cato était aragonais (B. Croce, la **Critica,** XXXI, 3e série, n° 7, 1930, pp. 53-64). Calmette se trompe sur ce point (éd. des **Mémoires,** I, XII, n. 2).
(232) Cagnola, 6.11.78 (Kervyn, I, 219-20) : « C'est le conseil que nous a donné monseigneur d'Argenton. J'ai eu avec lui une longue conférence sur cet objet; il m'engage à différer jusqu'à l'audience particulière et se chargera lui-même de faire tout connaître au roi... Quant au fait des lettres interceptées, ... j'en ai conféré avec monseigneur d'Argenton... »; voir encore lettre du 28.11.78 (Kervyn, I, 224-225).
(233) Cagnola, 28.12.78 (Kervyn, I, 231): 16.4.79 (**Ibidem** 244); cf. I, 242, 247, 262, 263, 265, 268, 290, 291; III, 33, 34.
(234) Cagnola, avril 79 (Kervyn, I, 246-7); « Sa Seigneurie m'a dit qu'elle ne vous engage en aucune façon à insister auprès du roi sur ce point pour le moment. Monseigneur d'Argenton craint que S.M. étant en si grand débat avec l'empereur, à cause de son fils, n'en prenne quelque ombrage ».
(235) Kervyn, III, 35.
(236) **Ibidem,** III, 39 : Cagnola, 17.12.78; cf. Visconti (III, 52).
(237) **Ibidem,** III, 36 : Cagnola, 1.12.78.
(238) **Ibidem,** I, 286 : Visconti, 1.9.79.
(239) **Ibidem,** III, 52-3.

(240) Les ambassadeurs anglais.

(241) Entre le dauphin et la fille d'Edouard IV.

(242) Kervyn, I, 241. Voir la suite : « Sur ce point aussi, il a fait au roi d'Angleterre les plus belles promesses, mais avec l'intention, me disent ici ses amis, de n'y donner aucune suite, comptant bien que quelques difficultés surgiront pendant les négociations pour en empêcher l'effet. Les distances sont longues, et l'on perdra beaucoup de temps à échanger des correspondances : il faut bien que le roi vienne à bout de ses projets ».

(243) Kervyn, I, 242.

(244) Cf. Visconti, 1.9.79 (Kervyn, I, 286).

(246) Le 16.11.79 (Kervyn, III, 41).

(247) Lettre du 11.3.79 (Kervyn, I, 248 ; Benoist, **op. cit.,** p. 12). Remarquons que, dans cette lettre, Commynes demande à Laurent d'accorder un traitement très honorable à deux hommes que soutiennent les grands du royaume (par ex., les Beaujeu) et que Louis XI aime fort, au point d'avoir invité notre auteur, trois ou quatre fois, à écrire au Magnifique en leur faveur.

(248) Voir Benoist, **op. cit.,** p. 12.

(249) **Ibidem,** p. 14 ; Kervyn, I, 249. Cf. L. Sozzi, **op. cit.,** p. 222, n. 2.

(250) Visconti, 20.6.79 (Kervyn, I, 262). Cette lettre nous apprend que Louis XI est à trente lieues de Tours, seul ; qu'il ne veut voir personne ; que Commynes n'échappe pas à cet interdit.

(251) Kervyn, I, 284.

(252) **Ibidem,** 285. Voir L. Sozzi, **op. cit.,** p. 224.

(253) Kervyn, I, 259-260. Cf. aussi la phrase qui suit immédiatement : « On envoie ces documents aux ambassadeurs, et quelquefois à part à Cagnola ».

(254) Kervyn, III, 45.

(255) **Ibidem,** III, 76.

(256) Cagnola, juillet 79 (Kervyn, III, 45).

(257) Lettre de Commynes, du 13.12.78 : « Je vous asseure, messire Cheque, que, en tout ce qu'il me seroit possible de faire, Madame soit asseuree que je le feroie d'aussi bon cueur que homme qui vive, sans en point excepter, et m'en rapporteroye bien a vostre ambassadeur qui est par deça, qu'il ne tient pas a moy qu'il ne face toutes les choses comme il les desire. Et en tant que touche

votre fait particulierement vous me pouvez tenir comme vostre amy; et aussi suis, et aussi fidellement que vous en ayez point en ce monde ».

(258) A. d'Applano, 20.11.79 (Kervyn, I, 304) : « ... (Commynes) dit que le roi son maître n'a pas été mécontent que messire Cicco ait été démis du gouvernement qu'il détenait entre ses mains et que les illustres seigneurs Louis et Robert l'y aient remplacé, ces deux seigneurs devant s'en acquitter mieux que messire Cicco ne l'avait fait; que ce sont des hommes d'une bien autre valeur qui, pour une foule de raisons, sauront mieux gouverner que lui n'aurait jamais su, ni pu le faire ». Voir L. Sozzi, **op. cit.**, p. 249, note.

(259) Le 26.9.79 (Kervyn, III, 64 et s.).

(260) Visconti, 4.10.79 (Kervyn, III, 68). Lire aussi la suite: « ...d'autant plus qu'il compte que vous ferez ce qu'il espère de vous, c'est-à-dire que vous ne vous écarterez pas de la volonté de S.M., surtout quant aux deux points sus-mentionnés ». Cf. d'Applano, le 5.12.79 (Kervyn, I, 311).

(261) Kervyn, III, 68-69.

(262) **Ibidem.**

(263) III, 34.

(264) II, 278.

(265) Ed. Dupont, I, LIX, n. 1.

(266) Ed. Mandrot, **Intr.**, p. XVIII.

(267) **Déposition de J. de Beaumont, sire de Bressuire, 30.1.1484** (Ed. Dupont, III, 105).

(268) C'est l'un de ces cinq ou six hommes, « fort gros et gras », que Louis XI avait postés aux portes de la ville d'Amiens en 1475 (Ed. Calmette, II, 55-6) pour encourager les Anglais à faire bombance.

(269) Ed. Dupont, III, 106.

(270) Eliminé des **Mémoires**, bien que Louis XI ait fréquemment utilisé **ses services.**

(271) Voir Kervyn, I, 140: « Le souvenir de ce bourg auquel se rattachait celui d'une mauvaise action resta gravé dans l'esprit de Commynes. Parlant de son voyage en Lombardie et de la ville de Vigevano où résidait un tyran, il se prend tout à coup à penser à Louis XI et à Cande, et il ajoute: « La ville ne vaut point Saint-Martin-de-Cande, qui n'est riens ».

(272) Ces événements eurent lieu en 1476.

(273) Cf. Barbaud, **op. cit.** p. 56. Louis XI fit promettre aux commissaires de ne rien révéler de ce qu'ils avaient vu.

(274) Ed. Dupont, III, 95 et s.

(275) Il soutiendra qu'il ne lui avait pas demandé Talmont.

(276) Voir Barbaud, **op. cit.** p. 56 : « ...dictus de Commines minime contentus ex eo quod dicte terrae d'Olonne, la Chaume et Curzon prope dictas terras de Talomonte et de Castro-Galteri site extabant, eas habere multum affectaverat ». Cf. La Fontenelle de Vaudoré, **op. cit.,** pp. 31-32.

(277) Cf. Barbaud, **op. cit.** p. 56 : « ...dictos actores... quibus appunctamentum super dictis terris facere, alias quod numquam in servicio dicti progenitoris nostri essent, nonnulli persuaserant, ob quod ipsi, unde vivere non habentes, ut in dicto servicio retinerentur, ad dictum appunctamentum intendere coacti fuerant ».

(278) Kervyn, I, 280.

(279) Ed. Dupont, III, 74-78.

(280) Lettre du 3.10.79 (Kervyn, I, 295 - traduction). Voir Cagnola et Visconti, Kervyn, III, 67.

(281) Ed. Vaesen, VIII, 80 (lettre du 8.10.79).

(282) I, 296-7.

(283) Ed. Vaesen, VIII, 80, n. 3.

(284) Petrasancta, le 24.10.79 (Kervyn, I, 297-298).

(285) A. d'Applano, 18.11.79 (Kervyn, I, 303).

(286) **Ibidem,** 20.11.79 (Kervyn, I, 304-305).

(287) **Ibidem.**

(288) **Ibidem.**

(289) Kervyn, I, 306.

(290) Antoine d'Applano, 23.11.79 (Kervyn, I, 309).

(291) Kervyn, I, 310.

(292) Kervyn, I, 297, n. 1.

(293) Applano, 23.11.79 (Kervyn, I, 307); Visconti, 24.10.79 (III, 73) et 5.12.79 (Kervyn, III, 75).

(294) 23.11.79 (Kervyn, I, 309).

(295) 30.11.79 (Kervyn, I, 310).

(296) II, 122-123.

(297) 5.12.79 (Kervyn, I, 311).

(298) Kervyn, I, 312; cf. Cagnola et Visconti, 5.12.79 (Kervyn, III, 75).

(299) Préférant être le premier à Turin que le second à la cour de Louis XI.

(300) 5.12.79 (Kervyn, I, 312).
(301) 18.9.79 (Kervyn, III, 54) et 19.9.79 (Kervyn, III, 57).
(302) Cagnola et Visconti, 5.12.79 (Loc. cit.).
(303) Cagnola et Visconti, 16.1.80 (Kervyn, III, 78).
(304) **Ibidem.**
(305) Ménageait-il trop les Milanais (cf. Mandrot, **Intr.** p. XVI) ?
(306) Kervyn, I, 318. Cf. Lettre à Gaddi de Montsoreau (22.3.80); d'Angers (26.6.80); des Forges (30.12.80).
(307) **Intr.** p. XVI.
(308) II, 285.
(309) **Ibidem.**
(310) Kervyn, I, 322. Cf. peut-être une lettre à Gaddi, écrite le 10.7.1481 à Montsoreau (L. Sozzi, **op. cit.**, p. 245).
(311) Kervyn, I, 322.
(312) Cf. Michelet, VIII, 340-341.
(313) II, 284-285.
(314) **Intr.**, p. XIX.
(315) **Lettres de Louis XI**, XI, 214 et s.
(316) Kervyn, I, 323.
(317) II, 297-298.
(318) Kervyn, I, 324, Cf. une lettre à Gaddi, envoyée d'Angers le 26.10.1481 (L. Sozzi, **op. cit.**, pp. 246-249).
(319) **Lettres de Louis XI**, IX, 89.
(320) **Chronique**, I, 355.
(321) Kervyn, I, Benoist, **op. cit.**, p. 15; L. Sozzi, **op. cit.**, p. 221.
(322) **Chronique**, I, 354.
(323) C'est le sire d'Illins.
(324) II, 286. Nous adoptons le texte du ms. P.
(325) Ed. Mandrot, II, 46, n. 1.
(326) II, 286.
(327) Maffeo de Crivelli, 4.2.82 (Kervyn, III, 85-6).
(328) **Ibidem**, 18.3.82 (Kervyn, III, 86).
(329) Ed. Mandrot, II, 46, n. 1.
(330) II, 286.
(331) Ed. Mandrot, II, 46, n. 1.
(332) II, 287.
(333) II, 286.
(334) **Lettres de Louis XI**, XI, 225 et s.
(335) **Op. cit.**, I, 47 : « Cependant, Louis XI retiré au Plessis du Parc, était, au dire de Comines qui ne le quitta plus, soucieux et morose plus que jamais ».

(336) I, 329.

(337) II, 302.

(338) II, 292.

(339) II, 290-291.

(340) II, 291.

(341) II, 296.

(342) Commynes aurait pu signaler à cette occasion, comme Michelet (VIII, 307 et s.) les meurtres du duc de Milan, du Téméraire (?), de J. de Médicis, les menées et les aveux de J. de Nemours.

(343) II, 294.

(344) **Ibidem,** n. 2.

(345) T. 1 d'avril, p. 105.

(346) II, 296.

(347) II, 311.

(348) II, 312.

(349) **Chronique scandaleuse,** II, 121; **Compendium de origine et gestis Francorum,** Paris, 1501, f° 213.

(350) II, 311.

(351) **Introduction aux Mémoires de Commynes,** à paraître.

(352) II, 184-5; cf. **La Destruction des mythes,** ch. 1, 3e partie, pp. 46-49.

(353) II, 275.

(354) II, 284.

(355) Ed. Dupont, III, 80-3: Barbaud, **op. cit.,** p. 56.

(356) Commynes répondra: « Actenta infirmitate qua ille tunc detinebatur, nullus ad hoc debebat haberi respectus ». Les **Mémoires** (II, 324) soutiennent le contraire.

(357) Faguet (**op. cit.,** pp. 2-3) a donc tort de penser que « Jusqu'à la mort de Louis, il ne quitta pas la maison du roi, à peine sa chambre ». Cf. aussi Jeanroy, **op. cit.,** p. 338.

(358) Voir Mandrot. « Jacques d'Armagnac, duc de Nemours » dans la **Revue historique,** t. XLIV, pp. 308-309. Beaujeu reçut les comtés de la Marche et de Montaigut-en-Combrailles; Boffillo, le comté de Castres; Daillon, les seigneuries de Leuze et Condé-en-Hainaut; Blosset, la vicomté de Carladais; Gié, Bar-sur-Aube; Graville, les places de Nemours, Grez, Pont-sur-Yonne, Flagy, Ferrolles, Metz-le-Maréchal, Cheroy, Bretencourt, Ablis; J. de Foix, le comté de Pardiac et Montlezun; Du Bouchage, les terres de

Bozouls, Fay, Servissac, Biran, Ordan, Peyrusse-Grande, Clary, Dargies, la forêt d'Ailly en Picardie, les mandements de Chateauneuf, Meslet, Anglards et Turlande. Commynes obtient une rente de 300 livres et quelques terres dans le Tournaisis **(éd. Dupont, III, 67 et s.).**

(359) I, 334.

(360) Ed. Mandrot, **intr.**, p. XXI.

(361) **Ibidem.**

(362) I, 3, Cf. **La Destruction des mythes,** ch. 3, pp. 157-158.

CHAPITRE TROISIÈME

LE NAUFRAGE
ou
COMMYNES SOUS CHARLES VIII

« *Tu te brusles à la chandelle* ».
(Refrain d'un rondeau attribué à Villon).

« *Sa carrière de conseiller se brise à l'âge où elle commence à peine pour les autres* ».
(Sainte-Beuve)

Sous Charles VIII, Commynes accumula les échecs. Conspirateur infortuné avec la faction orléaniste, trompé par Jean II de Bourbon qui l'abandonne, dépossédé au profit des La Trémoïlle, emprisonné, condamné à une forte amende et à la relégation, il réapparut à la surface au moment de l'expédition d'Italie, mais, malheureux dans ses ambassades et ses négociations, il sombra de nouveau dans la disgrâce et l'oubli. Durant ce règne, il fut essentiellement un vaincu. Ses *Mémoires* lui offriront une revanche.

I. - IN PROFUNDUM MALORUM

« *Je suis venu à la grande mer, et la tempeste m'a noyé* ». (Parole de Commynes, rapportée par J. Sleidan).

LE CHOIX

Il importe de répéter qu'à la mort de Louis XI, Commynes ne jouissait plus de la toute-puissance d'un favori : nous pensons l'avoir démontré au cours du chapitre précédent. Il est possible d'ajouter deux nouvelles preuves.

D'abord, le 21 septembre 1482, le souverain qui, vieilli, se rendait compte que sa vie touchait à sa fin, dicta, pour guider le dauphin dans l'administration du royaume, des instructions au bas desquelles nous lisons les noms des personnages les plus influents en cette fin de règne, c'est-à-dire des comtes de Clermont (1) et de Marle (2), des sieurs du Bouchage, de Précigny, du Plessis-Bourré, de Solliers, du gouverneur d'Auvergne, Jean de Doyat, et du maître d'hôtel Olivier Guérin (3). Notre historien est absent de cette liste.

Ensuite, comme Pélicier l'a remarqué dans son *Essai sur le gouvernement de la dame de Beaujeu* (4), les « régents » Anne et Pierre de Beaujeu, s'entourèrent des conseillers du roi défunt. Ils accordèrent toute leur confiance au rusé Du Bouchage ; ils utilisèrent les services de Jean Bourré ; ils admirent même parmi leurs agents diplomatiques Balue et l'évêque de Verdun qui avaient « tâté » des cages de fer. Bien plus, le jeune Charles VIII et, en son nom, les Beaujeu intervinrent, à plusieurs reprises, en faveur d'Étienne Loup, un homme de main fort décrié, qui, au Plessis, avait été préposé à la garde des prisonniers, chargés des « fillettes » (5), et qui, aux yeux de Thomas Basin, était une de ces créatures « infimae sortis... nullis ornatos litteris aut virtutibus, omni vero nequitia et iniquitate repletos » (6) : le prince écrivit à son sujet au Parlement le 4 avril, le 25 juillet, le 8 août et le 3 septembre 1489 (7). Commynes, seul, ne trouva pas grâce devant eux. Et Pélicier avance cette hypothèse :

> « *Peut-être l'odieux procès du chroniqueur avec la famille La Trémoïlle fut-il cause de cette longue inimitié* ».

En fait, il nous semble plus juste de soutenir qu'Anne de Beaujeu, qui se préoccupa de suivre à la lettre les enseignements de son père et qui ne cessa d'employer son personnel politique, tint le seigneur d'Argenton à l'écart, parce que Louis XI lui-même, dans les dernières années de son règne, ne lui avait plus confié que des missions limitées et épisodiques.

De surcroît, la méfiance du père aussi bien que de la fille explique que les futurs conjurés, qui déjà se cherchaient des partisans, aient songé à lier à leur cause notre auteur, comme nous l'apprend un billet que le maréchal de Gié, Pierre de Rohan, adressa à Alain d'Albret, la nuit même de la mort du roi (8) :

> « *Monseigneur, il est besoing que vous envoyés devers Mons. de Commynes, afin que par vostre moyen il se range avec vous et avec vos amys ; car, en ce faisant, ce n'est chose dont le seigneur qui est a present ne vous soit tenu et obligé, pour ce que vous entendés bien que Mons. de Commynes autant peut servir que homme de ce royaume de son estat* » (9).

Trois points sont à retenir de ce message :

1°) Le mémorialiste passait pour un homme habile et compétent qu'il importait d'avoir avec soi plutôt que contre soi ;

2°) A ce moment, rien ne le séparait du maréchal de Gié, qu'il critiquera dans les livres VII et VIII, écrits de 1496 à 1498, et dont il ne dit presque rien dans les six premiers livres, qui datent de 1489-90 et de 1493 ; mais les deux dignitaires étaient peu liés, et Gié demanda à A. d'Albret de s'entremettre ;

3°) A la fin du règne, les familiers et les serviteurs de Louis XI se souciaient déjà du lendemain, en sorte qu'ils agirent dès que leur maître eut expiré.

Écarté par Louis XI, dédaigné par les Régents, Commynes joua, pour revenir au premier plan, la carte des princes et de l'opposition. Son ambition, oubliant de plus en plus les leçons de la sagesse et de la prudence, l'amena à rejoindre le camp des Orléanistes et à devenir le champion du libéralisme et de l'aristocratie (10), alors que, dans le passé, il avait aidé le souverain à rabaisser les grands féodaux et à renforcer la royauté. Pendant quelque temps, il put estimer qu'il avait choisi la voie la plus sûre. En effet, Anne de Beaujeu, qui temporisa d'abord afin d'user ses adversaires, leur accorda des satisfactions. En particulier, elle élargit le conseil royal (11) ; elle y introduisit non seulement deux opposants notoires, l'évêque de Périgueux Geoffroy de Pompadour et le sire de Saint-Vallier, mais aussi notre chroniqueur, dont le nom est absent au bas des *Ordonnances des rois de France* pendant le mois de septembre 1483, mais apparaît, pour la première fois, le 9 octobre, dans des lettres qui nommaient Louis d'Orléans lieutenant du royaume pour l'Ile-de-France, la Champagne, le Beauvaisis et le Vermandois. Les *Mémoires* nous le rappellent incidemment, lorsqu'ils évoquent un accord qui intervint entre les Beaujeu et René de Lorraine à propos de la succession angevine :

> « ...*et estoie a ceste deliberation et conclusion, car j'estoie de ce conseil qui avoit esté lors creé*

> *tant par les prouches parens du roy que par les trois Estatz du royaulme* » (12).

Signalons, de nouveau, l'habileté de notre auteur qui, par un tour ambigu, s'efforce de suggérer que les membres du conseil (et, par conséquent, lui-même) furent chargés de l'administration du royaume aussi bien par les représentants de la nation que par les princes du sang, alors qu'il fut associé au gouvernement, dès octobre 1483, sous la pression de la faction orléaniste, et que les états généraux se tinrent du 14 janvier au 14 mars 1484. Mais, comme ces derniers approuvèrent la composition du conseil royal, on ne peut accuser Commynes de mensonge. Le 2 octobre 1483, il fut confirmé dans son office de sénéchal de Poitou ; il prêta serment le 16 septembre de l'année suivante (13).

LES ÉTATS GÉNÉRAUX DE 1484

Pour assurer le triomphe de ses amis, comme pour affermir sa propre position, le nouveau conseiller fut favorable à la convocation des états généraux. Sans doute pensa-t-il qu'il serait ainsi plus facile de réduire à l'impuissance ou même d'éliminer les Beaujeu, en canalisant contre eux l'hostilité qui se déchaînait contre le règne précédent :

> « *On comprend à merveille... l'intérêt de cette réunion pour les princes. Ils ne couraient d'autre danger que de voir la situation actuelle confirmée, et ils pouvaient tout espérer s'ils parvenaient à dominer les états. Chaque fois que les circonstances leur ont semblé favorables, les princes ont réclamé une consultation de la nation : ainsi en 1455 et en 1484. Tout leur permettait en 1483 de croire que les états leur obéiraient*

> *docilement : le règne précédent n'avait guère laissé que de mauvais souvenirs... Nous verrons en quels termes il en est parlé par plusieurs députés, et il y avait bien des chances pour qu'on détruisît tout ce qui paraissait le rappeler* » (14).

Sur les mobiles de notre mémorialiste, Calmette avance une opinion qu'il convient de relever : « Ses idées politiques le portaient dans le même sens que les états généraux de 1484 » (15). Il s'agit, à coup sûr, des idées qui apparaissent dans les chapitres 18 et 19 du livre V. Mais n'est-ce pas, *d'abord,* simplifier par trop la complexité d'une pensée délicate à interpréter ; *ensuite,* admettre a priori que l'auteur n'a pas évolué entre 1484 et 1490 ; *enfin,* oublier que les *Mémoires* sont, tout autant qu'un témoignage, une œuvre polémique et une apologie ?

Nous ne pouvons pas manquer de nous poser ces questions quand nous nous rappelons que les premières pages du livre III s'attardent sur une réunion des trois états à Tours (16), et que notre écrivain se plaît à nous montrer que, du début à la fin, Louis XI orienta habilement les débats dans le sens de ses intérêts, ne convoquant que des gens dociles, suscitant une intervention du comte d'Eu, suggérant aux délégués la conduite à tenir. Admettons que ce récit minutieux soit en réalité une critique adroite d'un souverain trop autoritaire, et que Commynes ne reconnaisse pas dans cette parodie une libre consultation du pays. Admettons aussi que, pour lui, les bourgeois, le peuple et les seigneurs de France ne soient ni aussi stupides, ni aussi enclins à la désobéissance que les Gantois ou les Liégeois. Admettons encore que la défaveur qui le frappa à la fin du règne de Louis XI, l'ait amené à souhaiter, dès cette époque, que les ministres ne dépendent plus uniquement du caprice de leur maître.

Mais il demeure que le chapitre 19 du livre V concerne, de façon précise et explicite, la France de 1484 : « Et, pour parler de l'esperience de la bonté des François, ne fault alleguer de nostre temps que les troys Estatz tenuz a Tours après le deces de nostre bon maistre le roy Loys, a qui Dieu face pardon, qui fut l'an mil quattre vingtz et troys » (17). Commynes entreprend de réfuter l'argumentation de ses ennemis de plusieurs manières.

1°) En les discréditant. Qui a stigmatisé l'appel aux états ? Non pas les rois eux-mêmes, mais des flatteurs ignorants et incompétents, des individus de bas étage et « de petite vertu », soucieux de conserver une puissance qu'ils ne méritaient pas et qu'ils avaient usurpée, occupés de choses mesquines, inaptes à apporter une solution aux grands problèmes, redoutant de voir exposés au jour leurs actes et leurs œuvres :

> « *Le roy Charles le quint ne le disoit pas. Aussi ne l'ay pas ouy dire aux roys ; mais je l'ay bien ouy dire a aucuns de leurs serviteurs, ausquelz il sembloit qu'ilz faisoyent bien la besongne. Mais, selon mon advis, ilz mesprenoyent envers leur seigneur et ne le disoyent que pour faire les bons varletz et aussi qu'ilz ne sçavoyent ce qu'ilz disoyent [........] mais servoyent ces parolles et servent a ceulz qui sont en auctorité et credit sans en riens l'avoir merité, et qui ne sont point propices d'y estre et n'ont accoustumé que de fleureter en l'oreille et parler de choses de peu de valleur et craignent les grandz assemblees, de paour qu'ilz ne soyent congneuz et que leurs œuvres ne soyent blasmees* » (18).

Ces méprisables « valets » sont seuls de leur avis, contre l'opinion unanime des grands aussi bien que des « moyens et petiz » ; et Calmette a eu tort de corriger le texte qu'offrent tous les manuscrits : il faut bien lire : « ...lors que je diz, chascun estimoit le royaume estre bien contant », et non pas « ...estre bien coutant » (19). Sans doute Commynes vise-t-il ici, en particulier, Étienne de Vesc, âprement critiqué au livre VII et à peu près dans les mêmes termes (20).

2°) En affirmant que le pouvoir absolu, sans limitation aucune, est contraire à la loi divine, aux intérêts des princes et de leurs royaumes :

> « *L'on povoit estimer lors que ceste assemblee estoit dangereuse, et disoient quelques ungs de petite condicion et de petite vertu et ont dit, par plusieurs fois depuis, que c'est cryme de leze majesté que de parler d'assembler Estatz et que c'est pour diminuer l'auctorité du roy ; et sont ceulx qui commectent ce cryme envers Dieu et le roy et la chose publique* » (21).

3°) En présentant une version habile (et partiale) des premiers temps de la Régence. Les grands et le peuple, accablés de lourdes tailles et de charges excessives sous Louis XI, se dressèrent-ils contre le jeune Charles VIII ? Prirent-ils les armes pour le remplacer par un autre, ou pour limiter son autorité ? Pas du tout, bien que certains, « assez glorieux », soutiennent de telles contre-vérités :

> « *Ilz feirent l'opposite de tout ce que je demande : car tout vint devers luy, tant les princes et les seigneurs que ceulx des bonnes villes ; tous le recongneurent pour roy et luy feirent serment et hommaige ; et feirent les princes et les seigneurs leurs demandes humblement, le genoul en terre, en baillant par requeste ce qu'ilz demandoyent, dresserent conseil ou ilz se feirent compaignons de douze qui y furent nommez.*

> *Et, des lors, le roy commandoit, qui n'avoit que treize ans, a la relation de ce conseil* » (22).

Remarquons que Commynes tend à confirmer cette impression de respect et de soumission par la répétition de l'indéfini *tout* ; par l'emploi de formules généralisantes ; par le redoublement des expressions ; par l'insertion de détails concrets. L'auteur réserve une place importante aux grands féodaux avec qui il avait lié partie. La suite développe et illustre la même idée. Les états manifestèrent une humilité exemplaire lorsqu'ils émirent « aucunes requestes et remonstrances » pour le bien du royaume ; ils n'empiétèrent en rien et à aucun moment sur les prérogatives du roi et de son conseil ; ils accordèrent sans rechigner la somme d'argent dont on leur démontra, par écrit, qu'elle était nécessaire et qui était élevée, et plus que suffisante : « estoit assez, et a cueur saoul, et plus trop que peu » ; ils supplièrent qu'on les réunît de nouveau dans deux ans ; ils offrirent leurs biens et leurs personnes pour le salut de leur maître, « sans riens luy reffuser de ce qui luy seroit besoing » (23).

Pour être complet, il est utile de s'arrêter sur deux précisions qui nous sont fournies à la fin de ce développement sur les états généraux. La première discerne l'action des gouverneurs derrière les initiatives des rois (24) ; la seconde englobe « aussi bien les femmes comme les hommes » (25). N'est-ce pas désigner, sans les nommer, les régents Anne et Pierre de Beaujeu, ainsi que leurs partisans ? Mais notre chroniqueur, pour dissimuler son dessein, généralise avec une certaine adresse (26).

Quelle est donc la fin qu'il recherche ? Il tend à suggérer et à prouver que, si les premières années du règne de Charles VIII furent marquées par de grosses difficultés et par des révoltes, la responsabilité en incombe aux Beaujeu qui, au nom du roi, usèrent de leur puissance

« par tyrannie » et « par volunté desordonnee » (27), à tel point que « les princes et les seigneurs », qui demeuraient fidèles à Charles VIII et au bien public, furent contraints, malgré eux, de regimber contre un joug si pesant et si injuste.

C'est pourquoi il est permis de penser que Commynes, en 1484, désirait surtout profiter du changement de règne et des difficultés rencontrées par les Beaujeu pour reprendre la première place, ou, à tout le moins, retrouver un des premiers rôles dans la conduite de l'État. Pour ce, il utilisa tous les moyens qui lui semblaient favorables : il intrigua avec les factieux, il songea à se servir des états généraux pour limiter l'autorité des Beaujeu. Six ans plus tard, rédigeant ses *Mémoires*, après avoir connu l'échec et la prison, après avoir médité sur son expérience des douze dernières années, il se préoccupa, d'abord, de se défendre contre ses adversaires et de se présenter comme le serviteur averti et dévoué des intérêts de la royauté et de la France. Aussi entreprit-il de justifier la réunion des états généraux aussi bien dans le contexte de 1484 que dans l'absolu (28), déformant et embellissant ce passé récent, s'obstinant à croire qu'il avait choisi la meilleure voie (pour les autres comme pour lui), refusant d'admettre que lui, l'habile politique, s'était lourdement trompé. Peut-être parvint-il à se convaincre lui-même que la religion, la raison, l'intérêt de tous et du roi recommandent de limiter, sur plusieurs points essentiels, le pouvoir absolu du souverain. Bref, il n'est pas insensé de prétendre que cette consultation de la nation sur les problèmes de la guerre, des armées et des impôts, constitue sans aucun doute une pièce importante du système politique de Commynes, mais qu'elle ne fut pour lui à l'origine, en 1484 (c'est-à-dire à un tournant décisif de sa carrière), qu'un moyen parmi d'autres, privilégié par la suite, car notre auteur, mûri par de nombreux insuccès, chercha à nous laisser de lui un portrait serein, débarrassé de ses ambitions, grandes ou mesquines.

Il réussit donc à imposer la réunion des états généraux à Anne de Beaujeu qui dut publier l'acte de convocation ; et il n'y a pas lieu de mettre en doute les affirmations de Pélicier (29) et de Kervyn (30), étant donné la place qu'occupe cette question dans les *Mémoires*. Mais notre chroniqueur se heurta à plus habile que lui. En effet, A. de Beaujeu recommanda certains noms aux votes des électeurs (ainsi, l'abbé de Cîteaux, Jean de Croy, et Philippe Pot) ; elle élabora des réformes que les princes, par démagogie, avaient l'intention de réclamer à Orléans : elle licencia les mercenaires suisses (31), elle diminua le nombre des troupes, elle modifia la vente des offices de judicature (32). Bien plus, divisant pour régner, elle sut opposer à Louis d'Orléans René de Lorraine, encore auréolé de sa victoire sur le Téméraire : elle se concilia le second par des tractations dont le traité conclu en septembre 1484 ne fut que l'aboutissement. C'est pourquoi nous ne sommes pas étonnés de voir que grâce à l'abbé de Cîteaux et surtout à Philippe Pot, elle parvint à éviter la régence que pouvait légitimement revendiquer l'héritier présomptif, autrement dit le duc d'Orléans (et, derrière lui, Commynes). De même, pour la composition du conseil, l'assemblée, soumise à des tendances contradictoires, s'en remit au bon plaisir du roi qui en fait obéissait à sa sœur Anne. Pour finir, quand Louis d'Orléans réclama la tutelle, il lui fut répondu qu'elle ne revenait pas en droit à quelqu'un qui était aussi proche de la couronne (33). O. Tixier l'a bien vu, et bien dit, dans le jugement qu'il porte sur le fameux discours de Ph. Pot :

> « *Mais, en tenant pour exact le texte qui est au journal* [de J. Masselin], *et en l'étudiant sous cette forme, on verra au fond qu'il ne consiste*

> *pas en une revendication des droits populaires, mais qu'il consiste en une habile manœuvre au profit des Beaujeu..... En réalité, tout son effort a porté sur ce point : écarter les princes du gouvernement ; et, pour cela, affirmer le droit de la nation à reprendre sa propre direction, lorsque le souverain est mineur ; dans ce cas, en effet, il peut sembler soutenable que les plus proches parents exercent de droit le pouvoir : c'est ce qu'on veut empêcher. Il n'y a qu'un moyen d'y parvenir : proclamer la souveraineté de la nation. En parlant des droits et de la liberté des États, on se les rendra certainement favorables ; les prétentions des princes leur paraîtront ainsi plus choquantes, et, moyennant ces concessions de forme, on se tirera d'embarras ; car les princes écartés, les Beaujeu n'auront plus de rivaux : il est si facile de jouer les députés !........ On a eu parfaitement tort en voyant dans le sire de la Roche un défenseur volontaire des libertés politiques, alors qu'il n'était qu'un adroit agent des Beaujeu* » (34).

Nous ajouterons un point essentiel qui corrobore l'analyse de Tixier : si Ph. Pot avait été le défenseur de ces libertés, Commynes n'aurait-il pas parlé de lui quand il se fait le porte-parole des mêmes idées ? Nous ne lisons jamais dans les *Mémoires* le nom du seigneur de la Roche, qui fut le rival habile et heureux du chroniqueur. En conclusion, les états n'ont apporté aucune satisfaction aux princes. A. de Beaujeu continua à détenir la réalité du pouvoir, à conserver la tutelle du roi, à disposer du conseil (35). Commynes ne s'étend pas sur cette période, car il enregistra un échec sur le terrain même où il avait amené son adversaire.

Agissant dans l'ombre, il n'avait pourtant pas rompu avec les gouvernants. Le 7 février 1484, il siégeait parmi les membres du conseil qui nommèrent Menaud d'Aguerre inspecteur général des places fortes de Guyenne (36). Il participa encore aux délibérations, soit à Vincennes, soit à Montargis, les 13, 27, 29, 30 septembre, les 1er, 2, 3, 4, 5, 6, 7 (le matin et l'après-midi), 8, 9, 10, 11, 12, 15 octobre, le 29 décembre 1484 et le 4 janvier 1485.

FACE AUX LA TRÉMOILLE

On ne peut séparer l'activité politique de Commynes de ses efforts pour résister aux La Trémoïlle qui n'avaient jamais accepté les décisions de Louis XI et qui furent les alliés les plus précieux d'Anne de Beaujeu. Le chroniqueur s'obstinait : il lui en coûtait de restituer le fief qu'il avait mis en valeur. Cependant, tout conspirait contre lui. Nous avons vu son bienfaiteur l'abandonner sur son lit de mort. Peu après le trépas du tyrannique souverain, ses adversaires attaquèrent de nouveau. Ils amenèrent Charles VIII à ordonner l'ouverture d'une enquête pour savoir s'il était bien vrai que son père avait déclaré à certains (dont Étienne de Vesc) qu'il avait injustement spolié les La Trémoïlle, et qu'il les avait chargés de demander au dauphin de rendre Talmont à ses propriétaires légitimes, tout en indemnisant Commynes.

Bien plus, ce dernier était seul pour faire front à l'orage qui se déchaînait. A. de Beaujeu avait bien reçu de son père, en mai 1470, une partie de l'héritage de Louis d'Amboise, la terre de Thouars (ce qui avait pu rassurer notre auteur) ; mais, le 17 décembre 1483, elle y renonça, en échange de 17.000 écus d'or. Le 10 mai 1484, elle donna quittance de 10.000 écus et d'un diamant en bague (37). Contre argent comptant, elle aidera donc les La

Trémoïlle. Le 2 octobre 1484, le conseil de Charles VIII sembla se prononcer en faveur de Commynes (38) ; mais, le 20 novembre, il se rétracta, au cours d'une seconde séance à laquelle assistaient les seigneurs de Lorraine, de Beaujeu, de Bresse et d'Orange, les évêques de Périgueux et de Marseille, le président d'Oriole et d'autres comparses — la plupart d'entre eux sont malmenés dans les *Mémoires* (39).

Quoi qu'il en soit, dans leurs dépositions, Antoine de Jarrye, « écuyer, conseiller et premier écuyer d'écurie de Monsr de Beaujeu » (40), Étienne de Vesc et Jacques Coictier affirmèrent, sous la foi du serment, que Louis XI avait demandé de restituer Thouars et Talmont aux véritables héritiers (41), remarquant pour finir : « ....est tout ce dont je tiens plus ma conscience chargée ». S'appuyant sur ces divers témoignages, Charles VIII, le 29 septembre 1483, ordonna à Commynes de rendre Talmont, « pour en joyr pendant le procez par maniere de provision, et jusques par vous (42) autrement en soit ordonné » (43). Notre écrivain répondit en mettant en doute la lucidité de Louis XI à la fin de sa vie (44) ; dans son œuvre (45), il affirmera que Dieu « l'osta de ce miserable monde en grant santé de sens et d'entendement ». Mais il est trop astucieux pour qu'on puisse l'accuser de se contredire : il pourrait répliquer que, dans la phrase que nous avons citée, il ne parle que de la dernière semaine, et que dans les chapitres qui précèdent, il a produit plusieurs preuves de la décrépitude mentale du souverain.

Mais revenons à notre procès (45$^{\alpha}$). L'archevêque de Tours releva de leurs serments les La Trémoïlle (46). Une enquête approfondie s'ouvrit dans les derniers jours de janvier 1484. Comme nous l'avons vu, des témoins, tels que le seigneur de Bressuire et Richard d'Estivalle, vinrent raconter qu'on avait découvert, en 1476, des lettres de

Charles VII qui annulaient les dispositions et les interdictions énoncées précédemment, et que notre auteur avait essayé de les détruire, et qu'enfin c'était Louis XI qui les avait brûlées. R. d'Estivalle révéla, en outre, que le roi « lui declaira les services que ledit de Commynes lui avoit faits pendant qu'il estoit avec le duc Charles de Bourgongne et que pour ce le voloit recompenser ». Pensait-il seulement à l'épisode de Péronne ?

Interrogé le 19 juillet 1484, après avoir essayé de gagner du temps, Commynes laissa sans doute une bien piètre impression (47). D'abord, il sollicita un délai pour pouvoir déterminer avec certitude s'il avait vu les lettres en question. Ensuite, le 28 juillet de la même année, il reconnut avoir effectivement tenu entre les mains deux sortes de lettres signées par Charles VII. Mais il s'efforça de discréditer ces deux documents. Le premier, qui mentionnait la restitution au vicomte de Thouars de Talmont et de Château-Gontier, n'avait été ni vérifié, ni expédié par le Parlement et la Chambre des Comptes ; il n'était pas « en forme telle qu'il appartient ». Le second, qui autorisait le vicomte à marier sa fille à Pierre de Bretagne, portait les signatures de Charles VII et de Burdelot ; mais ce dernier, convoqué par Louis XI, nia l'avoir soit écrit, soit signé. Cependant, on demanda à Commynes si ces lettres avaient été montrées à Burdelot : notre historien répondit qu'il ne s'en souvenait pas ; en revanche, il se rappela avec précision qu'il n'y avait pas de feu dans la chambre du château de Thouars où la commission, dont il faisait partie, examina les documents. Enfin, il affirma que Louis XI les avait brûlées, sans que lui-même l'en eût prié à aucun moment.

Pour retarder le jugement, le sire d'Argenton utilisa les ressources de son esprit fertile en expédients aussi bien que les services de son avocat Piédefer. Tantôt, comme le 18 juin 1484, il s'opposa à l'entérinement par la Cour des lettres de restitution qu'avaient obtenues les La Trémoïlle, parce qu'ils n'avaient pas présenté « leur demande petitoire par escript, en triple, selon le style de ladite cour ». Tantôt, comme le 12 août, il demandait des délais pour « sommer garans ». Inutile d'entrer dans tous les détails de cette triste affaire (48). Il nous a suffi de montrer que les petits moyens (pour ne pas dire plus) ne répugnaient pas à notre chroniqueur et que la conduite de cet esprit retors et tortueux n'était pas déterminée par le souci de la vérité et de la justice que beaucoup, à commencer par Ronsard, ont cru reconnaître en lui.

AUTRE AFFAIRE

Une autre affaire, aussi sordide, et peu honorable, ne peut manquer d'étayer notre affirmation. Nous savons qu'au lendemain de sa défection, Commynes reçut une pension de 6.000 livres. Sur cette somme, 4.000, à partir du 1er mars 1473, étaient à prélever sur les muids de sel qui passaient aux Pont-de-Cé. Le mémorialiste en alloua la ferme, du 1er mars 1476 au 1er mars 1479, à Jean Brizeau, à Jean Briçonnet et à Raoullet Toustain, pour 14.000 francs. Après bien des déboires et des contestations que relate Fierville (49), après la relégation à Montpellier de Toustain et de Briçonnet, après la mort de Brizeau, c'est la veuve de celui-ci qui se chargea de lever cet impôt, s'engageant à payer régulièrement Commynes, et même à lui donner en plus 1.000 écus.

Louis XI trépassé, elle attaqua le sire d'Argenton ; elle lui demanda la restitution des 1.000 écus et des dommages et intérêts. Procès (50). Que nous apprend la partie adverse ? Notre écrivain avait cherché à effrayer la veuve

Brizeau par des paroles de menace ; il avait abusé de l'autorité royale ; il avait, ainsi, extorqué de l'argent ; surtout, bien avant que le bail de la veuve ne fût arrivé à son terme, il avait confié la ferme à Jean Moreau, qui était le fournisseur des greniers à sel contribuables des Ponts-de-Cé : par suite, ce dernier n'avait plus fait passer de sel pendant un an et demi ; par cet accord déloyal, Commynes avait obtenu 1.300 livres, au détriment de la femme de Jean Brizeau qui se plaignait d'un gros manque à gagner. L'intérêt de cette affaire réside à nos yeux dans les griefs qui furent formulés contre l'historien : il était dévoré par la cupidité : « ...et n'est pas de merveilles » qu'il se fût ainsi conduit, « veu sa complexion qui ne feut jamais aultre que de faire son prouffict » ; il avait recours au chantage : l'avocat de son adversaire dénonça « la crainte, menasses dudict d'Argenton ou de ses gens que elle redoubtoyt, qui n'estoyt sans cause, veu le regne qui couroyt alors, ainsi qu'il est assez notoire ». Sans doute ne faut-il pas accepter sans examen toutes les accusations qui furent lancées contre Commynes, d'autant plus que nous ignorons l'issue du procès. Pourtant, à travers elles, se dessine l'inquiétant profil d'un homme de proie.

INTRIGUES POLITIQUES

Occupé par ces multiples affaires, notre auteur n'en continue pas moins à intriguer pour revenir sur le devant de la scène politique. Le 5 avril 1484, il fut envoyé en Bretagne avec deux autres partisans de Louis d'Orléans, l'évêque de Périgueux et le seigneur de Torcy. Leur mission était d'apporter une réponse négative de Charles VIII au duc François II qui réclamait le paiement de deux cents lances, la remise de deux places fortes sur la frontière de Normandie, la restitution du domaine vendu à

Louis XI par Madame de Penthièvre (51). C'était une fin de non-recevoir.

Mais il est très probable que les émissaires participèrent alors à des conversations entre les adversaires des Beaujeu, entre, d'une part, le Breton, rejeté dans l'opposition par le refus de satisfaire ses revendications et par la découverte d'un complot contre son favori Landais, et, d'autre part, les ducs d'Orléans et d'Alençon qui, à cette date, séjournèrent, pendant quelques jours, à Nantes. On s'explique maintenant que les *Mémoires,* en plusieurs endroits, signalent que des ambassadeurs desservent et trahissent leurs maîtres, au lieu d'accomplir leur tâche avec fidélité et loyauté (52). Le sacre du jeune roi, pour un temps, arrêta toutes ces manœuvres.

En août 1484, Commynes, toujours membre du conseil, fut de ceux qui, avec Louis d'Orléans, décidèrent de lever en 1485 une somme identique à celle qui avait été octroyée pour 1484. Or les états généraux avaient accordé 1.500.000 livres pour 1484 et 1.200.000 pour 1485. N'avons-nous pas là une preuve que le sire d'Argenton, pas plus que ses amis, ne se sentait lié par l'avis des états ? De Reims, le « mercredi après la Sainct-Barthelemy » (53), il écrivit au bailli de Chartres pour solliciter l'élargissement d'un de ses serviteurs qui, arrêté, s'était échappé et avait été repris.

Après que Louis d'Orléans eut quitté la cour au début d'octobre, Dunois s'efforça de constituer une ligue puissante autour de François II de Bretagne et du futur Louis XII. Il rallia à la cause des mécontents Landais, le tout-puissant premier ministre breton, le comte d'Angoulême, le duc d'Alençon, et des comparses, comme G. Pot. Il entama même des pourparlers avec les ennemis du royaume, avec Maximilien d'Autriche et Richard III d'Angleterre dont les *Mémoires* stigmatisent la cruauté (54).

En réponse à ces intrigues, les Beaujeu signèrent, le 29 septembre 1484, avec René de Lorraine un traité d'alliance qu'ils élargirent, le 13 octobre, aux Bourbons, au duc de Nemours, aux sires d'Albret et de Comminges. Dans le même temps, ils appuyaient les barons bretons révoltés contre François II et les Flamands hostiles à Maximilien.

Commynes semble louvoyer et chercher le vent, du moins quand ses procès lui en laissent la possibilité. Il assiste aux réunions du conseil. Il obtient même (on le ménage donc encore) que Charles VIII réclame aux héritiers du Téméraire des terres qui lui avaient été confisquées en 1472, les « terres du Giez et de Siply assises en pays de Henault » (55). Son nom figure au bas de quelques ordonnances, dont celle du 29 décembre 1484 (56). Par conséquent, Kervyn (57) et Maulde-la-Clavière (58) se trompent, lorsqu'ils prétendent qu'à partir du 27 décembre, notre chroniqueur ne paraît plus au conseil.

Cependant, Louis d'Orléans finit par jeter le masque. Le 14 janvier 1485, il écrit au roi (59) ; le 17, son chancelier lit devant le Parlement, qu'il flatte ainsi que Paris, « fontaine de justice et de bon conseil », un véritable acte d'accusation contre Madame de Beaujeu dont il dénonce l'omnipotence : elle tient en sujétion son jeune frère dont elle dicte la conduite, et dont on ne peut s'approcher sans danger (60). Il prône l'appel aux états et aux princes du sang. Il proteste contre les sorties d'argent au profit de Rome et d'étrangers. Il réclame une limitation des dépenses et des tailles. Il demande de soulager le « povre peuple ». Il annonce la volonté de sa faction de « servir le roy et le delivrer et mettre hors de la subjection et detention ou il est, et de le remettre avoecques bonne ayde de ses aultres bons et leaulx subgets en son franc et liberal arbitre ». Charles VIII, sous la dictée de sa sœur, répondit au duc d'Orléans le 20 janvier 1485 (61) :

il était libre, il gouvernait réellement, madame de Beaujeu lui était toute dévouée ; il affirmait enfin que

> ...« *feu nostre tres cher seigneur et pere, que Dieu absoille, voult et ordonna expressement nostre tres cher et tres amé frere et cousin le sire de Beaujeu avoir le regard, soing et conduicte de nostre personne avant tous les autres* ».

Dans ses *Mémoires*, Commynes, qui n'eut pas à se louer des Beaujeu, a essayé d'infirmer ce dernier argument de plusieurs manières.

D'abord, si nous lisons que le comte de Beaujeu était le seul, parmi les grands personnages, à pénétrer au Plessis (62), et que Louis XI lui recommanda son fils (63), nous découvrons, quelques pages plus loin, que sa fille et son gendre finirent par lui inspirer de la méfiance :

> « *...il avoit doubte a la fin de sa fille et de son gendre, a present duc de Bourbon, et vouloit sçavoir quelz gens il entroit au Plesseiz quant et eulx, et a la fin rompit ung conseil que le duc de Bourbon tenoit leans par son commandement* » (64).

Il ordonna même à l'un de ses capitaines de fouiller les personnes qui accompagnaient Pierre de Beaujeu, « comme en devisant a eulx, sans trop en faire de semblant ». Critique à double tranchant, qui atteint, d'un côté, Louis XI dont la méfiance maladive s'étendit à ses parents les plus proches ; de l'autre, les régents, dont la loyauté est ainsi mise en doute. Critique subtile, de surcroît : Commynes ne nomme pas ce capitaine, et son comportement a pu échapper au plus grand nombre, puisqu'il n'agit pas ouvertement.

Ensuite, notre auteur laisse entendre, çà et là, que les Beaujeu ont été des dépositaires infidèles. Voici une critique directe et générale :

> « *Et si en tout ledit seigneur de Beaujeu eust observé son commandement, ou en partye (car*

> *il y eut quelque commandement extraordinaire, et qui n'estoit de tenir), mais que en la generalité il les eust gardees, je croy que ce eust esté le prouffit de ce royaume et le sien particulier, veu les choses advenues depuis* » (65).

Commynes est adroit : il approuve les Beaujeu sur un point, pour mieux les condamner sur l'ensemble, toujours soucieux de nous laisser une impression d'impartialité et de s'en prendre à la fille et au gendre aussi bien qu'au père, coupables, tout autant, de l'avoir méconnu et négligé. Ailleurs, il suggère le même grief, en précisant ses attaques : Louis XI avait ordonné de ne point faire la guerre pendant cinq ou six ans (66) et de laisser en paix François II de Bretagne (67). Ces ordres n'ont pas été respectés, bien qu'ils eussent été donnés par un souverain disposant de toute sa lucidité (« ...parloit aussi sec comme si jamais n'eust esté malade ») et qu'il eût été bon de les suivre à la lettre, car le royaume était « bien maigre et paouvre », à cause, surtout, des allées et venues des soldats. Et l'historien de décocher, pour finir, une flèche acérée : «... ilz [les soldats] l'ont faict depuys et beaucoup pis ». Mais il n'oublie pas de distribuer des coups aux uns et aux autres : le roi, qui enjoignit à son héritier de ne chercher querelle à personne, n' « avoit peu souffrir en sa vie » de demeurer en paix.

Enfin, si notre auteur indique que Louis XI envoya Pierre de Beaujeu auprès du futur Charles VIII à Amboise, et « luy donna toute la charge et gouvernement dudict roy » (68), il remarque un peu plus loin (69) :

> « *...nonobstant toutes les ordonnances qu'il avoit faictes de ceulx qu'il avoit envoyez devers monseigneur le daulphin, son filz, si luy revint le cueur, et avoit bien esperance d'eschapper. Et si*

> *ainsi fust devenu, il eust bien departy l'assemblee qu'il avoit envoye a Amboise a ce nouveau roy ».*

Ainsi donc, dans son œuvre, prenant la relève du duc d'Orléans, il tente de jeter la suspicion sur ses adversaires politiques et d'insinuer que la régence d'Anne et de Pierre de Beaujeu ne répondait peut-être pas (ou plus) aux désirs du roi défunt.

Mais son jugement peut se modifier d'une partie des *Mémoires* à l'autre. De la rancœur, voire de l'hostilité dans les six premiers livres, il lui arrive de passer à la sympathie, ou plutôt à la neutralité dans les deux derniers — la démarche inverse demeurant, toutefois, plus fréquente. Ainsi en est-il à l'égard des Beaujeu. On peut en découvrir un indice dans l'éloge de « Monsieur de Saint-André, de Bourbonnois » qui se trouvait à la frontière pyrénéenne, pour le compte de « mons^r^ le duc de Bourbon, gouverneur de Languedoc » (70). En une page, il relate son heureux coup de main contre la ville de Salses d'où partaient de nombreuses incursions en territoire français (71). Résumons les *Mémoires* :

1°) le mérite de la réussite revient à Saint-André ;

2°) malgré la supériorité numérique de ses ennemis, il agit avec tant de sagesse et de discrétion qu'il obtint un succès rapide et complet (72) ;

3°) les Espagnols perdirent beaucoup de gens, et de très grands personnages, tels que le fils de l'archevêque de Saint-Jacques de Compostelle, don Diego de Azeredo (73) ;

4°) l'intervention de l'artillerie fut décisive (74). Si, en manière de contre-épreuve, nous lisons le récit que Paul Jove nous a fait du même épisode, nous nous apercevons (75) que la part de Saint-André a été quelque peu exagérée par Commynes. Si l'historien italien s'accorde avec notre écrivain pour reconnaître la puissance de l'armée espagnole et le rôle déterminant de l'artillerie, toutefois, il insiste sur la prépondérance de « monsieur de Foix aquitanien » ; il mentionne la mutinerie de fantassins ennemis qui empêcha « Henri d'Albadeliste » de venir au secours de Salses ; il indique que cette ville était mal fortifiée, qu'il fallut trois jours pour la prendre et que les vainqueurs se livrèrent à un odieux massacre.

Revenons au début de 1485. Louis d'Orléans échoua dans ses tentatives. Le Parlement, flatté et acheté, resta fidèle aux Beaujeu. Les princes et leurs complices avoués durent fuir et chercher refuge auprès du duc d'Alençon (76). Le futur Louis XII et Dunois perdirent leurs gouvernements, habilement remplacés par le vieux Dammartin et le comte de Bresse. Pour finir, les secours tardant, ils furent contraints de se réconcilier avec les Beaujeu par la paix d'Evreux, en mars 1485. Commynes, cependant, siégeait toujours au conseil royal, comme en témoigne une ordonnance de février (77), au bas de laquelle se lit son nom.

CHASSÉ DE LA COUR

Mais, peu après, selon toute vraisemblance, il se heurta à René II de Lorraine, l'allié des Beaujeu (78), dont il avait, à ce qu'il nous dit, combattu avec succès, les prétentions sur la Provence, en compagnie d'Odet d'Aydie et d'Antoine de Castelnau (79), pour plaire à Charles VIII et à son favori Etienne de Vesc. Quoi qu'il en soit, Commynes fut purement et simplement chassé de la cour, il ne le pardonna jamais ni à René II, ni à E. de Vesc. Les *Mémoires* évoquent cette mésaventure que Maulde-la-Clavière (80) situe avant la paix d'Evreux : ...« il m'avoit aidé a chasser de la cour avecques rudes et folles parolles » (81). Cette expression nous invite à penser que le duc ne fut que l'agent brutal et emporté des Beaujeu. Quant au contexte, il est tout à l'honneur de notre chroniqueur : généreux, il pratique le pardon des injures (« Et allay au devant de luy, combien que ne luy fusse point tenu ») et, par sa conduite, le Lorrain reconnut qu'il s'était trompé et qu'il avait été joué par de plus habiles que lui : « Il me fist la plus grand chere du monde, soy doulent de ceulx qui demeuroient en gouvernement »

Cet exil conduisit Commynes à se démasquer et à seconder davantage les menées des factieux qui ne désarmaient pas. Malheureusement pour lui, ils échouèrent. En effet, Louis d'Orléans avait perdu l'appui de Landais, le favori breton, qui avait été assassiné, et de Richard III, qui avait été tué en combattant, à Bosworth, le 22 août 1485 (82). En outre, il était fortement pressé par les troupes royales, rejointes par Charles VIII qui avait quitté Paris en août. C'est pourquoi, réduit à ses propres forces, il capitula sans éclat à Beaugency, en septembre 1485 (83). Il dut recevoir des garnisons dans ses villes. Son conseiller Dunois fut exilé à Asti, et le sire d'Argenton perdit sa puissance en Poitou, puisqu'il fut déchargé de son office de sénéchal et de la garde du château de Poitiers (84).

> « *...après ce que nous avons esté deuement informez que Philippes de Commynes, chevalier, seneschal de Poitou, avoit et a, des longtemps a, conseillé, favorisé et porté, conseille, porte et favorise a l'encontre de nous lesdicts princes et seigneurs a nous rebelles et desobeissans, et leur donne tout l'aide et faveur qu'il peut, nous l'avons deschargé dudict estat et office, et d'icelluy avons pourveu nostre amé et feal conseiller et chambellan Yvon du Fou* ».

N'est-ce pas cet Yvon du Fou qui est critiqué dans les *Mémoires*, avec Jean de Daillon, pour une entreprise « bien perilleuse », encore que réussie (85) ?

L'habile politique s'était laissé entraîner dans une guerre dont Paul-Emile a dénoncé la stupidité : « Is tumultus insana militia appellatur ». Dès lors, nous comprenons que notre auteur ait tracé des ducs de Lorraine, d'Orléans et de Bretagne des portraits peu flattés (86), Le premier l'a forcé à lier un peu plus intimement son sort à celui des féodaux en révolte ; le second, incapable et brouillon, n'a su, à aucun moment, mener une action efficace. Le troisième n'intervint pas à l'heure où le destin hésitait. A des degrés divers, Commynes les tiendra pour responsables de ses malheurs. Il était, d'ailleurs, trop petit personnage, et trop lucide, pour s'opposer ouvertement. Sans doute animait-il le camp des rebelles ; mais, quand il lui fut ordonné de nommer un autre capitaine à Talmont, il obtempéra sans délai (87), espérant peut-être, par cet empressement, apaiser Anne de Beaujeu. Il convient d'ajouter, pour être complet, que, dans une lettre au roi en date du 6 novembre 1485 (88), il défendit la victime de ce changement, René de Pellevoisin, accusé à tort, selon lui, par un serviteur indélicat et vendu aux La Trémoïlle, et qu'il le remplaça par un homme en qui il avait toute confiance, René de Poillé.

AUPRÈS DU DUC DE BOURBON

Si l'on recherche pourquoi Commynes a peint en noir la plupart des princes de son temps, il semble bien que l'une des raisons essentielles est qu'il a cru pouvoir se servir d'eux en telle ou telle circonstance, et qu'il a été, à l'ordinaire, trompé dans ses espérances, soit par leur inconsistance, soit par leur versatilité et leur déloyauté. Ces deux derniers défauts furent ceux de Jean de Bourbon, auprès de qui notre mémorialiste se réfugia en octobre 1485 (89) :

> « *Le duc de Bourbon, méconnu à son gré, se cantonnait, à Moulins, dans sa mauvaise humeur :*

> *homme faible que sa vanité rendait la proie du premier flatteur venu, il faisait de sa petite cour un foyer d'aigreur et d'opposition. Commynes, ulcéré de déboires, y menait la campagne* » (90).

Notre auteur semble inquiet, témoin cette lettre au seigneur de Brosse, à qui il écrit : « Tout est prest icy, mais un des estats est en pratique. Tout est bien excepté moy a qui on tient bonnes paroles : nous avons bien eu affaire a demesler le fait de ceans » (91). Avec quelque regret et une pointe d'amertume : « En nostre appointement nul n'y a charge, ni honte ; mais il n'est pas tel que nous l'eussions bien fait, si ce ne fussent aucuns de ceux que vous vistes ». Il utilise un langage secret, désignant les conjurés par des mots empruntés au vocabulaire de la hiérarchie ecclésiastique : l'*évêque*, le *chapelain*, le *chantre*, le *principal chapelain du doyen*. Il se méfie de ses complices : « Je voudrois le chapelain mieux qu'il n'est et pour toujours ».

Intense activité secrète. Par l'entremise du représentant des Médicis à Lyon, Côme Sassetti, Commynes est demeuré en rapports avec Du Bouchage qui lui prête de l'argent (92). Il envoie des messages plus ou moins chiffrés, où nous retrouvons les termes signalés plus haut, en sorte qu'il est très difficile de deviner aujourd'hui de qui il s'agit exactement (93). Mais sans doute il connaissait fort bien le jargon de la procédure et les titres en usage dans le milieu des clercs et des prêtres. Comme Villon, il eût fort bien réussi dans la parodie. Les mécontents essaient de reconstituer une ligue autour du vieux duc de Bourbon, avec, comme principaux partenaires, peut-être René de Lorraine et certainement, Maximilien d'Autriche.

Un fait est assuré : le duc de Lorraine traversa de nouveau la vie de notre écrivain :

> « *...vint a passer par Moulins ou lors me tenoie pour les differans de court, avec ledit duc Jehan*

> *de Bourbon, ja son entreprise* (94) *demye perdue pour la longue attente* » (95).

Pourquoi cette rencontre entre les deux ennemis d'hier ? Faut-il penser, comme Commynes aimerait nous le laisser croire, que ce ne fut, de sa part, qu'un geste de courtoisie et de politesse ? Il ne semble pas. Peut-être le Lorrain, qui était sur le point de se jeter dans l'aventure italienne, hésitait-il à abandonner toute activité en France, tenant à se procurer des alliés pour obliger A. de Beaujeu à satisfaire ses revendications sur la Provence. Il se pourrait aussi, comme le soutient Mandrot (96), qu'il ait alors servi d'intermédiaire entre la régente et le sire d'Argenton. Le représentant de Florence, Laurent Spinelli, informe, le 13 mai 1486, Laurent de Médicis qu'Anne de Beaujeu a fait des propositions à notre historien qu'elle essaie d'éloigner ou d'amener à une sorte de neutralité : c'est donc un homme dangereux et on ne désespère pas de le persuader de changer de camp. Que lui offre-t-on ? S'il accompagne en Italie René de Lorraine, on lui restituera toutes ses terres et l'office dont il a été privé. Commynes hésite, il interroge Laurent de Médicis (97) :

> « *Je vous prie que a diligence m'en fassiez response, et que m'en mandiez vostre avis ; car en l'estat que sont mes afferes, j'ay bien besoin de tel conseil que le vostre. Toustefoys, je ne suis point despourveu d'amis, et si vous me voulez emploier en riens, me trouverez tousjours vostre serviteur* ».

Ce message caractérise au mieux le comportement de notre auteur : s'il avoue ses difficultés et ses inquiétudes, il veut convaincre son destinataire qu'il conserve encore en France beaucoup de crédit. Mais le duc de Lorraine avait trop attendu. Ses partisans à Naples se découragèrent, renoncèrent à leur entreprise et traitèrent avec les Aragonais :

> « *En somme, ses amys estoient si las et si foulez pour l'avoir tant attendu, que le pape avoit appoincté et les barons, qui, sur la seureté dudict appoinctement, allerent a Napples, ou tous furent prins* » (98).

Comment Commynes n'en voudrait-il pas à ce faux conquérant dont l'indécision le priva d'une occasion d'échapper à la spoliation, à la prison, à l'échec ?

Esprit fertile et combatif, il ne s'avouait pas vaincu. Il s'efforça de revenir à la cour par l'entremise de Jean de Bourbon. Sur cette période que les *Mémoires* ont passée sous silence, G. de Jaligny nous renseigne utilement. C'était comme le note Pélicier (99), le « secrétaire du connétable Jean II et, plus tard, de la duchesse Anne... A ce titre, son histoire nous est très précieuse, d'autant plus qu'elle paraît rédigée avec la plus consciencieuse honnêteté... Jaligny, à défaut de Commynes, est pour nous le seul chroniqueur contemporain d'une réelle valeur ».

Or que nous apprend-il ? Que d'un côté, Madame de Beaujeu a manœuvré adroitement pour duper et diviser ses adversaires ; que, de l'autre, le vieux duc Jean II a joué double jeu, simulant la colère et le mécontentement pour mieux trahir et tromper des amis trop confiants. A. de Beaujeu, flattant ce vieillard, l'invita à rejoindre la cour à Beauvais pour assister le jeune roi de ses précieux conseils et de sa longue expérience. Il accepta, mais à la condition d'emmener avec lui « aucuns de ces serviteurs qui, dit Jaligny, estoient fort grands mutins ; dont le seigneur de Culant et le seigneur d'Argenton qui s'estoient retiré devers luy, estoient les principaulx » (100). Charles VIII accorda un sauf-conduit à Commynes, comme en témoigne une lettre que de Beauvais il adressa au Parlement de

Paris le 24 août 1486 (101). D'abord, Jean II, feignant de céder aux instances de ses conseillers Culant et Commynes et d'appliquer à la lettre leurs recommandations, « feit un peu du courroucé ». Mais, en réalité il était de connivence avec son frère et sa belle-sœur, P. et A. de Beaujeu qu'il renseignait sur les projets et les complots de leurs ennemis. Manifestait-il de la colère ? Protestait-il ? « Par ce moyen, il sçavoit toujours le faict de mondict seigneur d'Orléans et de ceux de sa bande » (102). Il renonça bientôt à simuler pour se réconcilier publiquement avec les Beaujeu. Il leur promit d'être « bon frere et parens », de servir le roi et le royaume, et surtout de chasser tous ses familiers qui avaient « nourri » les dissensions entre eux : « et, pour ce que les seigneurs d'Argenton et de Culant estoient notez les principaulx, mondict seigneur de Bourbon deslors leur donna congé et recula de luy, et tous ceulx qui estoient de leur intelligence » (103). Le mémorialiste, en qui l'on voyait l'un des cerveaux de l'opposition, essuya donc un nouvel échec, et bien plus grave pour son amour-propre. Car notre politique, subtil et méfiant, avait été trompé par les uns et par les autres. Par ses ennemis, certes, mais surtout par son allié qui feignit d'être mécontent pour tirer de lui des renseignements et qui, finalement, le renvoya comme un laquais dont on n'a plus besoin. Bafoué, ridiculisé, chassé, Commynes ne pardonna jamais au duc de Bourbon qui, tout au long des *Mémoires,* ne sera qu'un traître versatile ou un pitoyable barbon (104).

Cette réconciliation, qui se fit au détriment de Commynes, entraîna la fin de la campagne contre Maximilien qui, note encore Jaligny (105), « avoit des intelligences avec quelques seigneurs de France, lesquels il pensoit devoir de leur côté faire des brouilleries en France, et y susciter une guerre civile ». Pour notre auteur, comme pour les princes, tous les moyens étaient bons pour reconquérir le pouvoir. Il est à remarquer que, dans son œuvre, il n'a jamais condamné formellement une alliance avec les ennemis du royaume.

L'ARRESTATION ET LA PRISON

Le sire d'Argenton ne pouvait donc plus compter sur Jean de Bourbon, qui n'oubliait pas que Pierre de Beaujeu était son frère et héritier. De gré ou de force, ses intrigues dévoilées, le voici condamné à jeter le masque, à joindre ses efforts à ceux des éternels comploteurs, les Orléanistes. Le 13 décembre 1486, une nouvelle ligue se dressait contre les Beaujeu, regroupant les ducs d'Orléans, de Bretagne et de Lorraine, le roi et la reine de Navarre, les comtes de Nevers, de Comminges et d'Angoulême, le prince d'Orange, Alain d'Albret et Maximilien d'Autriche (106).

Mais Anne de Beaujeu, en digne fille de Louis XI, était bien renseignée. Elle apprit que Louis d'Orléans voulait enlever le roi. Dès lors, tous les espoirs des conspirateurs s'effondraient. Ils en furent réduits à s'enfuir au plus vite, le 11 janvier 1487, comme le révèle une lettre de Charles VIII (107) : « *[le duc d'Orléans]* s'est party au soir de Blois avecques IIIIXX ou cent chevaulx et, a toute diligence, jour et nuyt, s'en est allé en Bretagne, a nostre desceu et sans nostre congié ». Le 18, les biens de Dunois étaient confisqués. Peu de temps après, leurs complices étaient arrêtés, c'est-à-dire « les évesques de Périgueux, surnommé Pompadour, et de Montauban, surnommé de Chaumont, et les seigneurs d'Argenton et de Bucy, frère dudict evesque de Montauban » (108). Commynes le fut par Ch. du Mesnil-Simon qui en profita pour lui voler de la vaisselle et des bagues (109). Sans doute avaient-ils été trahis : Jaligny (110) nous invite à penser que leur émissaire se laissa prendre volontairement. Encore une leçon que le mémorialiste a tirée de sa propre expérience : Il faut s'appliquer à choisir des intermédiaires et des ambassadeurs dont on soit absolument sûr.

Le captif fut traité avec rigueur. Comme on redoutait ses machinations, on le garda six mois dans une cage de fer. Les *Mémoires* le rappellent, quand ils racontent les derniers temps du règne de Louis XI : « Plusieurs depuis l'ont mauldict, et moy aussi, qui en ay tasté, soubz le roy de present, l'espace de huyct moys » (111). Deux faits sont à signaler. D'abord, Commynes prétend être resté 8 mois dans sa cage. En réalité, il n'y demeura que de la fin de janvier au début de juillet 1487, puisqu'un arrêt du 18 juin ordonna son transfert à Paris (112). Cette erreur s'explique aisément : les semaines ont dû paraître atrocement longues au prisonnier qui garda un souvenir horrifié de sa détention, encore qu'il se contraigne à employer un langage euphémique, comme il lui est habituel, toutes les fois qu'il parle de lui-même. Ensuite, sa captivité est liée dans son esprit non seulement au jeune roi Charles VIII, mais aussi à Louis XI qu'il a fini par rendre responsable de ses malheurs, pour avoir répandu l'usage des « cages » et des « fillettes », et, en remontant plus haut, pour avoir été la cause première de ses mésaventures en l'amenant à trahir. N'oublions pas, en outre, que la condition des prisonniers était fort dure. Qu'on se rappelle, d'un côté, les cris de haine de Villon contre Thibaud d'Aussigny et ses acolytes (113), ou son *Epître aux amis* (114) ; de l'autre, la description que nous a laissée *Le Prisonnier desconforté*, chargé de fers (115), enfermé dans sa cage (116), en proie à la vermine, aux températures extrêmes, à l'humidité, à une perpétuelle obscurité (117) avec le seul réconfort d'une nourriture sommaire et peu appétissante (118).

Faut-il soutenir avec Kervyn (119) qu'il ne subit pas un régime trop sévère, pour la raison que le capitaine de Loches était François de Pontbriand qu'il avait fortement recommandé, en 1480, au duc de Milan (120) ? Nous ne le croyons pas. *D'abord,* le capitaine était dévoué corps et âme à Charles VIII, au point que les Orléanistes l'avaient arrêté en septembre 1485 (121). *Ensuite,* les *Mémoires* nous suggèrent le contraire, d'une part, par cette erreur, déjà signalée, sur la durée de la détention dans la cage de fer, d'autre part, en répétant que, lorsque le malheur nous accable, vos amis se retournent contre vous (121).

Contrairement à ce qu'ont affirmé Clairambault et, après lui, Jean Vallery-Radot (122), il est hors de doute que Commynes fut, d'abord, emprisonné à Loches, comme le précise Sleidan, à l'ordinaire bien informé : « Ses adversaires le mirent en prison à Loches, au pays de Berry, ville et chasteau où on mettoit coustumièrement prisonniers ceux qui estoient accusés de lèse-majesté » (123). Le nom de cette cité ne se lit jamais dans les *Mémoires,* alors qu'il eût été possible de le mentionner à plusieurs reprises. Par exemple, quand est évoquée la captivité de Ph. de Savoie (124).

En revanche, on ne saurait attribuer à Commynes un graffito qui se trouve sur les parois de la niche, dans le pavillon d'entrée du donjon : « Dixisse me aliquando penituit, tacuisse numquam. 12 may 1489 ». En effet du 17 juillet 1487 au 24 mars 1489, il fut incarcéré à la Conciergerie, où l'avait amené Fr. de Pontbriand :

> « *Ladicte cour a ordonné et ordonne que ledict seigneur d'Argenton sera mis prisonnier en la haulte chambre de la tour carree de la conciergerie du Palais, gardé par deux huissiers de la dicte court qui luy feront la despence* » (125).

Régime presque aussi rigoureux qu'à Loches (126). Notre chroniqueur pouvait entendre la messe, mais à ses dépens, et sans qu'il lui fût possible de parler au chapelain ou à toute autre personne. Ses gardiens répondaient de lui « sur leurs vies ». Des crochets de fer furent posés sur les portes des galeries, et les fenêtres murées du côté du fleuve. Le système de fermeture fut renforcé (127). Jean de La Vacquerie, premier président du Parlement de Paris (128), chargea, le 20 juin 1487, les conseillers du roi, Martin de Bellefaye (129) et Jean Le Viste, de l'interrogatoire et de l'enquête. Le 23 juillet, « au conseil de la grant chambre », Commynes confirma « de mot a mot ses confessions autresfois faictes par devant aucun conseiller de ladicte court » (130). Seul, abandonné de tous, il assura lui-même, aux dires de Sleidan, sa défense dont personne n'avait voulu se charger : il mit en avant son dévouement, sa générosité, son désintéressement (131). Sans doute adoucit-on le régime du prisonnier. Ainsi nous serait-il possible d'accorder le texte des Archives du Parlement (132) qui ordonna de faire murer « les fenestres des galeries du costé de la riviere », avec une remarque de notre auteur : « ...Vingt moys maulgré moy, tenu prisonnier en son palais, ou je veoye de mes fenestres arriver ce qui montoit contremont la riviere de Seine du costé de Normandie » (133). Toutefois, on refusa de le libérer, alors que ses trois complices, les évêques de Périgueux et de Montauban, le seigneur de Bucy, furent relâchés plus vite :

> « *...depuis ledict temps* (134) *jusques en cedict mois de febvrier mille quatre cens quatre vingt et huit, ils feurent detenus prisonniers et menez en divers lieux... Et, au regard du seigneur d'Argenton, il estoit a la Conciergerie a Paris, ou il avoit esté mené pour faire son procez* » (135).

Le 21 avril 1488, les légats du pape, Chieregato et Florès, annonçaient que les évêques détenus avaient été remis entre leurs mains au château de Meung-sur-Loire (136). Une lettre royale du 18 mai nous apprend que Martin de Bellefaye s'occupe toujours de l'affaire (137). N'est-ce pas la preuve que Commynes était considéré comme le plus dangereux, et que tous ses « amis » l'avaient oublié ? Notre auteur fit, sur ce dernier point, la même expérience que Villon.

TALMONT (suite et fin)

Echec politique, mais aussi échec dans sa lutte contre les La Trémoïlle. Il perdit en même temps sa liberté et une partie de ses biens. Il essaya de retarder le jugement, « il lutta en désespéré, accumulant incidents et chicanes, « hocquets et délais », et finit par succomber sous le poids des témoignages » (138). Ses adversaires avaient l'appui d'Anne de Beaujeu qu'ils avaient réussi à désintéresser. En outre, Louis de La Trémoïlle était le général heureux de la guerre de Bretagne, remportant à Saint-Aubin-du-Cormier une victoire retentissante.

Bornons-nous à résumer à grands traits ce qu'a bien exposé E. Dupont (139).

— 22 mars 1486 ; le Parlement enjoint à Commynes de restituer les terres et seigneuries de Talmont et de Château-Gontier, ainsi que « les fruictz, prouffitz, revenues et esmoluments que il a prins et perceuz desdictes terres, appartenances et deppendances d'icelles ».

— René de Poillé, fidèle à son maître, refuse l'entrée de Talmont aux La Trémoïlle.

— 10 juin 1486 : des lettres patentes du roi ordonnent d'arrêter Commynes et de saisir ses biens, s'il persiste dans son refus de renoncer à Talmont.

— Un conseiller du Parlement, Jean Pellieu, fixe à 11.693 livres 10 sous la somme des revenus à restituer. Un sergent vient sommer notre historien de payer ; mais il se voit refuser l'accès du château d'Argenton. La citation, fixée aux portes, est arrachée.

Les biens de Commynes sont mis en vente. Pas d'acheteurs. La saisie d'Argenton est décidée.

— Nouvel appel du défendeur au Parlement : les estimations de Pellieu sont fausses ; les dépenses que Commynes a faites ont été supérieures aux bénéfices (140).

— Notre auteur en prison, l'affaire traîne en longueur. Le 26 février 1488, il est débouté, par défaut, de son appel contre J. Pellieu.

— En avril 1488, A. de Beaujeu demande au Parlement de juger en faveur des La Trémoïlle. Le 15 mai, le roi réitère cet ordre (141). Le 22 septembre (142), il exige que soient entérinées les lettres patentes, concernant la restitution de la vicomté de Thouars. Le 17 février 1489 (143), il revient à la charge pour ordonner la liquidation du procès.

— Des sergents se rendent à Argenton pour prendre possession de ce domaine et le vendre afin que soient payées amendes et indemnités. Les serviteurs de Commynes opposent la force à la justice.

— Le 26 mai 1489, le Parlement ajourne le mémorialiste à « comparoir en personne sous peine de bannissement du royaume ».

— Le 4 juin 1489, il est condamné définitivement à restituer Talmont et Château-Gontier.

— Nouvelles contestations de notre écrivain qui ne peut fournir des précisions sur ses dépenses dont le total, prétend-il, s'élèverait à 15.000 livres. Il proteste contre la saisie d'Argenton qui appartient à sa femme, et dont les enchères se sont faites à Thouars (144).

— Le 31 août 1491, il est condamné à rendre Berrye, Olonne, Curzon, la Chaume, Bran et Brandois.

— Le 5 septembre, il doit rembourser, d'une part, les revenus perçus pendant qu'il jouissait des terres en litige, d'autre part, les frais du procès (7.811 livres).

— Encore des chicanes et des arguties. Argenton, le 14 mars 1492, a été adjugée aux La Trémoïlle pour la somme de 7.811 livres. Mais la vente est annulée, car les délais imposés par le Parlement n'ont pas été respectés (145). — Epilogue : une indemnité de 30.000 livres est accordée à Commynes par Charles VIII. Elle est payable en quatre années à partir du 1er juillet 1491. Elle sauve notre auteur de la ruine. Ainsi peut se conclure un accord. Sur les 30.000 livres, 10.000 sont allouées à Louis de La Trémoïlle (146).

DREUX (147)

Au cours de ce chapitre, nous avons vu que notre historien et Alain d'Albret participèrent aux mêmes intrigues tout au long de la Régence. Ils furent aussi en relations d'affaires. Commynes sentait le sol se dérober sous lui en Poitou. Il était assez lucide pour se rendre compte que Talmont finirait par lui échapper, malgré tous ses efforts pour amener le procès à se perdre dans les méandres de la procédure. En outre, nous avons avancé qu'il caressa l'idée de revenir en Flandre, et que cette secrète espérance lui aliéna peut-être la faveur de Louis XI (148). Toujours est-il que, le 7 avril 1484, Alain d'Albret, constamment désargenté et empruntant, lui vendit les terre et seigneurie d'Avesnes, « parmi et moyen le pris et somme de vingt cinq mille escuz d'or, monnoye communement connosable au royaulme de France, du coing forgé et enseigné du roy Charles penultieme, que nous avons eu et receu dud. seigneur d'Argenton (149) ». Il s'engageait à lui livrer ces biens « au dedans du terme et espace de ung an a compter de ce jourdhuy d'acte de cestes » (150). Mais il se réservait la possibilité de les racheter pendant quinze ans, et promettait à notre auteur de le dédommager, si quelque opposition se manifestait contre l'aliénation d'Avesnes.

Cette dernière clause dut jouer. En effet, des lettres de Commynes, du 25 août 1485 (151), nous révèlent que d'Albret n'a pu lui garantir la jouissance des terres vendues ; qu'il lui a cédé, en échange, le comté de Dreux ; que, cependant, il demeure son débiteur de 20.000 écus d'or ; que, de surcroît, il lui en emprunte 1.000. Toujours endetté envers son créancier, Alain d'Albret reconnaît, le 20 avril 1490, qu'il a donné Dreux à Commynes ; il récapitule les prêts qu'il a reçus de lui : 16.000, 4.000, 1.000 écus ; il énumère ce qu'il lui doit encore à cette date : 1.000 écus provenant d'une erreur de compte, 571 prêtés à Moulins le 17 février 1485 et 2.000 empruntés, eux aussi, à Moulins ; enfin, il affirme qu'il s'oblige à payer toutes ces sommes avant de recouvrer Dreux (152). Le 9 août 1494, des difficultés s'étant élevées, Alain d'Albret signe l'engagement de ne pas contraindre notre chroniqueur à prendre Avesnes et à restituer Dreux ; il lui permet d'user à son gré de ce comté. Mais les procès guettent aussi ce domaine. Le 1er avril 1498, Commynes doit en céder la moitié au comte de Nevers ; on continue à plaider pour le reste. Notons un dernier détail qui nous montre ce goût de la terre chez le seigneur d'Argenton. Une pièce, publiée par Lépinois (153), nous apprend qu'en 1496, se donnant le titre de comte de Dreux, il avait acheté, depuis 5 ou 6 ans, la moitié de la seigneurie de Bû-le-Châtel, dans le canton d'Anet, et que le receveur du comté percevait, à son profit et à celui de Jean de Fontenay, les revenus et produits de ce bien indivis.

CONCLUSIONS

1°) Au cours de ces cinq dernières années, Commynes, aveuglé, semble-t-il, par son ambition et sa cupidité, se jeta dans une suite de conspirations, sans avoir mesuré l'incapacité des comploteurs et la faiblesse des féodaux. Il ne pouvait qu'échouer. Cet échec l'a sans doute conduit à juger avec sévérité et lucidité toutes les tentatives des princes, et, en particulier, celle, plus ancienne, du Bien Public en 1465. Aidé par son expérience de la Régence (1483-1488), mais sans se mettre lui-même en cause, il a pu ainsi exposer et dénoncer les négligences, les insuffisances, les divisions et les trahisons des grands. Les pages cinglantes qu'il consacre à l'année 1465 dans le premier livre des *Mémoires,* n'ont dû le jour, selon toute vraisemblance, qu'à sa participation active aux multiples entreprises et aux nombreux complots contre Anne et Pierre de Beaujeu.

2°) De plus, cet homme qui commença à dicter son œuvre peu après sa libération, avait été humilié, abandonné, trompé, dépossédé. Aimant le pouvoir et l'argent, pour les conserver ou les recouvrer, il avait eu recours à tous les moyens. En outre, comme il l'avoue lui-même (154), il refusait les consolations du stoïcisme. Comment admettre, dans ces conditions, qu'il ait pu rédiger ses *Mémoires* dans un esprit de stricte impartialité, sans volonté de revanche ? De nombreux indices prouvent le contraire. Il a des comptes à régler avec certains qu'il lui faut mettre en cause avec discrétion, car ils sont encore puissants ; avec d'autres, qui sont disgraciés et qu'il peut diminuer ou accabler (tel René de Lorraine). De même, quand on connaît son appétit des richesses et sa soif du pouvoir, ne peut-on penser qu'il prépare sa rentrée, soit en suggérant la valeur du conseiller qu'il fut, intimement mêlé aux grands succès de Louis XI, soit en se séparant de ministres ou de familiers que poursuivait la malédiction publique et qui avaient réussi à le supplanter (Olivier Le Dain, Jean Daillon, Jacques Coictier...), soit, enfin, en soulignant son dévouement et son activité ?

3°) Commynes ne pouvait s'enorgueillir de cette période où il alla d'insuccès en insuccès, dupé et vaincu par de plus sagaces que lui, sans qu'il lui fût possible de se flatter d'une loyauté et d'une fidélité exemplaires : on s'explique qu'il n'ait pas consacré une partie de ses *Mémoires* à ces années troubles et humiliantes.

II. - LE RÉTABLISSEMENT

> « *Les hommes de cette trempe ne se laissent pas abattre par le sort conjuré contre eux. Et ils restent, malgré tout, capables de vigoureux redressements* » (*Charlier, op. cit. p. 48*)

LA FIN DES RÉVOLTES

Pendant que Commynes était réduit à l'impuissance, enfermé, d'abord, à Loches, puis, à la Conciergerie où il avait peut-être été transféré sur les instances de sa femme (c'est ce que dit Sleidan), Anne de Beaujeu et les troupes royales marchaient contre les rebelles. Parmi les loyalistes, se retrouvaient le sire de Graville, Louis Malet, Du Bouchage, Bourré et Philippe des Cordes, c'est-à-dire de dévoués serviteurs du monarque défunt. La Guyenne résista peu (1). Toutes les places se rendirent à Charles VIII qui entra à Bordeaux le 9 mars 1487 ; Odet d'Aydie le jeune capitula dans Blaye (2). Les princes, désunis dans l'infortune, ou bien se rallièrent, comme le comte d'Angoulême, ou bien se préoccupèrent de leurs propres affaires, comme René de Lorraine que le mirage napolitain hantait toujours. Dunois, contraint d'abandonner Parthenay (3), se réfugia en Bretagne où la résistance était plus vigoureuse ;

le 27 avril 1487, il écrivait de Redon à Jean II de Bourbon pour lui annoncer que le roi avait confisqué ses biens : il lui demandait d'intervenir afin que sa femme et ses enfants eussent de quoi subsister (4). Alain d'Albret, arrêté en Périgord, ne put que signer la reddition de Nontron (5) et promettre de ne plus comploter contre le souverain. Celui-ci commit une maladresse qui regroupa contre lui tous les Bretons. C'est pourquoi il ne put s'emparer de Nantes où résistaient François II et la plupart des princes (6). Il leva, en août, le siège de la ville (7) et regagna Paris dans les derniers jours de l'année.

1488 marqua un tournant décisif, avec des procès et des victoires. Si l'on ne prononça aucun arrêt contre Louis d'Orléans, en revanche Dunois, le 28 mai, fut déclaré criminel de lèse-majesté, ses biens furent confisqués ; Lescun et plusieurs serviteurs du duc d'Orléans furent condamnés à mort. Cependant, en Bretagne, Louis de La Trémoïlle poursuivait une campagne victorieuse. Coup sur coup, il enleva Châteaubriant (8), Ancenis (9), Fougères (10). Le 27 juillet 1488, à Saint-Aubin-du-Cormier, il écrasa l'armée princière, capturant le duc d'Orléans et le prince d'Orange, contraignant à la fuite le comte de Comminges et Alain d'Albret, réduisant François II à traiter et à signer, le 20 août, la paix de Sablé, par laquelle le duc s'engageait à faire sortir de Bretagne toutes les troupes étrangères, à ne pas marier ses filles sans le consentement du roi, à livrer Saint-Malo, Fougères, Saint-Aubin et Dinan (11).

LE PROCÈS

Ses alliés en pleine déconfiture, Commynes était moins redoutable. D'ailleurs, le pape intervenait en faveur des évêques emprisonnés. Dès mars 1488, l'ambassadeur de Laurent de Médicis avait écrit : « Monseigneur d'Argenton peut avoir bon espoir pour lui ». Cette lettre indique qu'à Florence, on se préoccupait du sort du prisonnier, par intérêt et par amitié. Mais ses affaires traînèrent en longueur. Le Parlement ne se prononça que le 24 mars 1489. Notre chroniqueur était relégué pour dix ans dans une de ses terres, au choix de Charles VIII ; il promettait de ne plus comploter et de dénoncer toute nouvelle tentative de subversion ; il devait donner une caution de 10.000 écus d'or, et abandonner le quart de ses biens au profit du trésor royal (12). Dépouillé de Talmont, privé d'Argenton dont les La Trémoïlle s'étaient emparés pour se dédommager de leurs pertes Commynes se réfugia au château de Dreux, encore que ce dernier lui fût contesté par Jean d'Orval. Voici le témoignage de Jaligny :

> « *Audict moys d'apvril aussi, feut donné arrest par la Court de Parlement contre le seigneur d'Argenton ; qui avoit esté prins prisonnier avec les evesques de Perigueux et de Montauban. Et feut dict que la quarte partie de ses biens seroit confisquee au Roy ...... et que durant dix ans il seroit confiné en une de ses maisons, telle qu'il plairoit au Roy. Mais le Roy ne voulut pas user de rigueur de justice, et ne disposa point de la quarte partie de sesdicts biens* ». (13)

L'EXIL A DREUX

Ayant horreur de l'oisiveté, comme le signale Sleidan (14), notre auteur ne sombra pas dans l'inaction. Nous avons déjà vu qu'il continuait à lutter pied à pied pour la possession de Talmont et d'Argenton. Une autre affaire requit alors son attention, celle de la galéasse, qui remontait à 1486, et même à 1483. Comme J. Moreau était dans l'incapacité de lui payer les sommes qu'il lui devait pour la ferme des Ponts-de-Cé (15), Commynes ordonna de saisir une grosse galéasse. Oppositions, transactions, connivences frauduleuses des adversaires. Sorti de prison, le mémoraliste obtint de Charles VIII des lettres qui établissaient ses droits de légitime propriété sur le navire (avril 1489). Le 12 février 1490, intervint un accord entre les deux parties : Moreau, recevant de l'argent, renonçait à disputer à Commynes l'objet du litige. En 1491, la galéasse fut adjugée au sire d'Argenton qui la mit au service du roi au cours de l'expédition d'Italie (16).

Ajoutons ses relations avec les Médicis, Affaires d'argent, d'abord. Il se plaint du peu de zèle de leurs agents, pendant le temps qu'il était en prison. Une correspondance s'échange, coupée de plaintes et de récriminations. Le 6 novembre, les deux parties s'accordent sur l'ensemble, sauf sur une somme de 5.000 écus que Commynes semble réclamer abusivement (17). Il ne cesse de protester. Laurent le Magnifique s'efforce de le calmer. Il le flatte :

> « *Je suis si infiniment obligé* [envers Votre Seigneurie] *à tant de titres que je serais l'homme le plus ingrat du monde si je m'acquittais envers elle autrement que je ne le dois, vu les immenses bienfaits que j'ai reçus de Votre Seigneurie dans la prospérité et dans les revers* » (18).

Il lui confesse les difficultés que rencontre sa banque de Lyon ; il met, enfin, à sa disposition toute sa fortune. Mais, le 5 mars 1490, Commynes proteste toujours contre cet accord : « ...ledit apointement est bien megre pour moi... ledit apointement m'a esté gref ung petit ; mais il m'a forcé » (19). Il fait appel à Laurent Spinelli. Les représentants des Médicis se plaignent de sa mauvaise volonté et de son entêtement : « ...il ne veut s'accommoder en aucune façon de ce que vous m'avez écrit à diverses reprises » (20).

Avec le Magnifique, notre historien aborde aussi les questions politiques. Dans sa lettre du 5 mars 1490, envoyée d'Amboise, s'il parle, en premier lieu de ses déboires avec la banque de Lyon, il expose, ensuite, la situation du moment : les difficultés dont la Bretagne et l'Espagne sont la proie, empêcheront une attaque générale contre la France, l'été suivant. De Montsoreau, le 21 avril 1491, il relate les péripéties de la guerre bretonne, et, en particulier, la prise de Nantes, dont il ôte le mérite aussi bien aux Régents qu'au roi, comme il le fera plus tard dans les *Mémoires* à propos de la guerre d'Italie : « Il samble que Dieu meine les fets du roy, car il viennent mieux que l'on ne s'atendoit » ; il présente le mariage franco-breton comme la meilleure solution à apporter au problème ; il juge que « nostre roy est tres sage et aime le harnes » (21).

Ajoutons, pour être complet, qu'il rend des services aux Médicis dont il se prétend l'ami dévoué (22). Il surveille leurs agents en France. Il ne dissimule pas son zèle dans une lettre du 5 août 1489 (23) :

> « *La ou je verois faute en vos serviteurs, je vous le manderois car ency le m'avez vous autresfois escript. Je ne les ay pas tousjours trouvés tous sages ; mes a mon avis il me craignoient plus que homme de desa* ».

Sans doute était-il payé pour ce travail de surveillance comme pour les renseignements qu'il fournissait sur l'évolution politique et pour ses conseils sur la conduite à tenir en France. C'est l'avis d'E. Benoist (24) :

> *D'où venaient les fonds qu'il y* (25) *avait déposés ? Etaient-ce les économies qu'il réalisait sur ses pensions et les revenus de ses fiefs ? Etait-ce un crédit que les Médicis lui ouvraient pour payer les renseignements qu'il leur donnait sur la Cour de France et l'appui qu'il leur y prêtait ?*

Je n'ai aucune répugnance à penser que cette dernière supposition soit la vérité ».

Cette lettre du 5 août 1489 est intéressante à d'autres points de vue. Elle est autographe ; par conséquent, elle peut, comme d'autres, nous aider pour l'établissement du texte des *Mémoires*. Ensuite, elle contient des aveux. Pendant sa captivité, Commynes eut besoin d'argent. Comme il ne pouvait emprunter à n'importe qui de peur qu'on ne vît des complices en ses prêteurs éventuels (qui, d'ailleurs, étaient peut-être peu enclins à se compromettre), il eut recours aux représentants des Médicis, qui s'exécutèrent avec mauvaise grâce, et encore pour des sommes inférieures à celles qu'il demandait. Il décèle dans cette absence d'empressement l'influence de ses ennemis qui l'attaquaient de tous côtés : « ...partout, mes biens estoient embrouillés ». Ce fut une véritable curée contre le favori tombé en disgrâce, et qui avait abusé de sa puissance. Il recommande à Laurent de ne manifester dans l'immédiat aucune colère contre personne, car il est nécessaire à Commynes d'être prudent pour ne pas susciter de nouvelles inimitiés, et de plier le dos afin de laisser passer la tourmente : « ...je ne desire la malle grace de nul ». Son seul souci est de récupérer ses biens qu'il estime n'avoir perdus qu'à cause de l'hostilité du roi et de sa sœur Anne de Beaujeu. On comprend mieux ainsi sa rancune à leur égard. Quant au reste, « *d'autre estat, ni office* », il dit : « *n'ay nulle envie* ». Enfin, le fait qu'il s'adresse au Magnifique avec tant de confiance, voire de familiarité (n'ajoute-t-il pas : « Je vous prie tousjours me pardonner que si ardiment vous escrips » ?), indique qu'une amitié certaine liait les deux hommes.

En outre, en cette période d'activité intense, il dicte ses *Mémoires* (26), et prépare sa rentrée politique. Selon la lettre que nous venons de citer,

> « *Le roi et Madame, puis peu de jours, me donnent esperance de mes afferes et aux prelats prins cant et moy ont donné liberté d'aller partout et restitué la pension de leurs frers. De ces choses n'ay jusques icy fet nulle poursuite, mes en attenderay leur plesir ; mes les presse des biens que m'ont ostés et fet perdre...* » (27).

Il flatte les Beaujeu, en qui il voit, avec raison, les véritables maîtres du royaume et à qui il écrit de Dreux le 12 septembre 1489. Il leur exprime sa reconnaissance, parce qu'on laisse entendre qu'il sera rappelé à la Cour, et il se dit leur serviteur très dévoué (28). Il ne désire donc pas assurer, avant tout, le triomphe de ses idées politiques, mais se soucie plutôt de se rapprocher du pouvoir. Sans doute lui a-t-on rendu la liberté d'aller et de venir à son gré, mais il ne se présente pas devant le roi, car il est encore en butte à une vive méfiance. Il ne lui faudra pas moins d'une année pour apaiser un peu les suspicions.

Nous pouvons suivre cette lente remontée grâce aux dépêches de Côme Sassetti, qui était à Lyon l'agent de la banque des Médicis. Le 16 juillet 1490, amnistié, Commynes quitte Lyon pour se rendre dans l'une de ses terres ; Charles VIII est alors aux Montilz-les-Tours (29). La Cour est toujours interdite au chroniqueur : « Je ne crois pas qu'il retourne à la cour en ce moment, parce que sa monnaie n'y aurait point cours » (30). L'adversité a redoublé sa prudence. Le 4 janvier 1491, il est avec Charles VIII à Moulins d'où il s'adresse à P. de Beaujeu, devenu duc de Bourbon après la mort de son frère Jean II. Il se met à son service, et lui annonce qu' « il a pleu au roy commander la pension que j'avoys, quand il me desapointa l'office » (31). Il n'a plus, précise-t-il, qu'à obtenir l'agrément des gens de finance. Cette lettre est bien de 1491, comme l'estime Mandrot (32), et non de 1490, comme l'affirme Kervyn (33), étant donné que le 4 janvier 1490, le souverain était à Orléans, et non pas à Moulins (34). En avril 1491, il suit la cour, « nageant entre deux eaux », à ce que note Sassetti (35). Toujours subtil, il hésite, ne sachant à quel parti se rallier.

Le 21, de Montsoreau, il écrit, comme nous l'avons vu, à L. de Médicis. Il accompagne le roi en Bretagne. Il relate la livraison (en février) par A. d'Albret de Nantes, dont il donne une rapide, mais suggestive, description (36). Il annonce comme prochaine la mise en liberté de Louis d'Orléans. Cette lettre, elle aussi, est précieuse à plus d'un titre. D'abord, pour mieux connaître notre historien. Il s'intéresse à la géographie, possédant le double d' « une carte ou est comprins Guinee ». Il écrit fort mal, au point de se demander qui pourra déchiffrer à Médicis ses pattes de mouche. Il analyse de près la conjoncture politique, attentif aux manœuvres du moment. Il s'étonne que rien n'ait filtré du jeu trouble de certains qu'il ne nomme pas, se bornant à évoquer « leur parentage ». Cependant, l'accord conclu entre Charles VIII et A. d'Albret a requis de longues négociations et l'intervention de nombreux intermédiaires — activité qui n'échappa pas au maréchal de Bretagne, obstinément incrédule. Commynes signale les fautes de Maximilien d'Autriche et des souverains espagnols qui ne s'attendaient pas à ce que la situation évoluât aussi rapidement, et qui eurent tort de « pratiquer » un mariage entre le roi des Romains et Anne de Bretagne, alors qu'il leur eût été préférable d'unir celle-ci au fils de Maximilien : cette solution eût incité les Anglais à agir avec plus d'énergie ; et nous retrouvons sur ces derniers un jugement identique à celui que nous lisons dans les *Mémoires* : c'est une « nacion puissante et riche, et gens bien crains pour les batailles ». La duchesse de Bretagne est aux abois. Sa province est presque tout entière tombée aux mains des Français, à l'exception de Rennes, « ville grande et fort peuplee, loins de la mer », de Redon, « ville tres feble », de petites bourgades, « niens fort ». Anne ne peut compter que sur le soutien du prince d'Orange. Elle est très attachée à Maximilien, qui a trop à faire pour être à même de l'aider.

La Ligue des princes, désunie et écrasée, était réduite à l'impuissance. Aussi leur chef, le duc d'Orléans, fut-il délivré. Bien plus, Charles VIII lui donna le gouvernement de la Normandie et le rétablit dans tous ses biens (28 juin 1491) (37). Le 4 septembre, fut conclu un pacte d'amitié entre, d'un côté, les Bourbons et leurs fidèles, et, de l'autre, les anciens rebelles du parti orléaniste. Rappelons qu'en juillet, Commynes avait reçu de la faveur royale une somme de 30.000 livres.

Pour finir, signalons qu'en 1490, la femme du mémorialiste avait mis au monde une fille, Jeanne, qui, en 1504, épousa René de Brosse, comte de Penthièvre, et transmit ainsi le sang de notre auteur à toutes les grandes familles de France, aux Luxembourg, aux La Trémoïlle, aux Vendôme, aux princes de Savoie, et même à Louis XV (38).

En cette période de transition, Commynes soutint donc de nombreux procès : contre Moreau, pour la galéasse ; contre les La Trémoïlle, pour Talmont et ses dépendances ; contre le comte de Nevers à propos de Dreux : en 1490, Charles VIII ordonna de laisser à notre écrivain toutes facilités afin qu'il pût réunir des preuves relatives à ses droits sur ce comté. Il renoua avec les Médicis des intrigues politiques tout en essayant de rentrer dans ses fonds (39). Il s'efforça d'être amnistié et de retrouver une place à la Cour. Il rédigea ses *Mémoires*. On comprend que Sleidan nous ait rapporté que Commynes dictait quatre lettres à la fois.

NOUVEAUX PROGRÈS

Le 6 décembre 1491, Anne de Bretagne épousa Charles VIII. Dans cette affaire, le prince d'Orange joua un rôle essentiel. Favorable, d'abord, à un mariage avec Maximilien (40), il se rallia à la cause française, encore qu'il sauvegardât les intérêts de la duchesse, comme nous l'apprend une lettre de Commynes à Laurent de Médicis (13 janvier 1492).

> « *Desa n'est riens sourvenu puis ce mariaige, qu'a la verité est grant exemple de fortune, comme disent vous dites lettres* (41), *car le roy l'a espousee comme vraye duchesse et heritiere de Bertainge, avec tres grant douere. Mes se que plus les aide apres Dieu, a esté la bonne deliberacion qu'il avoient d'eux bien defendre et la grant reparacion qu'il avoient fet a la ville de Rennes, et sans cella riens ne s'en fust fet, et s'y est fort sagement conduit le prinse d'Oranges, et bon besoing ly a esté, car sy les Allemans ussent entendu ledit mariage, il ust esté en grant dangier de sa parsonne et tous ceux qui s'en mellerent* ».

Ces lignes révèlent donc un double jeu que les *Mémoires* ne mentionnent pas, à moins qu'ils ne le suggèrent par la juxtaposition de deux faits contradictoires :

> « [Charles VIII] *print pour femme la fille du duc François de Brethaigne, pour avoir la duchié de Brethaigne paisible — laquelle possedoit presque toute a l'heure dudict traicté, fors la ville de Rennes et la fille qui y estoit dedans — laquelle estoit conduite soubz la main du prince d'Orange, son oncle, qui avoit faict le mariage avecques le roy des Romains et espousé par procureur en l'eglise publicquement* » (42)).

Dans les six premiers livres, le prince n'était qu'un traître que ne cessa de passer d'un camp à l'autre ; dans les deux derniers, Commynes le ménage peut-être, car l'un et l'autre, à la fin de l'expédition italienne, adoptèrent la même conduite politique et s'opposèrent au duc d'Orléans (43).

Le mariage d'Anne et de Charles VIII (44), l'éloignement relatif des Bourbons (45) au profit du sire de Miolans semblent ouvrir une nouvelle carrière à notre auteur. Mais gardons-nous d'exagérer ce retour en grâce. L'historien reste au second plan, et suspect. Il prodiguait trop d'efforts à se refaire une place à la Cour, pour que nous puissions penser qu'il ait largement contribué au mariage franco-breton, comme l'affirme Kervyn (46).

Deux indices montrent que son crédit demeura limité. D'abord, quand, en septembre 1491, fut conclu le traité d'alliance entre les grands féodaux, figurèrent, parmi les signataires, les ducs d'Orléans et de Bourbon, les évêques d'Albi et de Montauban, Dunois, Miolans et Du Bouchage ; le nom de Commynes est absent. Ensuite, les *Mémoires* ne renferment pas un portrait très flatté de Miolans : jaloux de Ludovic le More dont les Français ne pouvaient se passer, ne s'efforça-t-il pas de complaire à Louis d'Orléans (47) ? Ne « pratiqua » -t-il pas sans succès avec les émissaires de Pierre de Médicis (48) ? Ne commandait-il pas la flotte qui fut défaite à Rapallo (49) ?

Peut-être, quand il sortit de prison, Commynes s'était-il trop engagé envers les Bourbons. Quoi qu'il en soit, il ne semble pas possible de soutenir avec Kervyn qu' « une prudence excessive, mais dictée par l'expérience, peut seule expliquer ici *[dans le traité d'alliance]* l'absence du nom de Commynes » (50).

Le témoignage des ambassadeurs florentins nous permet d'être plus précis. Francesco della Casa écrit le 28 juin 1493 :

> « *Bien qu'il* [Commynes] *n'ait pas grande autorité, comme les autres le craignent, il lui en reste assez pour que, avec son activité et son habileté, il soit encore pour vous un instrument excellent et nécessaire* » (51).

Parfaite définition de notre mémorialiste, qui vaut pour toutes les périodes de sa vie : c'est un homme actif et habile que l'on redoute et dont on se méfie. le 16 juillet de la même année, l'Italien observe :

> « *Monseigneur d'Argenton est parvenu par son habileté et sa prudence à se faire admettre au nombre des cinq* (52), *mais il n'en est pas beaucoup plus avancé car les autres, connaissant ce qu'il vaut, ne lui disent pas tout* » (53).

Dans cette lettre, nous relevons un petit détail significatif : Commynes avait demandé deux des quarante-neuf faucons envoyés en France par la Seigneurie de Florence ; mais, avec de belles phrases, on les lui refusa pour les réserver tous au roi. Le 31 août, F. della Casa conseille à son maître, Pierre de Médicis, de recommander à ses nouveaux ambassadeurs de choisir « un ou deux des principaux seigneurs qui gouvernent », et de se lier étroitement avec eux, encore qu'il reconnaisse que le seigneur d'Argenton puisse être utile. Mais, ajoute-t-il, « il ne pêche pas en toute eau ». Si nous comprenons bien, le Florentin estime que Commynes n'est pas assez influent, ni n'a des relations assez étendues, pour orienter les événements dans un sens favorable aux Médicis (54). Cinq jours après (55), il invite Pierre à écrire à E. de Vesc, en même temps qu'à Charles VIII.

Au cours de cet été, après une longue absence, Commynes revient à la Cour (56). Il s'ensuit qu'on ne saurait lui attribuer les réussites politiques du moment. On l'utilise de temps à autre, mais on se méfie de lui. Surtout, il cherche à se rendre nécessaire. En août 1494, il écrira à L. Spinelli et à P. de Médicis : « ...je ne sçay quel chemin je prendray au party que le roy fera d'icy » (57). Sa position est donc toujours aussi peu assurée : il se demande sans cesse quel sera pour lui le lendemain.

Pour retrouver une place de premier plan, il semble avoir compté, entre autres, sur la carte florentine. Il défend les intérêts de la Seigneurie. Les ambassadeurs en témoignent, F. della Casa le répète dans plusieurs lettres, les 28 juin, 16 juillet et 31 août 1493 :

> *« Monseigneur d'Argenton, comme vous savez, est tout vôtre* (58) [......] *Nous lui sommes très obligés de ce qu'il nous sert activement partout où il le peut* (59) [......] *Il viendra néanmoins fort à propos à nos ambassadeurs dans bien des choses* (60) ».

Commynes lui-même le dit en 1491, en 1493, en 1494 :

> « *Je serai encore homme de cour pendant deux mois, toujours pret a vous servir partout ou je pourrai* (61) [......]. *Et si en riens vous plaist m'employer, savez que tousjours suis a vostre commandement* (62. [......] *Pour le temps que je y serai, m'emploieray voulentiers a vous faire quelque service* [......] *toutesfois j'espere estre encoures la ou sera le roy, m'ouffrant tousjours vous servir en ce que il sera possible* » (63).

Ses services ne sont pas négligeables. Il révèle certains secrets de la politique française. Plusieurs dépêches nous permettent de l'affirmer. En voici deux, qui sont significatives. L'une, de Fr. della Casa, en date du 9 novembre 1493 : « L'évêque de Saint-Malo a eu un entretien secret. Je l'ai su par le seigneur d'Argenton... Le seigneur d'Argenton nous assure, et je le crois, qu'il parle et travaille pour nous » (64). L'autre, de l'évêque d'Arezzo, du 29 novembre 1493 : « Nous avons appris, par le moyen de Monseigneur d'Argenton, que les promoteurs de l'entreprise (65) ont tellement réussi à échauffer le roi qu'on ne l'a jamais vu si furieux » (66). Il introduit les envoyés florentins auprès de Charles VIII (67). Pourquoi une telle obligeance ? Sans doute pour obtenir un règlement avantageux de ses affaires avec la banque des Médicis, et aussi pour en retirer quelque profit :

> « *Je crois que le seigneur d'Argenton restera notre ami ; et, pour ne pas l'irriter, je lui ai toujours dit que, si Dieu nous faisait la grâce de réussir et de nous dédommager d'une partie des torts que vous avez soufferts du temps de Lionetto, vous lui feriez bien sa part ; j'estime que cet espoir l'engagera à faire quelque chose et même beaucoup s'il ajoute foi à ma parole* » (68). « *Ecrivez-lui, remerciez-le, et tâchez de le satisfaire, si vous pouvez, sur les trois chefs de demande que je vous ai transmis de sa part, ou au moins sur une partie de ceux-ci, surtout quant à son affaire avec Lorino qu'il désirerait faire retirer de l'ordinaire ; il a écrit à Peron de Baschi de le solliciter ; tâchez donc de l'obliger ou de vous en excuser de la meilleure façon, et, en tout cas, songez à le récompenser par quelque service ; car c'est un homme assez convoiteux, et qui ne sert pas tant par amour que pour tirer de vous quelque chose* » (69).

C'était, d'ailleurs, le comportement de tous, à en croire le même ambassadeur, qui n'a plus d'illusions sur le désintéressement des familiers du roi (70).

Mais Commynes attendait aussi de ses manœuvres un succès d'ordre politique. Francesco della Casa est très explicite dans une lettre du 28 juin 1493 (71) : « Et en outre il espère se servir de vous, ou du moins se faire honneur de vos affaires ». Il revient sur la même idée, le 16 juillet 1493 : « Il nous sert activement partout où il le peut, non pas autant pour l'amour naturel qu'il vous porte que pour se faire aussi honneur de nos affaires et se prévaloir de nous » (72). En effet, Pierre de Médicis menait une politique ambiguë, toute de dissimulation, plus ou moins liée à celle de l'Aragonais Ferrand, l'adversaire de Charles VIII pour le trône de Naples. Commynes l'incita à se prononcer nettement en faveur de la France, « espérant que [ses] envois et [ses] parolles seront semblables » (73). Il rappela à Spinelli (74) tous les griefs qui étaient formulés contre la Seigneurie florentine : amitié pour le roi de Naples dont elle avait accueilli la flotte à Pise ; refus de prêter de l'argent à Charles VIII, alors qu'elle avait répondu aux sollicitations de Ferrand ; conduite hypocrite. Commynes avait défendu et défendait encore les Florentins contre ces accusations ; il s'était efforcé de convaincre « aucuns personnaiges et en bon lieu ». Après une menace voilée (« après ce coup, ne m'en empescheroie plus si je vous veoye gens obstinés »), il leur indiquait la voie à suivre :

> *« Et me semble bien que si ladicte seignorie de Florence se vouloit declairer franchement pour le roy et que le seigneur Pierre en feust moien, qu'ils seroient receus plus en faveur et amytié avecques luy qu'ils ne feurent jamais avec le feu roy Loys, a qui Dieu pardoint. Et ne fault point craindre que a l'appetit de mil ennemys qu'ils eussent, le roy feist chose dont ils se deussent douloir ; et seroient les choses mieulx entendues que jamais. Et si n'entend point qu'ils feissent nulle declaration jusques a ce qu'ils veissent l'eure propice ».*

Qu'ils dissimulent donc, mais avec finesse. Il leur adressait une solennelle mise en garde : « Si vous vous mectez en dissimulations, les rapports et malveillances croytront chacun jour ; aussi vous veez bien qu'il n'en est plus temps ». Il tenta donc de rallier P. de Médicis au roi de France, de le détacher des Aragonais de Naples, de le faire entrer dans la ligue qui unissait Milan, Venise et le Pape (75). Il aurait pu se targuer de cette réussite diplomatique pour s'imposer de nouveau. N'est-ce pas l'avis de l'ambassadeur florentin à Venise qui estime, le 16 octobre 1494 :

> « *Il comptait bien vous amener, vous et la cité, à lui accorder des conditions plus honorables qu'en obtiendrait homme de France* » 76) ?

Trop peu docile, P. de Médicis continua à pratiquer le double jeu. Charles VIII expulsa les marchands florentins du territoire français. Le fils du Magnifique finit par être renversé et chassé de sa cité. Par la faute de ce dernier, Commynes subit un nouvel échec. On conçoit qu'il ne soit pas tendre pour cet incapable, bouffi de vanité, qui lui fit manquer sa rentrée politique, et dont il dénonce dans les *Mémoires* (77) les maladresses et la vaine hypocrisie. Au passage, il décoche une flèche à Spinelli, trop peu persuasif, « homme de bien en son estat, et assés nourry en France ; mais des choses de nostre court ne povoit avoir nulle congnoissance » (78).

Sa préoccupation constante était de retrouver sa prépondérance des années 1472-1477. Tous les moyens lui étaient bons. Il ne convient pas d'admettre sans examen qu'il ait été, de tout temps, un ennemi déterminé de l'aventure napolitaine. Il le fut surtout dans ses *Mémoires*, une fois de retour en France, la faillite consommée, et principalement pour accabler Briçonnet et Et. de Vesc. N'oublions pas que celui-ci avait aidé à le déposséder de Talmont et que, favori de Charles VIII, il s'était mis, avec quelques autres, en travers de la route de notre auteur (79). Commynes n'a pas de mots assez durs contre ses adversaires, et les historiens l'ont suivi, malmenant le cardinal de Saint-Malo aussi bien que le sénéchal de Beaucaire, que Louis XI, pourtant, avait déjà distingué.

Le mémorialiste a-t-il toujours eu une attitude aussi ferme à propos de l'expédition italienne ? Mandrot, peut-être partial, pense que « Commynes qui se souciait peu d'encourir une disgrâce nouvelle ou de se fermer l'accès du Conseil, maintenait donc son opposition à cette entreprise qui passionnait tant de gens, mais discrètement, sans faire d'éclat » (80). Il faut aller plus loin et produire le témoignage de Francesco della Casa : « Monseigneur d'Argenton ...fait aux autres de ce côté des promesses qu'il ne songe pas à tenir [...] Monseigneur d'Argenton lui-même oriente habilement sa voile de ce côté pour voguer avec le vent qui souffle » (81), c'est-à-dire avec les partisans de Ludovic le More qui a acheté les membres influents de l'entourage royal et qui pousse à la guerre (82).

Peu importe au chroniqueur que l'entreprise soit une folie : il veut reprendre sa place (une place quelconque), en manifestant son habileté ou, à défaut, son zèle. C'est pourquoi il équipa à ses frais une grosse galéasse, chargée d'artillerie (83) « que patronisoit ung appellé messire Alberthinely, sur laquelle estoit ledict duc [d'Orléans] et les principaulx ». Il s'engagea pour six mille ducats sur les sommes empruntées : « Et y fuz, pour ma part, pour six mil ducatz (84), et aultres pour le reste ». Il ne précise pas comme il le fit dans une lettre à Sforza, le 4 février 1495, que Saint-Malo et Et. de Vesc donnèrent aussi leur caution et que c'est leur exemple qui le décida lui-même : « ...voyant cela et que monseigneur de Saint-Malo et monseigneur le seneschal s'y mettoient, je m'y suis mis aussi, esperant qu'ils en savoient bien l'issue » (85). Il fut l'un des premiers à partir : « A la fin, le roy se delibera de partir ; et si montay a cheval des premiers, esperant passer les monts en moindre compaignee » (86). Remarquons la fin de cette citation : de peur qu'on ne l'accuse de zèle intempestif, et d'avoir adopté des attitudes contradictoires, Commynes ajoute que son empressement à franchir les Alpes s'explique par des raisons de commodité personnelle.

Durant les trois années qui précédèrent la guerre d'Italie, Commynes n'était plus disgracié ; mais il ne jouait pas un rôle de premier plan. Il suivait la cour dans ses déplacements, comme nous pouvons le déduire en comparant sa correspondance avec celle du souverain. Le 3 décembre 1491, il écrit de Tours à Laurent de Médicis, et le même jour, de la même ville, le roi adressait une lettre à Jean Bourré (87). Le 13 janvier 1492, d'Orléans, Commynes relatait au Magnifique que « desa n'est riens sourvenu puis ce mariage » (88) ; de la même cité, le 19 janvier, Charles VIII donnait de ses nouvelles aux habitants de Tournai (89). L'un et l'autre (90) étaient à Senlis le 8 mai 1493, d'où notre auteur envoyait des recommandations à Pierre de Médicis (91). L'un et l'autre étaient à Vienne le 6 août 1494 (92). A ce qu'il semble (nous reconnaissons que les documents ne sont pas abondants), notre historien, avec, au moins, une absence prolongée durant l'été de 1493, fut un courtisan assidu qui essayait de se rendre indispensable. On recourait quelquefois à ses services. Les *Mémoires* nous apprennent qu'il participa aux négociations qui aboutirent au traité de Senlis et ramenèrent la paix entre Maximilien d'Autriche et Charles VIII, ce dernier renvoyant à son père la petite Marguerite qu'il avait rejetée pour épouser Anne de Bretagne :

> « *Et a ladite paix me trouvay present et des depputez, qui estoient mons*[r] *le duc Pierre de Bourbon, le prince d'Orenge, mons*[r] *des Cordes et plusieurs grans personnaiges* » (93).

Cette énumération (ainsi que la formule grossissante de la fin) tend à nous suggérer qu'il siège alors aux côtés des plus grands. Il s'occupa des affaires d'Italie, au sein d'une commission de cinq membres. Témoin cette lettre de F. della Casa, du 28 juin 1493 (94) :

> « *Le roi revint ici samedi passé, qui était le 22 de ce mois, au soir. Le lendemain matin, dimanche, je fus introduit auprès de Sa Majesté par Monseigneur d'Argenton, et j'eus ma première audience dans un petit cabinet à l'usage privé du roi* [Celui-ci lut la lettre de Florence] *...Après cette lecture, il se retira avec le sénéchal et monseigneur d'Argenton, et, ayant pris connaissance de la lettre de la Seigneurie et délibéré avec eux, il me dit que j'étais le bienvenu... Cela dit, il s'en alla à la messe. De mon côté, je me retirai avec monseigneur d'Argenton et le sénéchal qui m'annoncèrent avoir reçu du roi ordre et commission de m'entendre le lendemain sur mes lettres de créance, avec l'assistance de quelques autres seigneurs qui en sont chargés ...M'étant aperçu en causant avec lui* [i. e. avec le prince de Salerne] *qu'il était choisi pour siéger à mon audience, je ne pus m'empêcher de voir dans cette désignation une inadvertance peu honorable pour le roi et pour nous, et secrètement j'en avertis monseigneur d'Argenton en lui en démontrant la portée. Celui-ci reconnut la justesse et l'exactitude de mon observation il retourna auprès du sénéchal et le roi ordonna qu'on désignerait le lendemain avec le général de Languedoc* [Briçonnet], *comme délégués chargés de cette affaire, le maréchal des Cordes, gouverneur de Bourgogne, le sénéchal* [Vesc] *et Argenton. C'est ce qu'on fit* ».

Mais on cachait à Commynes certains secrets (95), en sorte qu'E. Benoist n'a pas tort de conclure (96) : « Objet de la jalousie des autres courtisans, et médiocrement craint par eux, il ne rend que des services de second ordre, n'a jamais le dernier mot dans les affaires et n'est guère écouté par personne ». Il serait bon toutefois d'effacer dans ce jugement quelques adverbes.

III. - L'ITALIE

« Aux princes d'Ytalie (dont la pluspart possedent leurs terres sans tiltres, s'il ne leur est donné au ciel ; et de cela ne povons que deviner), lesquelz dominent assez cruellement et violentement sur leurs peuples quant a leurs deniers, Dieu leur a donné pour opposite les villes de communaulté qui sont audict pays d'Italye, comme Venise, Florence, Gennes, quelquefois Boullongne, Sene, Pise, Lucques et autres, lesquelles, en plusieurs cas, sont opposites aux seigneurs et les seigneurs a eulx, et chascun a l'œil que son compaignon ne s'accroisse » (Commynes, II, 208).

A. - L'épisode vénitien

LES PREMIERS PAS

Sur cette partie de la vie de notre auteur (1494-1495), nous disposons de renseignements plus abondants ; il suffirait même de lire les livres VII et VIII des *Mémoires* pour reconstituer son itinéraire. Mais il convient de ne pas suivre aveuglément Commynes, d'autant plus qu'il tend à montrer que sa conduite fut la plus habile possible et que, si en fin de compte, il ne put empêcher la formation de la Saint-Ligue, la faute en incombe à Charles VIII et à ses conseillers qui ne l'écoutèrent pas.

Au début de septembre 1494, il passa les Alpes avec l'armée française, dans les plus mauvaises conditions, si l'on ajoute foi à son témoignage : l'organisation était déplorable, et l'argent manquait : « Et pouvez veoir quel commencement de guerre si Dieu n'eust guidé l'œuvre » (1). Arrivé à Asti le 9 septembre, il y resta plusieurs jours, bien qu'on eût décidé de l'envoyer comme ambassadeur à Venise (2), sans doute, d'une part, pour l'éloigner, car on redoutait ses manœuvres, de l'autre, pour honorer la Seigneurie qui avait observé jusque-là une stricte neutralité et l'empêcher de se prononcer contre la France. C'est ce que l'intéressé lui-même révéla à Soderini (3) : « ...le roi, ayant toujours entretenu à Venise un homme d'un rang peu élevé, a jugé bon de l'y envoyer maintenant pour faire honneur aux Vénitiens et leur faire croire à son estime ».

On avait, d'abord, songé à le charger d'une mission à Florence. Mais, selon toute vraisemblance, on se méfia de ses trop vives sympathies pour les Médicis. C'est pourquoi on le choisit pour représenter Charles VIII à Venise, cependant que le président de Provence s'en allait à Florence (4). Une dépêche de Soderini, chiffrée et datée du 16 octobre 1494 (5), nous informe de ces tergiversations. Elle rapporte les propos du mémorialiste qui aurait suggéré aux dirigeants français de l'envoyer vers les Florentins, assuré d'obtenir d'eux les conditions les plus favorables, mais qui aurait refusé de s'associer aux rigoureuses mesures qu'on méditait de prendre contre eux. C'est, répétons-le, la version de Commynes lui-même qui cherche à dissimuler un premier échec en se donnant le beau rôle et en se présentant comme un ami sincère et constant de Florence.

Quoi qu'il en soit, Briçonnet hésita beaucoup avant de se prononcer. Faut-il parler d'une sorte de disgrâce qui frapperait de nouveau notre écrivain ? Ce serait excessif, et hasardeux. Mais il est certain que sa mission fut ingrate de bout en bout, car jamais il ne servit d'intermédiaire entre Charles VIII et les Vénitiens. C'est pourquoi il serait erroné d'estimer avec Varenbergh : « ...c'était le poste d'honneur, et le roi, en l'y nommant, témoignait de la confiance qu'il avait en l'habileté de notre homme d'État » (6).

Le roi malade de la « petite vérole » (7), le départ de Commynes fut retardé. Sans doute essaya-t-il, durant ces journées décisives où le destin hésitait, de mettre un terme à l'expédition, afin de préserver Florence qui s'était alliée aux Aragonais de Naples.

Mais, le 25 septembre, il finit par s'éloigner de Charles VIII (8) et par se diriger vers Venise, se demandant toujours si son maître persisterait dans son entreprise. Le duc de Milan (ou plutôt son oncle, le More) s'efforça d'aplanir devant lui toutes les difficultés. Pour le flatter, mais aussi pour l'espionner, il ordonna à son ambassadeur de l'escorter (9). Commynes passa par Pavie dont il visita la Chartreuse. A cette occasion, perce, dans ses *Mémoires*, sa verve anticléricale, en même temps que le désir de rappeler que tous les hommes sont soumis à un sort identique, avec, au terme d'une existence tourmentée, la décomposition et la putréfaction du cadavre :

> « *Son corps* (10) *est aux Chartreux a Pavye, près du Parc, plus hault que le grand ostel ; et le m'ont monstré les Chartreux, au moins ses os (et y monte l'on par une eschelle), lesquelz sentoient comme la nature ordonne. Et ung natif de*

> *Bourge* (11) *le m'appella sainct, et je luy demanday en l'oreille pourquoy il l'appelloit sainct, et qu'il pouvoit veoir painct a l'entour de luy les armes de plusieurs citez qu'il avoit asurpees, ou il n'avoit nul droit... ; il me respondit bas : « Nous appellons, en ce païs icy, sainctz tous ceulx qui nous font du bien ». Et il fit ceste belle eglise de Chartreux qui, a la verité, est la plus belle que j'aye jamais veue, et toute de beau marbre* » (12).

Nous voilà dans un climat très proche de celui du *Testament* de Villon. Le chroniqueur traverse Brescia, Vérone, Vicence, Padoue. Il fut partout accueilli avec les plus grands honneurs (13). Il se plaît à le mentionner dans son œuvre, attentif à noter tout ce qui, pour lui, était nouveau, mais aussi flatteur. Il ne manque pas de remarquer les coutumes curieuses de l'Italie (14) ; mais il se plaint qu'il faille distribuer de nombreux pourboires :

> « *Mais qui compteroit bien ce qu'il fault donner aux trompetes et tabourins, il n'y a gueres de gaing a ce deffray ; mais le traictement est honnourable* »

A Venise, on se préparait à le recevoir le plus somptueusement possible, et l'ambassadeur n'y sera pas insensible. Sa mission était de rassurer ses interlocuteurs : Charles VIII n'avait pas passé les Alpes pour leur nuire, mais seulement pour recouvrer le royaume de Naples qui lui appartenait. Commynes essaiera, à nouveau, de tirer son épingle du jeu et de remporter un succès diplomatique. Livré à ses seuls moyens, dédaigné, soupçonné, il se débattra en vain.

VENISE

Il toucha au but le 2 octobre 1494. Son arrivée était attendue avec impatience, comme en témoigne une lettre du 1er octobre, écrite à Pierre de Médicis par Paolo-

Antonio Soderini qui annonce son intention de lui rendre visite le plus tôt possible (15). Il semble que les Vénitiens aient voulu l'éblouir. De fait il ne parviendra pas à se déprendre d'une vive admiration pour la richesse de la cité et la magnificence de son accueil. Il raconte en plusieurs pages ce qu'un Sanudo, blasé, résume en quelques lignes (16). Cette fascination, qui transparaît dans les *Mémoires*, a peut-être paralysé par moments son esprit critique.

A cinq milles de Venise, vingt-cinq chevaliers l'attendaient. Revêtus de soie et d'écarlate, ils lui souhaitèrent la bienvenue et l'invitèrent à monter dans un petit bateau tapissé. De là, son escorte le conduisit dans une église de Saint-André, où d'autres grands personnages et des ambassadeurs le haranguèrent à leur tour. Pour déployer à ses yeux tout le luxe de la cité, on le fit passer sur un autre bateau, de grandes dimensions, recouvert de satin cramoisi et tapissé dans le bas, où pouvaient se tenir quarante personnes. On lui réserva la place d'honneur, entre deux hôtes de marque. On remonta le Canal Grande, bordé de riches maisons, aux façades de marbre blanc ou de porphyre, pour l'amener à sa résidence, l'abbaye de Saint-Georges, où étaient logés les représentants des souverains étrangers.

Commynes s'est plu à noter les moindres détails de la somptueuse réception qu'on lui réserva. Sa vanité en fut flattée, sa méfiance émoussée. Constamment revient sous sa plume l'adjectif *beau*, qu'il s'agisse des palais, des monastères, de l'arsenal, des rues, des églises... Il admira aussi la sagesse du gouvernement, peu démocratique (17), et peut-être l'exagéra-t-il, afin d'excuser les maigres résultats de sa mission. Pour lutter à armes égales avec des gens aussi habiles, il eût fallu que le roi l'écoutât. Il aura tendance à rejeter les torts non sur Venise qu'on pouvait accuser de duplicité, mais sur Charles VIII et ses conseillers dont l'incompétence et l'incurie laissèrent échapper des occasions inespérées (18).

Au cours de la première audience, le 3 octobre, il exposa les projets du gouvernement français et s'efforça de calmer les appréhensions des Vénitiens (19). Il les remercia d'abord de leurs professions de foi et de leurs réponses. Ensuite, il indiqua que Charles VIII n'avait pas l'intention d'usurper toute l'Italie (n'avait-il pas rendu, en d'autres régions, le Roussillon à l'Espagne et certaines places à Maximilien d'Autriche ?), mais qu'il se bornerait à rentrer en possession de son héritage, c'est-à-dire du royaume de Naples, à reconquérir sur les Infidèles les terres et les villes dont ils s'étaient emparés, à payer au Pape son tribut, à restituer Ostie à Julien de La Rovère. Commynes apporta des précisions sur la marche des soldats français : les uns se réuniront dans un camp près de Ferrare, les autres sous les ordres de Montpensier, marcheront sur Florence qui favorise et soutient les ennemis, sans pour autant que le souverain veuille s'approprier une partie du territoire florentin, ou intervenir dans les affaires intérieures de cet Etat qui, à son gré, pourra garder à sa tête Pierre de Médicis ou rétablir le gouvernement démocratique. Il termina par des remerciements pour les honneurs dont il avait été le bénéficiaire (20).

En séance secrète, il compléta son exposé (21) : la France est disposée à joindre au traité d'alliance qui lie les deux puissances des articles additionnels pour rassurer complètement Venise ; assez étendue, elle agit non par cupidité, mais pour le bien de la religion ; elle est prête à céder à la République quelque ville ou port au royaume de Naples, jusqu'à ce que cette dernière ait recouvré sur le Turc des places plus importantes en Grèce.

Le 4, Commynes présenta ses lettres de créance au doge, dont les *Mémoires* exaltent la sagesse (22). Une semaine durant, il attendit la réponse (23), qui fut riche d'actions de grâces et de louanges, mais dans laquelle les Vénitiens ne se prononcèrent clairement sur aucun point : ils affirmaient qu'aucun soupçon n'avait jamais traversé leur esprit au sujet des desseins de Charles VIII ; ils se félicitaient de « l'amitié, l'union et l'alliance » qui attachaient les deux parties « par des liens si solides et si sincères » ; ils invitaient le roi à considérer comme ses biens propres l'Etat et les richesses de Venise ; il dénonçaient l'imminence du péril turc, sans omettre de se concilier la sympathie de notre auteur par un compliment bien tourné (24). Mais dans les jours qui suivirent, Commynes ne parvint pas à obtenir pour son maître un prêt de 50.000 ducats (25).

Il était fort occupé, traitant avec les représentants de toutes les puissances italiennes. Il se lie étroitement avec l'ambassadeur milanais, Taddeo Vicomercati, qu'il prie de le recommander à Ludovic Sforza (26), et qui semble chargé de le suivre pas à pas, soit pour le gagner à la cause du More, soit pour le surveiller. Deux dépêches du Florentin Soderini nous incitent à le penser. Dans l'une, du 6 octobre 1494, nous lisons : « ...Monseigneur d'Argenton m'envoya hier matin son secrétaire pour s'excuser de ne point encore m'avoir fait mander, mais que la cause en était qu'*il avait constamment l'ambassadeur de Milan sur les talons*, et qu'il m'écrirait ce qu'il aurait à me dire » (27). Notre mémorialiste évite de se montrer avec le porte-parole de P. de Médicis, de peur qu'on ne le soupçonne de mener une partie double. Par la seconde de ces lettres (16 octobre 1494), qui était chiffrée, nous apprenons que Commynes a convoqué Soderini, profitant de ce que le gros temps tenait éloigné de lui l'émissaire de Ludovic (28) : il regretta de ne pas le recevoir plus souvent, affirmant qu'il lui fallait « se soumettre aux circonstances ».

On peut aisément en conclure que l'historien demeure en contact avec le Florentin, et qu'il est à l'affût de toutes les occasions qui lui permettent de le rencontrer. Il lui confie, semble-t-il, des secrets politiques. Soderini n'écrit-il pas à son maître (29) : « Vous porterez un bon jugement, j'en suis certain, de la nature et du caractère de cette confidence » ? En particulier, Commynes lui révèle que la majorité des conseillers français est hostile à l'expédition (30), et même que, si le légat du pape se hâte de se rendre à Asti où réside Charles VIII (et il est prié d'effectuer ce voyage au plus tôt), tout peut être aplani, voire remis en question. Il est probable que, par ce moyen, notre écrivain essaie d'empêcher le heurt qui risque d'être préjudiciable ou fatal à son protégé et ami, Pierre de Médicis. Celui-ci a compris qu'il importait à ses intérêts d'avoir à son service, dans le camp français, une personne bien informée. Aussi ne cesse-t-il de flatter le sire d'Argenton. Nous en avons une preuve flagrante dans une lettre qu'il écrivit à Soderini, le 11 octobre 1494 (31) :

> « *...vous ferez lire à Son Excellence le paragraphe suivant. J'ai appris, à ma grande satisfaction, que mon cher seigneur d'Argenton était arrivé là-bas, et, dès que j'eus connaissance de son voyage, j'en ressentis un grand encouragement. En vérité, Sa Majesté le roi de France ne pouvait envoyer une personne plus capable, plus sage, plus intègre, plus éclairée, ni plus amie de notre nation ...Ce que vous me mandez par vos deux lettres a comblé au-delà de toute mesure la bonne opinion et la confiance que m'inspire Son Excellence. En apprenant la recommandation offi-*

> *cieuse qu'elle vous avait faite d'envoyer en hâte le légat vers Sa Majesté le Roi de France, j'écrivis sur le champ en due forme où besoin était ».*

Pierre s'appliqua à gagner le chroniqueur, d'une part, en lui décernant des éloges dithyrambiques, de l'autre, en appliquant (ou en prétendant appliquer) ses avis au pied de la lettre, enfin, en sollicitant ses conseils :

> « *En dernier lieu, remerciez vivement Son Excellence en la priant de vouloir nous prévenir amicalement, si elle avait l'une ou l'autre recommandation à nous faire, et lorsqu'elle retournera auprès du roi son maître, je la supplie de continuer à faire l'office de bon patron et de bon seigneur, car c'est ainsi que l'est, selon moi, Son Excellence* ».

Nul doute que le fils de Laurent n'ait souvent réussi, puisque, lorsque Soderini communiqua cette missive à Commynes, celui-ci « l'écouta avec beaucoup d'attention et de plaisir » (32).

Deux autres passages de cette lettre nous éclairent sur la personnalité, les désirs et le comportement de l'historien. Dans le premier, le Florentin se félicite que son ami soit parvenu à « ce point où l'on pourra enfin l'apprécier à sa valeur » : il a senti que le sire d'Argenton jouait une partie décisive qui, en cas de réussite, lui permettrait de revenir sur le devant de la scène. Et voici le second :

> « *Son Excellence aimant ordinairement à connaître les nouvelles d'Italie, vous lui direz que Sa Sainteté et le roi Alphonse prendront les armes dans quelques jours contre les Colonna pour recouvrer Ostie, et que, pour cerner et attaquer leurs possessions, les armées du Pape et du roi (Sa Majesté s'y trouvera en personne) se composeront de 70 escadrons, de 3000 chevau-légers et de 5000 fantassins* ».

Pierre et Commynes échangeaient des renseignements. Celui-là voulait peut-être effrayer les Français. Celui-ci espérait gagner sur tous les tableaux. Il aidait les Florentins à naviguer à travers les écueils d'une situation ambiguë ; il obligeait Charles VIII en lui apportant, sur les desseins de ses adversaires, des informations d'autant plus intéressantes qu'elles provenaient du camp ennemi. Tout se pratiquait dans l'ombre. Notre mémorialiste qui rencontrait secrètement Soderini lui recommandait expressément de ne pas révéler qui l'avait conseillé :

> « *Il m'a prié de vous écrire que vous ne laissiez pas soupçonner que c'est à son instigation que vous avez sollicité l'envoi de cette ambassade car, si le bruit en venait à la cour, il en subirait des désagréments* » (33).

Mais Commynes n'était pas le seul à « *pratiquer* » : Louis d'Orléans négociait avec les Aragonais de Naples par l'intermédiaire de Pellegrino Lorini (dont le chroniqueur s'était plaint dans le passé), tout comme Philippe de Savoie (34).

L'ÉCHEC FLORENTIN

Ambassadeur de Charles VIII, le sire d'Argenton était chargé d'une mission officielle : maintenir Venise dans la neutralité et l'empêcher de se joindre, contre les Français, à Ferrand Ier :

> « *Il dit qu'il n'a aucune espérance de rien obtenir de cette seigneurie, mais que... il n'y a pas bien longtemps encore, il n'était nullement clair que ceux-ci voulussent rester neutres et ne pas s'immiscer dans ces affaires* » (35).

Mais il avait entrepris, dans le même temps, de séparer Pierre de Médicis des Napolitains et de le réconcilier avec

Charles VIII. Cette seconde mission lui avait-elle été confiée officieusement par les conseillers du roi, Briçonnet et Vesc ? Il nous le dit dans ses *Mémoires* (36) : « J'en avoie le pouvoir de bouche du seneschal de Beaucaire et general ». Mais nous n'en avons aucune autre preuve qui ne soit pas suspecte, en sorte que le problème demeure entier : agit-il de sa propre initiative, ou bien n'est-il qu'un exécutant zélé ? S'il réussit, s'il supprime, avant l'arrivée du souverain, cet obstacle dressé sur la route de Naples, si, en un mot, il facilite l'expédition qui tient tant au cœur de Charles VIII et de ses favoris, il aura marqué des points. Il tente désespérément de servir deux maîtres, comme nous en convainc la longue dépêche chiffrée que Soderini expédia le 16 octobre 1494 (37). D'un côté, il proclame son dévouement absolu à la famille des Médicis et à Florence :

> « *En somme, il conclut que vous et la cité, vous pouviez placer en lui la plus entière confiance et la plus grande sécurité, protestant que partout où il pourrait vous obliger, il le ferait avec autant de zèle, d'affection et de dévouement que vous pourriez le faire vous-même* ».

De l'autre, il conseille au fils du Magnifique de manœuvrer avec souplesse et opportunisme, de ne pas heurter de front le roi, mais plutôt de l'aider :

> « *Si on laisse passer la saison... il est indubitable qu'on finira par conclure une paix à laquelle il vous engage fortement à vous montrer favorable, en procurant à Sa Majesté le plus d'honneur et de satisfaction que vous pourrez, dans l'intérêt même de votre honneur et de celui de votre cité, car bien que, dans les circonstances présentes, Sa Majesté se montre fortement irritée contre vous et la cité, parce qu'elle se figure que vous lui arrachez la victoire des mains, néanmoins si*

> *vous l'aidez de façon qu'elle vienne à bout de son entreprise avec quelque honneur et quelque satisfaction, elle vous rendra non seulement sa bienveillance et son affection..., mais elle vous en aura aussi une éternelle obligation* ».

Il lui révèle que c'est le pape, puis Ludovic le More qui ont jeté son maître dans l'aventure italienne, et que les mesures rigoureuses dont on a usé envers les Florentins ont été prises à l'instigation des premiers fauteurs de l'entreprise, de Briçonnet, d'Et de Vesc et d'Urfé. Plus tard, Charles VIII poursuivant sa marche, Commynes invita Pierre de Médicis à fortifier ses places pour arrêter l'armée française. En effet, comme il n'avait pu ménager une réconciliation entre les deux parties, il importait que l'affaire traînât en longueur, que le souverain rencontrât des résistances et que lui-même eût le temps de s'entremettre de nouveau :

> « *Monseigneur d'Argenton a beaucoup questionné mon secrétaire sur les fortifications de Livourne, sur les ressources de cette ville en hommes et en artillerie et sur les autres places que nous possédons sur le littoral ou à proximité de la mer. Le secrétaire lui ayant répondu que nos places étaient assez bien pourvues de tout pour n'avoir rien à craindre, il laissa entendre qu'on lui avait assuré le contraire, et il insista beaucoup pour que je vous engageasse à les approvisionner de manière qu'on ne puisse en occuper aucune ; car, si l'on réussit à temporiser jusqu'à ce que la saison ne permette plus de tenir la campagne, il y a tout lieu d'espérer un bon arrangement (...) C'est pourquoi monseigneur d'Argenton vous engage et vous adjure de nouveau à faire tous vos efforts pour qu'on ne remporte aucun avantage sur nous d'ici à*

> *quelque temps et qu'on ne s'empare d'aucune de nos places, espérant bien que vous y appliquerez tous vos soins* » (38).

Cette politique échoua. Pierre continua à louvoyer sans se prononcer nettement, ni renoncer à l'alliance napolitaine ; il se contenta de prodiguer de bonnes paroles et de protester de son attachement à la couronne de France (39). L'hostilité de Charles VIII s'accrut contre le gouvernement médicéen, qui n'écouta ni les recommandations, ni les objurgations, ni les mises en garde de notre auteur, comme en témoignent ces lignes que Soderini a ajoutées à sa dépêche du 22 octobre (40).

> « *Il* [Commynes] *espère que vous reconnaîtrez enfin la grande faute que vous avez commise en vous découvrant de jour en jour davantage, et en faisant acte d'hostilité envers Sa Majesté, avec quelques autres Alphonsins, et que votre ville dont il connaît l'attachement envers le roi, se prononcera pour lui, quand il aura conquis son royaume de Naples* ».

Commynes reproche à P. de Médicis et de n'avoir su dissimuler, et de n'avoir tenu aucun compte des sentiments de ses concitoyens.

De surcroît, contrairement à l'attente de tous et aux prévisions des gens les plus sagaces et les mieux informés, les Français ne rebroussèrent pas chemin. Malgré les rodomontades de ses maîtres, Florence ne leur opposa pas une résistance suffisante pour entraver leur marche : « ...ilz eussent esté destruictz, a la petite provision qu'ilz avoient, et si ne savoient que c'estoit de guerre » (41). Alors, Pierre accorda tout ce qu'on lui demanda, et même devantage (42). Mais c'était trop tard : il avait le couteau sur la gorge, et notre mémorialiste ne put s'attribuer le mérite de ce ralliement. Bien plus, cette soumission entraîna une révolution à Florence (43). Le 9 novembre, le fils du Magnifique fut chassé, et contraint de se réfugier à Venise. Pour nous donner une preuve de sa fidélité et de son dévouement, Commynes dramatise volontiers, dans ses *Mémoires*, l'arrivée du fugitif dans la cité des doges, et suggère, sans le dire explicitement, qu'il lui procura un traitement très honorable par son intervention auprès d'Agostino Barbarigo. Considérons la suite de son récit (44) :

1°) les Vénitiens hésitèrent à accueillir Pierre qui attendit deux jours hors de la ville ;

2°) afin de connaître les sentiments de Charles VIII, ils interrogèrent son ambassadeur qui affirma que son maître n'était pour rien dans ce bouleversement ;

3°) ils reçurent alors et honorèrent l'exilé.

Notre auteur juxtapose les faits, en nous incitant à établir une relation de cause à effet entre eux. A lire le témoignage de Sanudo (45), nous n'avons pas la même impression, encore que des éléments soient communs aux deux historiens.

Avec la chute de P. de Médicis, le seigneur d'Argenton perdit beaucoup : des avantages financiers, des amis, et une occasion de retrouver la faveur du roi. Aussi, dans son œuvre, n'est-il pas tendre pour ce partenaire maladroit sur qui il rejette l'entière responsabilité de l'échec. Le fils du Magnifique ne sut pas choisir ses porte-parole dont certains, par leurs intrigues secrètes, provoquèrent contre lui l'hostilité de Charles VIII (46). Il ignora l'art subtil de sauvegarder les apparences, gouvernant la cité « comme s'il eust esté seigneur » (47), au point de susciter inimitié et envie parmi les notables et au sein même de sa famille. Quand il négocia personnellement, il perdit tout sang-froid et livra trop facilement villes et places fortes (48). Il ne dut ses malheurs qu'à lui seul, car il avait méprisé les avis de Commynes (49).

Celui-ci, toutefois, n'a aucune sympathie pour les ennemis de Pierre qui, en chassant le tyran, ont gravement lésé ses propres intérêts. Il leur reproche leur ingratitude envers une famille dont plusieurs membres avaient été leurs bienfaiteurs : « ...Sans avoir memoire des biensfaictz de Cosme et de Laurens de Medicis, ses predecesseurs, delibererent le chasser de la ville » (50). A ses yeux, Pietro Capponi n'est qu'un traître hypocrite « qui soubz main advertissoit ce que on devoit faire pour tourner la cité de Florence contre ledit Pierre » (51), alors que les historiens italiens, tels que Paul Jove, exaltent sa grandeur et son courage (52) :

> « *Pierre Cappon, commissaire des Florentins, s'employant hardiment, en lieu dangereux, à fournir d'eschelles et à encourager les soldas, fut tué d'un coup de boulet d'une petite pièce d'artillerie par ceux du mur : estant homme fort memorable entre les gentilshommes tant pour l'ancienneté de sa race que principalement par ce notable fait, par lequel, eslevant une voix franche pour la dignité de la Patrie, contre l'orgueil des barons du roy Charles, decira les articles d'un déraisonnable accord* » (53).

Dans un premier temps, en octobre et en novembre 1494, notre écrivain a donc plus ou moins tenté soit d'arrêter l'expédition, soit de rallier P. de Médicis à la cause française. Mais tous ses efforts furent vains. Ensuite, volant au secours de la victoire, il s'appliquera à faciliter la marche en avant des conquérants et à maintenir Venise dans la neutralité. Fin janvier 1495, apprenant que renaissent différends et conflits armés entre Pise et Florence, il sera « fort contrarié (...) de crainte qu'ils n'entravent l'expédition de Naples » (54). Il manifestera du mécontentement contre le Pape lorsqu'il se prononcera contre

Charles VIII, et que s'enfuira son fils, César Borgia, cardinal de Valence, qui avait été remis à titre d'otage entre les mains des envahisseurs (55). Il éprouvera de la joie à voir les souverains espagnols ne pas rompre avec son maître.

Son attitude, toutefois, n'est pas aussi simple et claire que l'ont cru de nombreux commentateurs. Commynes continua à intriguer avec les Florentins des deux camps, avec les adversaires comme avec les partisans des Médicis. Aux premiers, il donna des gages pour préserver ses intérêts et conserver une place de choix dans la cité (56), il soutint leurs revendications sur Pise d'abord dans ses lettres (57) et de vive voix au conseil du roi (58), ensuite dans ses *Mémoires* (59). Il aida les seconds auxquels il avait lié son sort (60). Peut-être rêva-t-il d'être un médiateur entre les factions opposées (61).

Mais surtout il essaya de retenir Ludovic le More dans l'alliance française et les Vénitiens dans la neutralité. Envoyé auprès de ceux-ci avec une mission très vague, il voulut jouer le rôle d'un véritable ambassadeur ; mais le souverain ne recourut que rarement à ses services, en sorte qu'on finit par le prendre pour un espion, d'autant plus facilement que, plutôt que de se résigner à cette sinécure et à cet éloignement déguisé, il se dépensa avec zèle, réunissant des renseignements, interrogeant les émissaires de toutes les puissances représentées à Venise, envoyant de nombreux rapports à Charles VIII.

L'ÉCHEC MILANAIS

Toutes ces tentatives échouèrent à peu près dans le même temps. Auprès de Ludovic Sforza, d'abord. Commynes a-t-il été dupe des belles paroles du More ? Il est difficile de se prononcer. Ce qui est indéniable, c'est qu'il n'a su l'empêcher d'abandonner Charles VIII qu'il avait poussé à franchir les Alpes, et de passer dans le camp ennemi.

Dans les premiers mois de son ambassade, notre auteur collabora avec le représentant de Sforza, Taddeo Vicomercati, qui le flatte et suit ses conseils. Ainsi, le Milanais n'ira pas au-devant de l'ambassadeur espagnol comme il l'avait pensé d'abord, mais, à l'instigation de Commynes, il lui rendra visite à son domicile (62). Le chroniqueur, à son tour, le consulte sur des points délicats et lui demande d'inciter le More à intervenir auprès de Charles VIII. Témoin cette dépêche, écrite par Vicomercati, le 22 octobre 1494 (63) :

> « ...[Commynes] *me donna lecture d'une lettre de Sa Majesté, datée de Pavie. Il me demanda ensuite conseil sur la manière dont on pourrait communiquer cette lettre à la Seigneurie d'ici, et je lui donnai les avis qui me paraissaient les plus opportuns, en lui disant comment j'en userais moi-même en pareil cas sauf que Sa Seigneurie, prudente et expérimentée comme elle l'est, saurait bien mieux mener l'affaire que je ne pourrais le lui conseiller. Il me demanda, vu que les gens de Sa Majesté Très-Chrétienne n'ont pas la pratique des affaires de ce pays et ne sont pas instruits des usages italiens, de vouloir bien écrire à Votre Excellence, en son nom, pour la prier d'engager le roi Très-Chrétien à tenir cette illustre seigneurie au courant de ses desseins jour par jour et de ne pas trop se reposer sur les bonnes réponses qu'elle lui a faites, précaution nécessaire à son avis. Il me pressa beaucoup de vous transmettre cet avertissement* ».

De ce passage, nous pouvons conclure :

1°) que Commynes n'avait pas l'oreille du roi ;

2°) qu'il insinue que le More avait une grande influence sur Charles VIII (n'est-ce qu'une flatterie ?) ;

3°) que l'attitude de Venise l'inquiétait.

Quoi qu'il en soit, il ne se méfie pas de l'allié milanais ; on ne saurait le lui reprocher, puisqu'à cette date, aucun nuage n'avait encore obscurci les relations entre le souverain français et Ludovic, bien que les *Mémoires* fassent état de suspicions, en relatant le séjour à Pise, où l'armée d'invasion était arrivée le 14 octobre 1494 (64).

Le 18 novembre, l'envoyé de Sforza communique à son maître que le cardinal de Gurck a écrit à notre auteur, à la fois pour lui annoncer que le Pape l'a désigné comme légat auprès de Charles VIII, et pour lui recommander d'affermir la neutralité de Venise qui a promis de secourir Alphonse de Naples à la belle saison (65). La méfiance de Commynes est-elle alertée ? Il ne semble pas. Il sollicite, sur la conduite à tenir, l'avis de Vicomercati qui s'empresse de le rassurer : « Je lui dis qu'on parle de diverses façons et qu'on dit beaucoup de paroles creuses sans fondement ; qu'il me paraît que la seigneurie est tellement assurée et certaine des bonnes dispositions de Sa Majesté Très-Chrétienne qu'elle peut se reposer sur elle avec une juste confiance ».

Le 27 novembre, préoccupé par certaines rumeurs et des préparatifs qui se font tant sur terre que sur mer, le mémorialiste s'adresse directement au More : il ne sait que penser de l'attitude des Vénitiens ; il repousse les accusations lancées contre les Français qui auraient ôté leurs libertés aux Florentins, lèveraient sur eux de lourdes taxes et violeraient les femmes ; il engage son correspondant à renseigner et conseiller Charles VIII le plus souvent possible (66). On ne saurait accorder une plus grande confiance à un ennemi en puissance ; mais Commynes ne veut-il pas aussi lui ôter de l'esprit toute inquiétude ?

Quand un des membres du gouvernement vénitien l'invite à retourner auprès de son maître, il interroge sur ce point son collègue milanais (67), et lui confie ses griefs contre le roi qui affiche un mépris trop voyant à l'égard de Venise, pourtant redoutable, qu'il n'informe de rien, ni par les ambassadeurs que la cité des doges a envoyés auprès de lui, ni par l'entremise de Commynes qui, cependant, a écrit et insisté, sans obtenir de réponse, et qui lui a même adressé « des messagers en poste », sans résultat, en sorte qu'il a renoncé à prodiguer en vain des conseils que l'on a pris en mauvaise part. Aveu intéressant qui montre bien que Charles VIII a voulu se débarrasser du sire d'Argenton plutôt que d'utiliser ses services, et que notre auteur a prêché dans le désert.

Le 21 janvier 1495, il rassure Vicomercati sur la portée de l'accord conclu entre le pape et le souverain français, et sur le sort du cardinal Ascanio Sforza (68) ; il le charge, le 26, de remercier Ludovic dont l'intervention a conduit Charles VIII à informer moins parcimonieusement son représentant à Venise (69).

Le 4 février, il prie directement le More d'inviter à la patience ses créanciers, qui réclamaient à cor et à cri les 4.000 ducats pour lesquels notre historien avait donné sa caution : que Ludovic (qui s'était fait leur porte-parole) (70) leur conseille de se tourner vers « ceulx qui pevent le plus pour les faire paier », c'est-à-dire vers Briçonnet et Vesc ; en outre, il lui demande de conserver au roi sa faveur et son amitié dont celui-ci a besoin « plus que jamais », et il stigmatise la duplicité du pape (71).

Un mois plus tard, c'est au tour de Sforza d'envoyer, coup sur coup, deux lettres à Commynes, Dans la première (72), il se plaint de n'avoir été averti de la prise de Naples ni par un message du roi, ni par l'ambassadeur de France à Milan, alors qu'il a aidé Charles VIII de ses deniers, et qu'il l'a secouru toutes les fois qu'il était dans le besoin ; il se prétend douloureusement surpris par une telle attitude. Dans la seconde (73), rassuré sur les sentiments du souverain qui lui a fait part de sa victoire, il insiste sur son dévouement et son affection à l'égard du fils de Louis XI ; il se loue de ne sentir aucun nuage assombrir l'amitié franco-milanaise. Cherche-t-il à endormir la méfiance, maintenant éveillée, du sire d'Argenton, ou continue-t-il à le griser de compliments doucereux ? Dans ses *Mémoires* Commynes affirme qu'il a vu clair dans le jeu du More :

> « *Or j'estoys ja adverti, et de plusieurs lieux, tant de serviteurs d'ambassadeurs que aultrement, que celluy d'Espaigne estoit passé par Millan, desguisé et que les Almans se conduisoient tous par ledit duc* » (74).

Il serait peut-être plus juste d'estimer que notre écrivain sentait la situation évoluer, l'alliance entre Paris et Milan se dissoudre peu à peu, sans pour autant se rendre compte exactement de la menace qui se préparait dans l'ombre (75).

Le 4 mars, arrivèrent à Venise l'évêque de Côme et Francesco-Bernardino Visconti chargés par Ludovic de conclure la Sainte-Ligue avec les ennemis de Charles VIII. Dans son œuvre, le chroniqueur prétend qu'il ne fut pas dupe de leurs explications et de leurs hypocrites questions (75). Mesurait-il l'imminence du danger ? Une phrase des *Mémoires* pourrait nous convaincre du contraire. Nous lisons, en effet : « ...tant de vielles ne se peuvent accorder en peu de temps » (76). Mais, d'un autre côté, dès le 9 mars, il écrivit à Sforza, expliquant par l'incurie des messagers que le gouvernement milanais ait été informé avec du retard de la chute de Naples, et l'incitant à demeurer fidèle à l'amitié française à la fois par intérêt et par respect des traditions familiales (77) :

> « *Le roy a eu deux de ses predecesseurs roys de France qui n'ont point esté ingras vers leurs amys de qui ils avoient receu plaisir... Le feu roy Loys, a qui Dieu pardoint, voyant l'amour que luy monstra le feu duc de Millan Francisque, vostre pere, tant de luy envoyer gens d'armes a son affaire et d'un bon conseil qu'il luy donna, l'a aymé toute sa vie et tenu en aussi grant reverence comme s'il eust esté son pere, et encores le recongneut envers le feu duc Gualeace vostre frere en quelque temps que est passé, pour quoy conclus, monseigneur, que tous les plaisirs dessus dis ensemble ne sont point a comparer a ceulx que vous avez fais au roy de present, et ay esperance qu'il ne vouldra point estre mains recongnoissant envers vous que ses predecesseurs ont esté devers lesdessusdis seigneurs, et si aura plus affaire de vous pour luy aider a garder le royaume de Napples, quant il en sera party, qu'il n'a eu a le conquerir* ».

Mais ces arguments, que nous retrouvons dans les *Mémoires* (78), manquèrent leur but, puisque, le 31 mars 1495, se conclut la Sainte-Ligue entre le Pape, Maximilien d'Autriche, les souverains d'Espagne, la seigneurie de Venise et le duc de Milan.

Sans doute les coalisés répétaient-ils qu'ils ne visaient qu'à préserver leurs Etats, qu'à défendre l'Italie, qu'à contenir le Turc (79), Mais Commynes ne pouvait plus se bercer d'illusions. Dès lors, quand il s'adressa au More le 9 avril, ce fut pour lui demander s'il pouvait traverser librement son duché sans avoir rien à craindre de ses créanciers (80), et pour l'assurer de son dévouement par cette formule banale que nous avons rencontrée bien souvent : « ...qu'il vous plaise, monseigneur, tousjours me commander vostre bon plaisir pour l'accomplir a mon povoir ». Cependant, plus tard, devant le Sénat de Venise, le chroniqueur insinuait (peut-être) (81) que Sforza avait essayé de former une autre ligue qui, dirigée contre les Vénitiens, aurait compris le roi de France (82). Dans une lettre à son maître Charles VIII à qui il relata cette entrevue, nous lisons contre le More des paroles fort dures, absentes du résumé qui nous a été conservé par les archives de Venise : les menaces de Ludovic procèdent de son arrogance, et d'aucune autre raison digne de considération ; il est impossible de lui accorder la moindre confiance :

> « *Je répondis aussitôt que si le duc de Milan vous remettait sa femme, ses enfants et tous ses parents jusqu'à la quatrième génération, vous ne lui confierez point votre personne* » (83).

Commynes a adopté, sur ce point, le ton le plus ferme, ressentant vivement son échec, personnellement trompé par le duc, et désireux encore de plaire au roi ou à Louis d'Orléans. D'ailleurs, il rassure le souverain : on cherche à l'intimider, mais, s'il se borne à poursuivre sa route, personne n'osera lui dire quoi que ce soit (84). Précisons, pour en finir avec cette missive, qu'elle se trouve aux Archives de Milan, dans une traduction italienne : il est à penser que Sforza la fit intercepter ou copier (85).

L'ÉCHEC VÉNITIEN

La conclusion de la Sainte-Ligue que nous venons de signaler, montre que le sire d'Argenton n'a pas mieux réussi auprès de la Seigneurie de Venise. Très tôt, il avait renoncé à l'idée de l'associer à l'entreprise de son maître (86), mais il espérait la persuader de rester neutre, en lui prodiguant des apaisements. Pour le suivre dans sa vie quotidienne, nous disposons non seulement des *Mémoires*, mais encore de nombreuses dépêches, soit des ambassadeurs florentin et milanais, soit de Commynes lui-même, et surtout du précieux témoignage de Sanudo, qui n'est pas aussi hostile à notre auteur que l'estime B. de Mandrot (87).

Ce qui nous frappe d'abord (sans nous surprendre), c'est la curiosité inlassable et l'intense activité du mémorialiste. La seule lecture de son œuvre nous l'apprend : il suffit de considérer tous les renseignements qu'elle nous livre sur Venise, sur sa richesse, sur son gouvernement... (88).

La *Spedizione* de Sanudo confirme cette première impression. Le 26 février, Commynes assiste à une fête qui se donnait chaque année, à la même date, sur la place Saint-Marc (89). Un peu plus tard, il se rend avec Aloys Marcello à la Chambre des emprunts pour en connaître, par lui-même, le fonctionnement : il est surpris de voir de très nombreux Vénitiens ne pas rechigner à prêter de l'argent (90). A plusieurs reprises, nous le retrouvons à des revues de stradiots (91), dont le costume et les habitudes suscitaient alors une curiosité générale (92) ; aussi ne sommes-nous pas étonnés que dans ses *Mémoires* (93), il parle avec précision de ces mercenaires grecs. Le 11 mai, il est présent lorsqu'on lance une « barza ». Sans doute convient-il de faire, ici ou là, la part des obligations qui incombent à tout ambassadeur. Il demeure qu'il s'occupe de tout, à l'exemple de Louis XI. Quand Charles VIII remplace Ferrand II sur le trône de Naples, Commynes nomme, pour s'occuper à Venise des intérêts du royaume, un nouveau consul, le Florentin B. de Nerli (94). Il noue de multiples intrigues, non seulement avec les Milanais et les médicéens, comme nous l'avons vu, mais encore avec l'archevêque de Durazzo et Constantin Araniti (95), afin de soulever les Balkans contre les Turcs, ce qui ne l'empêche de rencontrer secrètement un émissaire du Grand Turc, par l'entremise d'un Grec, et de converser avec lui pendant quatre heures (96). Il se rend aussi souvent qu'il le peut devant la Seigneurie de Venise, soit pour lui communiquer les trop rares messages que son maître le charge de transmettre, soit pour demander des éclaircissements (97), lorsqu'arrivent, par exemple, quatre ambassadeurs impériaux (98).

Mais cette activité au grand jour se double de manœuvres secrètes, destinées à rassembler de nombreux renseignements. Il ne néglige aucune source d'information : il soudoie les serviteurs de ses rivaux (99) ; il reçoit même le 21 janvier le représentant du roi Alphonse de Naples (100) ; il essaie (en vain) de faire parler l'ambassadeur d'Espagne (101), mais il réussit mieux avec son fils qui lui recommande une discrétion absolue, car il craint d'être battu. Notre auteur l'écrit à Charles VIII (102) et l'affirme dans ses *Mémoires*.

Une curieuse affaire qui éclata à la fin de mai 1495 nous permet d'avoir une idée de ces obscures menées. Le dernier jour du mois, à Venise, le conseil des Dix ordonna l'arrestation de maître Nobile, un bombardier français, qui était à la solde de Brescia pour 25 ducats par mois. On commença par lui infliger l'estrapade. Que lui reprochait-on ? D'avoir indiqué à Commynes, dont il était l'ami, l'existence et les plans des forteresses de la Seigneurie ; d'avoir adultéré à Brescia la poudre pour faire éclater les bombardes ; d'avoir voulu brûler l'arsenal avec des feux d'artifice. Il nia tout, et l'on ne put tirer l'affaire au clair. Libéré, il fut assigné à résidence, jusqu'à la fin de l'expédition française en Italie (103). Peu importe que les accusations aient été fondées ou non. L'essentiel pour nous est qu'on ait soupçonné Nobile et Commynes d'avoir essayé de nuire à la République.

Les Vénitiens, à ce que disent les *Mémoires* eux-mêmes, étaient fort méfiants. Rapidement, ils s'inquiétèrent des manœuvres trop subtiles de leur hôte. Dès janvier (104), ils l'engagèrent à quitter leur ville pour rejoindre son maître, à qui il serait plus utile là-bas, car il pourrait l'aider de ses conseils et le persuader de faire la paix. Ils lui signifièrent que son ambassade semblait sans objet : jamais Charles VIII ne recourait à ses services pour quelque communication (105).

Nous touchons, ici, de nouveau, à un point d'une importance particulière. Pendant toute la durée de son séjour, Commynes fut abandonné à lui-même par le souverain qui négligeait de l'informer et de le consulter. Dans la seconde quinzaine d'avril, il se plaignit de n'avoir reçu aucune lettre du roi depuis le 11 mars (106). Cette situation était déplaisante aussi bien pour les Vénitiens qui, bientôt, virent en lui un espion déguisé en ambassadeur, que pour le chroniqueur, qui se sentait inutile et exilé dans une brillante sinécure, incapable de satisfaire son besoin d'activité. Il se dépensa beaucoup. Il écrivit à Charles VIII, il insista auprès de lui, il lui envoya des messages « express », il l'avertit de la puissance et de l'inquiétude de Venise ; mais le roi et ses conseillers persistèrent à dédaigner l'informateur autant que ses renseignements. Dépité, Commynes confiait déjà à Vicomercati, avant de le répéter dans ses *Mémoires,* que « si les efforts du roi sont heureux et couronnés de succès, l'honneur en revient plutôt à la Providence qu'à l'habileté de son gouvernement » (107).

Il n'était pas homme à s'abandonner au désespoir et à la nonchalance. Il chercha à se rendre utile, à s'imposer par de bons offices, ou par un succès diplomatique, désireux de contribuer à la réussite de l'entreprise (108), défendant la politique royale auprès des uns et des autres (109), priant Sforza de demander à Charles VIII de l'éclairer sur ses intentions (110).

Il est une question qu'on ne peut manquer de se poser : notre auteur a-t-il été surpris par les événements, et en particulier par la conclusion de la Saint-Ligue, ou, lucide et bien informé, a-t-il, en vain, tenté d'attirer l'attention du jeune souverain sur le grave danger qui se dessinait ? Les avis sont partagés. Aussi est-il bon, avant de porter un jugement personnel, de classer tous les renseignements que nous pouvons rassembler :

1°) Laissons d'abord la parole à Commynes lui-même qui, dans son œuvre, prétend :

— avoir décelé très tôt les intentions réelles des Italiens (111) ;
— être intervenu auprès de la Seigneurie vénitienne (112) ;
— avoir prévenu le roi de tout, mais sans résultat (113) ;
— avoir multiplié les démarches pour entraver et arrêter la constitution de La ligue antifrançaise : « ...car je voyoie bien que si la ligue se concluoit, que ceste conqueste en cest grant honneur torneroit en fumee » (114) ;
— avoir mis en garde Charles VIII, les ducs de Bourbon et d'Orléans, la marquise de Montferrat (115).

Sanudo ne dissimule pas que le sire d'Argenton ait été inquiet et méfiant. Peu après l'arrivée des quatre ambassadeurs allemands, il se rendit auprès du doge pour essayer de connaître le motif de cette venue que seule expliquait, à son avis, quelque importante affaire (116). Début mars, préoccupé, il cherche à comprendre ce qui se trame : « *Tamen* stava admirato di quello havesse a seguire, et cercava con ogni via de intender » (117). Il va au Collège pour remercier la cité de la bienveillance qu'elle a manifestée au roi pendant toute l'expédition, « usando dolcissime parole » (118). Le 15 de ce mois, le cardinal de Saint-Malo révèle à des ambassadeurs vénitiens que Commynes a écrit à son maître qu'il était question au Rialto d'une ligue dirigée contre les Français (119). Au début du carême, toujours soucieux, et à l'affût de renseignements, notre historien vient déclarer à la Seigneurie qu'il a entendu dire qu'une ligue se constitue à Venise ; et que la rumeur lui semble fondée vu le grand nombre d'ambassadeurs qui y affluent ; et que la raison d'une telle initiative lui échappe ; et que la cité des doges ne doit pas oublier qu'elle est liée à la France par un traité (120).

2°) Mais, demandera-t-on, était-il très difficile de se rendre compte qu'il se passait quelque chose ? Il ne semble pas. Divers faits incitaient à la méfiance. D'un côté, de partout, survenaient des ambassadeurs, qu'on recevait avec de singulières marques d'estime. Le 5 janvier, arrivait Lorenzo Suarez y Figueroa (121) ; le 5 février c'était le tour de quatre émissaires impériaux (122) ; le 4 mars, les rejoignaient deux Milanais, G. A. Trivulce et F. B. Visconti (123). D'un autre côté, il se disait partout que tous ces hauts personnages étaient venus pour conclure une ligue. Sanudo le répète : « Queste parole uxoe, perchè in Venezia pur si parlava che questi ambassadori volevano far liga, zoè Maximiano, re di Spagna et la Signoria ; altri diceva *etiam* el Pontifice, altri el duca de Milano per conversation di loro Stadi ; et di questo molto se mormorava » (124). Ce bruit ne cessa de s'amplifier : « Se divulgava per tutta la terra, come era la verità, che erano venuti per far la liga, et esser insieme con questi altri oratori su queste pratiche » (125). Briçonnet lui-même, à Rome, décela ses menées, bien que le Pape se fût efforcé de les lui cacher (126). Enfin, de nombreux préparatifs, des nominations, des mouvements de troupes accréditaient ces rumeurs (127).

3°) Pourtant, quand, le 1er avril, fut annoncée à Commynes la conclusion de la ligue, il semble avoir été surpris par cette nouvelle. Sur ce point, nos sources nous apportent des versions différentes. Nous avons déjà analysé celle de Sanudo, dans notre *Destruction des mythes* (128). Selon la *Spedizione,* le mémorialiste fut frappé de stupeur ; il partit sans saluer personne ; il demanda au secrétaire Gasparo di La Vedoa de lui répéter les propos du doge, qui lui étaient sortis de la mémoire ; il était en proie à une sorte de folie furieuse. Bembo fournit à peu près les mêmes renseignements (129) : Commynes faillit perdre connaissance et fit appel au secrétaire, le priant de lui rappeler les paroles que venait de prononcer son interlocuteur.

On peut être enclin à rejeter ces deux témoignages qui émanent d'Italiens favorables à la Sainte-Ligue. Aussi est-il bon de consulter notre auteur lui-même. Dans les *Mémoires*, il nous dit : « J'avoys le cueur serré et estoie en grand doubte de la personne du roy et de toute sa compaignee, et cuydoie le cas plus prest qu'il n'estoit » (130). Atténue-t-il sa réaction, sans la masquer complètement ? Il demeure que, s'il s'était habitué à l'idée qu'une ligue allait se conclure du jour au lendemain, il aurait dû, depuis longtemps, en avoir prévu toutes les conséquences, et, partant, être moins douloureusement surpris au moment précis où il fut mis devant le fait accompli.

Bien plus, dans une lettre qu'il écrivit à Charles VIII dans la seconde moitié de mai 1495 (131), il rapporte les propos que lui tint le secrétaire principal de la Seigneurie : « Quant il a veu que je ne luy disoye riens, il est entré a me dire qu'il se esbaïssoit comme, l'autre jour, je m'estoye tant mescontenté... ». Peut-on affirmer avec une entière certitude que cette colère n'était que diplomatique, ou encore que le mémorialiste l'exagère pour plaire à son maître et lui suggérer qu'il a ressenti avec violence tout ce qui était dirigé contre lui ?

En outre si l'on en croit Sanudo (132), Charles VIII entra en fureur, quand il apprit la conclusion de la Ligue : si Commynes avait attiré son attention sur l'*imminence* du danger, aurait-il eu ce comportement ? Sans doute répondra-t-on que le souverain a méprisé les avis de son ambassadeur ; mais ce dernier ne lui a-t-il pas parlé de rumeurs incontrôlables plutôt que d'une menace précise et indubitable ?

4°) Nous nous trouvons donc en face d'éléments apparemment contradictoires. D'une part, une méfiance certaine de notre écrivain ; de l'autre, sa surprise quand surgit l'événement. Mais ces deux données ne sont pas aussi inconciliables qu'il le paraît au premier abord. En effet, s'il est vrai que Commynes a senti que la situation évoluait et qu'il s'en est préoccupé, il semble aussi qu'il n'a pas cru que les tractations engagées aboutiraient rapidement à un accord complet entre des partenaires aux intérêts différents. Quelques remarques, jetées çà et là dans son œuvre, nous permettent de l'inférer : « ...Veniciens sont fort longs a telles conclusions » (133), ou encore : « ...tant de vielles ne se peuvent accorder en peu de temps ».

Sans doute divers faits l'incitèrent-ils à ne pas s'alarmer outre mesure. D'abord, de profondes divergences séparaient, à l'origine, les Etats qui s'inquiétaient des progrès de l'armée française (134). Sanudo les mentionne à diverses reprises. Le roi d'Espagne et l'empereur Maximilien ne voulaient se lier qu'avec la seule seigneurie de Venise ; le second, surtout, était hostile à Ludovic le More. Quant au Pape, il hésitait, influencé par les Caraffa qui avaient abandonné les Aragonais de Naples et reçu des Français de nombreux avantages. Les Vénitiens déployaient une activité intense pour aplanir les différends et accorder entre eux les ennemis de Charles VIII (135). Finalement, on choisit trois conciliateurs, afin de rapprocher les points de vue en présence (136).

En outre, si des rumeurs circulaient, il était très difficile de percer les intentions exactes des ambassadeurs, car les négociations se déroulaient dans le plus grand secret : «...Le cosse si strenzevano et andavano molto secrete » (137).

Enfin, les uns et les autres (138) s'efforçaient de calmer la méfiance de Commynes, lui prodiguant de bonnes paroles, voire de nouvelles propositions qui endormirent sa vigilance. Certains succès l'empêchèrent peut-être aussi d'évaluer avec exactitude la situation. Ceux de son maître, certes : que l'on pense à la page fameuse, où il décrit l'accablement de la Seigneurie (le doge excepté), lorsqu'elle apprit que le château de Naples était tombé (139), ou, un peu avant, à la joie hypocrite qu'elle manifesta, quand lui fut annoncée l'entrée dans cette ville du roi Charles VIII (140). Sanudo précise (141) que « mons. di Arzenton era molto aliegro ». De son côté, l'historien remporta une petite victoire, qu'il renonce à évoquer dans son œuvre : le 10 février, il obtint que fussent embarquées à Ravenne quelques pièces d'artillerie, à destination du royaume de Naples (142).

5°) Il n'est donc pas déraisonnable de soutenir : d'abord, que Commynes a été surpris par la rapidité des événements; ensuite, qu'il ne put empêcher la formation de la Sainte-Ligue ; et évitons de rejeter sans examen une réflexion du sagace Sanudo : le Français manifesta une violente colère, « perchè è da judicar scrivesse che mai de qui non se concluderia tal liga, per le operatione sue faceva » (143). Une fois de plus, il avait échoué, berné par de plus fins que lui.

6°) Dès lors, il convient de lire ses *Mémoires* avec un œil averti, et de faire quelques observations. En premier lieu, il a peut-être modifié la chronologie. Il affirme qu'au cours du mois de mars, « durant que tout cecy se demenoit », il a encouragé le duc d'Orléans à renforcer la garnison d'Asti (144). Or, de cette correspondance, il ne reste rien, sinon une dépêche de L. d'Orléans qui annonce à P. de Bourbon qu'il a reçu « depuis ce matin ...un paquet de lettres de monsieur d'Argenton estant a Venise » (145) ; Mais quelle est la date de cette lettre ? Du 14 avril 1495 ; et la ligue fut conclue le 31 mars. Sanudo nous dit (146) qu'à la fin d'avril, le duc d'Orléans écrivit aux Parlements de Paris et de Grenoble, ainsi qu'au duc de Bourbon, afin de demander des secours contre le More. Aucune mention de Commynes. Mais la date est intéressante : il s'agit *toujours* du mois d'avril, c'est-à-dire d'une période postérieure à la conclusion de la Ligue antifrançaise. Nous reconnaissons volontiers que cet argument n'a rien de décisif : les missives du chroniqueur ont pu être détruites ou saisies par les Milanais.

C'est pourquoi il vaut mieux s'en tenir à une analyse des *Mémoires*, et voir comment procède leur auteur. Pour minimiser un échec *qu'il serait injuste d'imputer à lui seul*, il a tendance à souligner son activité (147), son habileté (148), sa finesse, sa méfiance, sa lucidité (149), son esprit d'à-propos. Dans le même temps, il exalte la sagesse, la richesse et la piété de ses adversaires vénitiens qui ont en mains les meilleures cartes, d'autant plus que les partenaires de Commynes, Charles VIII et ses conseillers, se signalent par leur négligence, leur aveuglement et leur imbécillité politique (150).

En outre, dans les quinze pages qui relatent la première partie de son séjour, il a réussi à glisser plusieurs longs paragraphes où, face à des ennemis désorientés ou démasqués, il a le beau rôle. Nous songeons plus particulièrement à trois scènes Dans la première, aux questions hypocrites des Milanais, il répondit de manière à leur faire entendre qu'il n'était pas dupe de leurs manœuvres (151). Au cours de la seconde, les sages Vénitiens, incapables de dissimuler, lui donnèrent le spectacle de leur désarroi, « tous demonstrans avoir grant tristesse au cueur » (152) : le mémorialiste ne cherche-t-il pas une sorte de revanche, lui qui, aux dires de Sanudo, ne sut cacher ses sentiments, lorsqu'il apprit que la ligue était conclue ? Par la troisième, il tend à nous persuader qu'il parvint à jeter le doute dans l'esprit de ses interlocuteurs qui venaient de lui assener la terrible nouvelle (153).

Enfin, peut-on dire qu'il n'ait subi que des échecs, alors que les Vénitiens le chargèrent de transmettre des propositions dont le roi ne tint aucun compte (154) ?

7°) Quels que soient ses arguments, quel que soit son talent, il demeure que cet insuccès lui pesa, s'ajoutant à d'autres, encore que, comme le veut Calmette (155), il ait laissé à Venise la réputation d'un diplomate avisé et retors. Nous en avons une preuve : on surveillait ses faits et gestes, on interceptait sa correspondance qu'on examinait à la loupe (156).

LA FIN DE SON SÉJOUR A VENISE

On comprend que sa position ait été inconfortable pendant toute la fin de son séjour. Il s'enferma, d'abord, chez lui, et, nous dit-il dans ses *Mémoires*, refusa d'assister aux fêtes auxquelles on l'avait convié par deux fois (157), bien qu'incognito, le soir même, il sortît « sur la barcque couverte au long des ruhes veoir la feste, envyron dix heures de nuyt, et par especial devant les maisons desdits ambassadeurs, ou se faisoient bancquetz et grant chere » (158). Sans doute veut-il nous convaincre qu'il n'a pas été abattu par son échec. Mais cette affirmation est contredite par une lettre qu'il a écrite lui-même au roi au cours de la seconde semaine d'avril :

> *Depuis qu'ilz me signiffierent ceste ligue, ne suis bougé de mon logeis pour la fievre qui m'estoit prinse ung jour devant laquelle j'ay encores, par quoy ils n'avoient riens sceu de mes nouvelles, ny moy des leurs* » (159).

Pensera-t-on qu'il dissimule à son maître ses sorties nocturnes ?

Sanudo nous dit que Commynes eut, d'abord, une crise de bile (160), et qu'ensuite, il bouda, feignant d'être malade pour ne pas assister aux processions solennelles (mais on l'avait vu circuler dans la ville), et ne rendant plus aucune visite au Collège pendant un certain temps (161). Précisons qu'à Milan (162) et à Rome (163), ses collègues français adoptèrent la même attitude.

Il fut le témoin ulcéré de la joie de J. B. Spinelli, l'ambassadeur de Ferrand II, qui, pourtant, ne réussit pas à faire inclure le souverain aragonais dans la Sainte-Ligue (164) ; il mentionne lui-même, dans les *Mémoires* (165), qu'il le rencontra, lorsqu'il quitta le doge et ses conseillers : « [il] avoit une belle robbe neufve et faisoit bonne chere ». Mais il ne signale pas comme Sanudo (166) que Spinelli fut d'une fidélité exemplaire ; nous avons vu qu'en revanche, il n'a pas omis de nous informer de la défection de l'émissaire florentin de P. de Médicis. Les échos de l'allégresse générale parvinrent assurément à ses oreilles (167). En outre, les multiples préparatifs des Vénitiens ne pouvaient manquer de l'inquiéter : ils levaient des troupes et nommaient des capitaines (168), ils envoyaient un peu partout des ambassadeurs, ils délibéraient avec les représentants de leurs alliés (169).

Son amour-propre fut en butte à des vexations. Il précise, à la fin du livre VII (170), qu'il fut « aussi bien traicté que devant ». Mais les rapports étaient, à coup sûr, dépourvus d'aménité, d'autant plus que les Vénitiens savaient que leurs porte-parole à Naples avaient été malmenés (171), que Charles VIII affichait à leur égard une froideur outrageante (172), et que couraient les rumeurs les plus infamantes sur le comportement des Français (173) : elles atteignirent Commynes qui essaie de rétablir la vérité dans ses *Mémoires* (174). On disait aussi que les Florentins désiraient entrer dans la Ligue (175) et que Charles VIII manifestait peu de faveur à P. de Médicis (176). En dépit de ses efforts, le chroniqueur ne put se faire attribuer le chargement d'une caravelle que lui disputait le représentant de Ferrand II (177).

Bien plus, dans la rue, on se moquait de lui : des prisonniers lui lancèrent des injures (178) ; un certain Antoine qui passait pour fou, se promena revêtu d'une tunique noire sur laquelle on avait dessiné des lis jaunes (179). Sans doute le doge ordonna-t-il qu'on mît au cachot les prisonniers irrévérencieux et qu'on arrachât sa tunique au fou trop facétieux (180) ; sans doute continuait-on officiellement à l'honorer beaucoup et à le défrayer de toutes ses dépenses (181). Mais Commynes écrivit à Briçonnet en avril 1495 : « ...je ne seray plus bon de rien a traiter avec eux, veu la façon comme nous sommes departis » (182).

Et que penser de cette assertion des *Mémoires* : « Et fuz trois jours sans aller par la ville ne mes gens, combien que jamais ne me fut dit en la ville ne a homme que j'eusse une seulle malgracieuse parolle » (183) ? Pourquoi cette précision (de surcroît, suspecte), sinon parce qu'il gardait, fiché au cœur, le souvenir des injures qui avaient été proférées contre lui ? De même, on se demandera pour quelle raison il signale que « ceulx de Millan, au moins l'ung, qui m'avoit tenu compaignee beaucop de moys, faisoit bien contenance de ne me congnoistre plus » (183). Nous savons qu'il se plaît à remarquer que, dans l'infortune, les amis, du jour au lendemain, se retournent contre vous ou, au mieux, vous ignorent. Mais aussi perce, dans ce passage, sa rancœur contre un ambassadeur qui n'a cessé de le flatter afin de le duper, comme le suggère Sanudo (184).

Commynes n'était pas homme à se laisser abattre par les revers. Doué d'une prodigieuse énergie, incapable de s'enfermer dans l'oisiveté, il reprit sa vie active, après quelques jours de retraite, volontaire ou involontaire. Il noua de nouvelles intrigues, soit avec l'ambassadeur du Turc, soit avec Aloys Boschetto, capitaine à la solde de Sforza (185), soit avec ce Nobile dont nous avons mentionné l'arrestation (186). Il rassemblait des informations, puisées à toutes les sources, auprès d' « ung courrier de marcheans, parti, le XXV de l'autre mois, de Bruges « (187), du « medecin qui [le] pense, qui est de Flandres » (188), d' « ung autre », d' « ung qui sçait quelque chose » (189), de « l'homme du marquis de Mantoue » (190), en sorte qu'il pouvait se décerner ce brevet le 24 mai 1495 : « J'ai fait bonne diligence pour être instruit de ce qui se passe » (191).

Il écrivait lettre sur lettre à son maître, s'efforçant de séparer le vrai du faux, la réalité de la propagande (192), signalant au passage son zèle : « Sire, je vous ai escript puis deux jours, et deux fois par avant, puis ceste ligue, par le chemin de Bologne » (193). Il lui révélait les mesures prises par Maximilien dont on annonçait la venue en Italie (194). Il lui conseillait de signer un accord plutôt que de se heurter à des forces redoutables (195) et estimait qu'il valait mieux traiter avec Venise qu'avec Milan (195). Il l'invitait à s'assurer les services de princes italiens, tels que le duc d'Urbino, et regrettait une politique favorable à Pise qui pouvait pousser Florence à se joindre à la Sainte-Ligue (196), Il lui transmettait les déclarations des Vénitiens qui prétendaient ne pas toucher au royaume de Naples, mais seulement sauvegarder le reste de l'Italie (197), Il décrivait les préparatifs des coalisés, insistant sur la gravité de la situation quand il s'adressait à Briçonnet : « Je ne dis rien, ne quoy, ny par espouvantement, pour donner doute a nul, mais pour dire ce que c'est et afin qu'il advise a son faict et dilligence, et de ouïr chacun ne vous couste rien, et je dis moins de ce que me disent ceux qui savent bien le vouloir de leurs maistres, ou que feront... Le roy a grande chose en question et a bien besoin de choisir bon party » (198). Il se plaignait d'avoir été mal informé : « J'ay esté mal traité de nouvelles particulieres, veu le lieu ou j'estois » (199). Il invitait les Français à jeter les Suisses sur le Milanais (200). Il rapportait les divisions et les difficultés de la Ligue (201), revenant, à ce propos, sur la nécessité de hâter le retour en France. Il ajoutait qu'il était de plus en plus mal à l'aise, et demandait des instructions, « vous suppliant, sire, me mander qu'il vous plaira que je deviegne avant que le temps empire, et aussi a grant peine me souffriroient icy ; car depuis l'onziesme du mois passé ne receu lettres de vous » (202). Il émettait des doutes sur sa propre sécurité quand il quitterait Venise : « ...et si ne sçay par ou je puisse passer en seureté, car icy j'ay beaucoup parlé contre le duc de Milan, avant la conclusion de la ligue et le jour qu'elle me fut dicte » (203).

Pendant le même temps, il renouait avec les membres de la Ligue. Il conversait avec eux (204). Il félicita le Milanais, quand il fut annoncé que Sforza avait obtenu l'investiture impériale (205).

Début mai, il se présenta devant la Seigneurie (206). Sa communication comportait quatre points :

1°) le Pape n'avait pas voulu donner à Charles VIII l'investiture de Naples : « ...di questo, per essere cosa pertinente a la Chiesa, poco se ne curava ».

2°) Maximilien avait reconnu le More comme duc de Milan : cette décision ne lésait pas le roi, il n'y avait pas à s'en affoler.

3°) il ne savait pas pourquoi Ludovic avait envoyé des troupes du côté d'Asti, contre le duc d'Orléans.

4°) le souverain demandait le passage et des vivres pour s'en retourner en France, certain que Venise se préoccupait de maintenir l'alliance.

Comme à l'accoutumée, le doge répondit *sapientissime*. Il ne s'attarda pas sur les deux premiers points que Commynes lui-même jugeait secondaires. Quant au troisième, si le roi ordonnait aux gens du duc d'Orléans de quitter les alentours d'Asti, les Vénitiens obtiendraient que Sforza renonçât à cette entreprise à laquelle il avait été contraint : l'intéressé en personne s'y était engagé auprès de Louis d'Orléans, des Parlements de Paris et de Grenoble, du duc et de la duchesse de Bourbon. Enfin, pour ce qui était du passage, qui s'effectuerait sans dommage ni ennui pour les membres de la Ligue, la Seigneurie était très satisfaite des déclarations françaises, et décidée à à respecter le traité.

Notre auteur assista de nouveau à quelques cérémonies, le 11 mai, au lancement d'une « barza » (207) et, le 27, à la fête de la Sensa (208).

Le 23 mai, arriva à Venise un autre porte-parole de Charles VIII, Jean Bourdin (209). Commynes se contente de mentionner le nom de ce personnage que pourtant on avait jugé bon de lui adjoindre ; et encore le fait-il au cours du livre VIII (210), alors qu'il est déjà à Sienne : Bourdin sert alors de témoin. Le 24 mai, les deux Français se rendirent au Sénat (211) pour exposer une nouvelle fois les principes qui inspiraient la politique de leur maître, et pour le justifier. Commynes se voulut le fidèle interprète du roi : « Je ne laisserai point, par considération pour quelques personnes, de dire tout ce que vous me commanderez » (212). Il protesta contre la conclusion de la ligue et chercha à séparer Venise de Sforza ; il soutint que Charles VIII, bien reçu partout, n'avait fait aucun mal, qu'il avait l'intention de rendre leurs forteresses aux Florentins, qu'il désirait rentrer en France sans rien demander. Et le chroniqueur d'ajouter que personne, ni le duc de Milan, ni qui que ce fût, ne saurait arrêter le souverain et que le roi devait rencontrer Maximilien afin d'organiser une croisade contre le Turc (213).

Commynes rendit compte de cet entretien dans une lettre que nous avons déjà mentionnée, et dont il envoya le double à P. de Bourbon, voulant, sans doute, se ménager divers appuis (214). Ne durcit-il pas le ton pour être plus agréable à Charles VIII ? A l'en croire, il tint le langage de la dignité :

> *Nous répliquâmes que nous ne voulions avoir aucune forme de négociation, avec quelque ambassadeur que ce fût, parce que vous étiez résolu à passer sans attaquer personne et que vous sauriez bien protéger les vôtres [...], qu'ils avaient assez d'expérience pour être convaincus que vous ne vous remettriez à la foi de personne, que d'ailleurs vous n'en avez aucun besoin, que vous passeriez de toute manière et que vous verriez quels seraient ceux qui oseraient s'y opposer* » (215).

Il affirmait à son maître que, s'il poursuivait sa route sans rentrer dans Rome, personne n'aurait l'audace de se mettre en travers de son chemin, et qu'on le menaçait pour l'intimider (216).

LE RETOUR

Le 30 mai, Commynes demanda congé au Collège de Venise, « usando assà comodate parole, ringratiando el Prencipe di la bona compagnia gli era stà fatta in questa terra, et che l'haveva causa sempre d'esser amigo de questa Signoria, et cussi prometteva con el Roy in ogni tempo de far... » (217). Il s'en alla en compagnie de Bourdin et d'Aloys Marcello. Il passa par Ferrare où il fut accueilli avec les plus grandes démonstrations de joie et d'estime, et où il resta trois jours (218). Sanudo nous livre tous ces renseignements : n'est-ce pas la preuve qu'à Venise, on suivait pas à pas notre écrivain en qui l'on avait reconnu un adversaire de valeur (219) ? Ensuite, il gagna Bologne (où, pendant quelques jours, il fut l'hôte de Bentivoglio (220), puis, Florence (221). Il n'avait pas coupé les ponts avec ses interlocuteurs vénitiens, puisqu'il avait convenu avec l'un des provéditeurs de le rencontrer plus tard, si besoin en était (222).

B. - Aux côtés de Charles VIII

N'imaginons pas avec Kervyn (1) que, dans la cité des Médicis, il ait rencontré Machiavel : Kenneth Dreyer (2) a bien démontré le contraire. Mais il rendit visite à Savonarole dont il nous a laissé un précieux portrait (3). Pourquoi tint-il à s'approcher du prédicateur ? Parce que c'était « un homme de saincte vie » ? De telles préoccupations comptaient alors assez peu à ses yeux, bien que le mot *Dieu* revienne fréquemment dans ses *Mémoires*. Parce que Savonarole « avoit tousjours presché en grant faveur du roy, et que sa parolle avoit gardé les Florentins de tourner contre nous » ? Peut-être Commynes chercha-t-il à l'affermir dans ses sentiments pro-français. Mais c'est surtout parce que « jamais prescheur n'eut tant de credit en cité ». En effet, devenu l'arbitre entre les grandes familles de Florence, le moine avait joué un rôle prépondérant dans l'adoption de la nouvelle constitution et la proclamation de Jésus-Christ comme souverain de la ville. Malgré une retraite volontaire au début de l'année 1495, quand Charles VIII fut sur le chemin du retour, et qu'on se demandait avec angoisse s'il ramènerait Pierre de Médicis et s'il cantonnerait à l'intérieur des murs, « pour la majorité des Florentins, Savonarole redevenait l'homme providentiel, étant le seul intercesseur valable auprès de Charles VIII : on s'accrochait à sa cuculle avec désespoir, avec vénération » (4). Prêt à changer d'amis, désireux de sauver ses intérêts menacés par le naufrage médicéen, notre historien tenait à s'entretenir avec le tout-puissant dominicain.

C'est avec les mêmes préoccupations qu'il se rendit auprès de la seigneurie florentine. De leurs conversations, sortit un accord que révèle une lettre de ce gouvernement à ses ambassadeurs :

> « *Il* [Commynes] *nous a promis de s'employer de son mieux en notre faveur. A l'occasion, vous pourrez réclamer son appui et vous aider de lui toutes les fois que vous jugerez qu'il peut vous être utile. Nous avons montré à Sa Seigneurie la lettre que nous avons reçue, et elle s'est engagée à tout mettre en œuvre pour y réussir ; vous l'en ferez ressouvenir* » (5).

Un véritable marché avait été conclu. En échange de certains avantages et de la sauvegarde de ses intérêts, le sire d'Argenton avait promis d'appuyer Florence dans ses revendications sur Pise.

Ce qui explique, d'un côté, que notre auteur soit très sévère, dans ses *Mémoires*, à l'égard de Charles VIII pour sa conduite dans l'affaire pisane (6) ; de l'autre, que les Florentins aient mis tout leur zèle à récupérer les bagages de Commynes que des brigands avaient dérobés. Ils adressèrent lettre sur lettre à leurs représentants pour les informer, d'abord, qu'on recherchait activement lesdits bagages, ensuite, qu'on les avait retrouvés (7). Dans sa *Spedizione*, Sanudo revient sur ses pas pour parler de cette affaire bien secondaire (8) : le chroniqueur est un personnage important qu'on ménage, et dont on surveille les faits et gestes.

Plus tard, Commynes retourné en France, alors que les Florentins s'efforcent de rentrer en possession de Pise, Pietrasanta, Sarzana et Sarzanello, ils invitent leur porte-parole à intriguer de telle manière que le mémorialiste obtienne la mission de régler sur place ce délicat problème, « connaissant l'amour et la grande affection que monseigneur d'Argenton porte à notre cité, pour y avoir été autrefois et pour s'y être beaucoup employé en faveur de nos affaires » (9).

Il quitta Florence le 13 juin et rejoignit Charles VIII à Sienne (10). Il lui exposa la situation, et lui donna des conseils que nous rapporte Sanudo de façon circonstanciée (11).

Il avait pu se rendre compte de la puissance et de la richesse de Venise où, chose incroyable, chacun payait volontiers son tribut. Les Vénitiens répugnaient à s'opposer par les armes à Sa Majesté : ils étaient pacifiques. Mais ils s'inquiétaient de ce que le roi s'approchait de leur Etat. Ils étaient en train de préparer une redoutable armée et une flotte importante qui ne cessait d'augmenter. S'ils demeuraient nos alliés, nous disposerions de l'Italie. Avec de bons procédés, on obtenait tout d'eux. Aussi conviendrait-il de leur envoyer quatre ambassadeurs pour leur annoncer que le souverain souhaitait leur rendre visite. Ils seraient très satisfaits ; ils l'honoreraient plus que n'importe quel empereur et dépenseraient plus de 20.000 ducats, étant, par nature, fort hospitaliers. Il ne serait plus question de guerre. Charles VIII pourrait y aller avec l'escorte qu'il désirerait, et mettre ses troupes en route en direction d'Asti, via Pontremoli. Ensuite, il reviendrait lui-même à Asti, où il ferait ce que bon lui semblerait, et la victoire ne pourrait lui échapper. Mais, s'il faisait le contraire, il faudrait en venir aux mains, et il était impossible de prévoir qui l'emporterait. Un fait était certain : les Vénitiens rassemblaient une armée formidable.

Mais le roi et ses favoris ne suivirent pas ces conseils, comme le chroniqueur le confesse dans son œuvre :

> « *Portay au roy par escript le nombre de leurs gens de cheval et de pied et Stradiotz, et qui en avoient les charges. Poy de gens d'alentour du roy croyoient ce que je disoie* » (12).

Toutes ses interventions connurent un sort identique. Quand on délibéra pour savoir si l'on mettrait une garnison à Sienne, il se prononça contre la dispersion des forces françaises, la ville, de surcroît, n'étant pas sûre et dépendant de l'Empire (13). Tous l'approuvèrent : « ...toutesfoiz, on fit aultrement ».

Plus tard, à Pise, on tint un conseil sur le sort de cette cité. Commynes, que les Florentins avaient chargé de défendre leurs intérêts (14), estima qu'il fallait replacer Pise sous le joug de Florence, d'autant plus que cette solution, conforme aux promesses faites (15), présentait de gros avantages financiers et militaires (16). Mais il n'emporta pas la décision. Triomphèrent des hommes jeunes, comme Ligny, qui n'avaient aucune bonne raison à lui opposer, mais qui n'étaient mus que par la pitié qu'ils éprouvaieint pour les Pisans tyrannisés (17).

Signalons, à ce sujet, un fait curieux. Le chroniqueur nous révèle que les partisans de Pise « menaçoient ceulx qu'ilz pensoient qui vouloient que le roy tint sa promesse » (18). Il cite nommément, parmi ces derniers, le cardinal de Saint-Malo, le maréchal de Gié, le président de Ganay. Pourquoi n'apparaît-il pas lui-même dans cette énumération ? Peut-être parce qu'il était rejeté au second plan, mais plus probablement pour éloigner de lui la suspicion d'avoir été acheté par les Florentins.

Toutefois, il n'avait pas renoncé à s'entremettre. Afin de raccommoder une alliance chancelante, ou du moins d'empêcher une lutte ouverte, il intriguait avec le duc de Ferrare, beau-père de Ludovic Sforza et ennemi des Vénitiens, lequel duc recommandait à son ambassadeur de remercier Commynes (et Louis de La Trémoïlle) (19), et correspondait personnellement avec notre auteur (20) :

> « *Nous avons pris en considération... l'espérance que Votre Seigneurie conserve encore de faire réussir cette négociation. Nous remercierons d'abord Votre Seigneurie de la bienveillance dont elle a usé envers notre ambassadeur, de l'introduction et de la faveur qu'elle lui a ménagées auprès du roi Très-Chrétien, à l'occasion de cette négociation, et aussi de vos excellentes dispositions à notre égard* ».

Mais ces tentatives n'aboutirent pas, bien que notre écrivain eût l'appui des gens les plus sensés, si nous en croyons les *Mémoires* (21).

LA BATAILLE DE FORNOUE

Avec Charles VIII, il entra à Lucques le 22 juin 1495 (22), puis à Pietrasanta et Sarzana. Il passa les Monts Apennins dont il garda un souvenir horrifié (23), mais où il démontra que lui aussi était un bon soldat. Peu avant

Fornoue (6 juillet), où il combattit héroïquement aux côtés de son maître (24), il renoua avec les provéditeurs vénitiens qui étaient dans l'armée de la Sainte-Ligue. Le 3 juillet, leur furent envoyés deux hérauts, l'un le matin, l'autre le soir ; mais Marco Trevisano interdit l'entrée de son camp aux Français (25). Le 5, Commynes écrivit aux provéditeurs :

> « *Ce dimanche dont je parle, escripvy aux deux providateurs (l'ung s'appelloit messire Lucque Pisan, l'autre messire Marquiot Trevisan) ; et leur prioie que a seureté l'ung vint parler a moy et que ainsi m'avoit il esté offert au partir de Padoue, comme a esté dit devant. Ilz me firent responce qu'ilz l'eussent faict voluntiers, se n'eust esté la guerre encommencee contre le duc de Millan mais que non obstant que l'ung des deux ou tous deux, selon qu'ilz adviseroient, se trouveroit en quelque lieu en my chemin* » (26).

La version de Sanudo (27) diffère sensiblement de celle des *Mémoires*. D'abord, l'émissaire de notre auteur fut fraîchement accueilli par Marco Trevisano, et seule l'intervention de Luca Pisani lui permit de s'acquitter de sa mission (28). Ensuite, dans sa lettre, Commynes évoquait l'alliance et l'amitié qui existaient entre la Seigneurie et roi, et que celui-ci n'avait jamais voulu remettre en question ; aussi s'étonnait-il de la présence d'une armée aussi forte, et prétendait-il que les Français désiraient seulement rentrer dans leur pays, sans causer aucun dommage (29). Les provéditeurs décidèrent de transmettre ce message à Venise (30). Enfin, l'envoyé de l'historien repartit avec de fières paroles : « Et dato la riposta a ditto trombeta per li Provedadori, dimandato dil Re, disse che bisogneria menar le man, et non parole ; et che el Re facia in persona fatti d'arme, el qual era sempre circondato da

50 zentilhomeni franzesi, et che se nuj l'aspetemo, Soa Majestà non furizà. Et cussì ritornò dal Re preditto ». Signalons que, d'après Sanudo (31), Commynes ignorait que L. Pisani avait remplacé M. A. Morosini.

Le 6 au matin, juste avant la bataille, Saint-Malo et Argenton firent parvenir une nouvelle lettre aux provéditeurs, leur demandant un entretien pour aplanir les difficultés et arriver à une solution pacifique (32). Dans l'esprit de notre auteur, pas la moindre idée de jouer l'adversaire, mais la volonté tenace d'éviter le choc (33). Les chefs de l'armée ennemie se déclarèrent prêts à parlementer, à condition que l'artillerie se tût (34). Pour Sanudo (35), ce ne fut, de la part des Français, qu'une ruse pour endormir la vigilance des Italiens et permettre à Charles VIII de s'éloigner sans danger. Les provéditeurs ne furent pas dupes. La vérité est peut-être que l'historien fut plus ou moins trompé par le roi et ses conseillers.

AU LENDEMAIN DE FORNOUE

Quoi qu'il en soit, les armes prirent le pas sur les négociations ; et l'on se battit (36). Mais, dès le lendemain, les pourparlers recommencèrent, sans résultat, car Commynes, qui avait donné une preuve éclatante de son courage (37), ne voulut pas rester seul en arrière, de peur d'être désavoué (38), et abandonné à un triste sort (39).

Cependant, une entrevue eut lieu entre les dirigeants italiens et le mémorialiste. Le récit des *Mémoires* tend à nous persuader que leur auteur fut très habile, soit en refusant de faire des ouvertures, n'ayant « nulle commission » de son maître, soit en flattant le marquis de Mantoue, Francesco de Gonzague, à qui il dissimula adroitement la mort de son oncle Rodolfo (40).

Il est bon de comparer ce récit avec ceux que nous offrent Sanudo et la *Chronique du Marquis de Mantoue*. La *Spedizione* ne nous révèle ni que le trompette de Charles VIII fut envoyé sur les conseils de Commynes (41), ni que ce dernier fut assez courageux pour s'aventurer au delà d'une rivière en crue (42), mais cette œuvre note que Piennes, Gié et Briçonnet ne vinrent pas au rendez-vous (43). Selon Sanudo, Commynes loua fort les Italiens qui avaient osé se mesurer avec les meilleurs combattants du monde (44) ; il ajouta que, seul, il avait eu confiance dans la parole des Vénitiens dont il connaissait par expérience la loyauté, et il demanda un sauf-conduit en bonne et due forme pour décider ses compagnons méfiants à poursuivre les tractations le lendemain (45). Il déplora que le sang eût coulé aussi abondamment (46), et s'informa pour savoir s'il y avait des prisonniers : on ne put citer que le bâtard de Bourbon (47). Dans les *Mémoires*, c'est le marquis de Mantoue qui, le premier, s'enquit du sort de son oncle et le recommanda à son interlocuteur (48). A lire la *Spedizione*, il semble que Francesco ait appris très tôt la mort de Rodolfo, dont les *Mémoires* nous disent qu'il « le cuidoit vif ». Sanudo, éloigné du théâtre des opérations, est-il moins bien renseigné ? Ou bien notre auteur a-t-il été dupe d'une question insidieuse de l'Italien ?

Quant à la *Chronique du Marquis de Mantoue*, elle mentionne que le sire d'Argenton essaya de séduire Gonzague : si Charles VIII obtenait une trêve, il ferait de lui le plus grand personnage de l'Italie (49) ; mais l'autre lui répondit avec hauteur qu'il n'avait pas un tel pouvoir, qu'il était un soldat loyal, qu'il ferait son devoir envers et contre tous (50). Le mémorialiste n'a pas jugé bon de rapporter ces rodomontades : la suite des événements lui avait prouvé que le marquis n'était pas le dernier à s'entremettre dans des négociations plus ou moins tortueuses.

ASTI

Grâce à la demi-victoire de Fornoue, l'armée française s'ouvrit un chemin à travers ses ennemis. Une crue du Taro, qui survint opportunément après son passage, lui permit de s'éloigner sans encombre et d'atteindre Asti le 17 juillet, cependant qu'à Novare, le duc d'Orléans réclamait des secours, victime de sa témérité et de son insouciance, et commençant à se ressentir des effets du siège imposé par les Milanais. A l'autre bout de l'Italie, les Aragonais contre-attaquaient, reprenant peu à peu possession du royaume de Naples.

Commynes ne cessait de « pratiquer », jouant la carte de la paix pour forcer les portes du pouvoir. Il tentait de rétablir des contacts entre les antagonistes. Dans la seconde moitié de juillet, il demanda un sauf-conduit, afin qu'il pût venir dans le camp italien, avec une importante escorte (51). Parmi les chefs de la Sainte-Ligue, les avis étaient partagés, les provéditeurs s'opposaient à une nouvelle rencontre (52). Consultée, la Seigneurie de Venise émit un avis défavorable, rappelant les manœuvres de notre écrivain soit dans la cité des doges, soit à Fornoue (53). Les instructions, publiées par Kervyn (54), confirment et complètent les renseignements fournis par Sanudo : le seigneur d'Argenton est un « homme aussi sagace et aussi habile que possible » qu'on a pu voir à l'œuvre soit à Venise, soit avant et après le choc des armées sur le Taro ; c'est un ami intime de Louis d'Orléans. On peut tout redouter de lui. Aussi eût-il été préférable de ne point le recevoir dans le camp italien. Mais, comme la Seigneurie a appris qu'entre-temps, on a accordé le sauf-conduit, elle recommande de redoubler de vigilance, de ne pas permettre à Commynes et à sa suite de s'attarder, mais de les congédier immédiatement, de les escorter et de les surveiller, en sorte qu'ils ne puissent s'entretenir avec personne, ni entrer en rapports avec les assiégés de Novare (54).

Notre auteur n'utilisa pas le laissez-passer (55) qu'il avait sollicité et obtenu (56). Dans une lettre du 24 juillet (57), il informa le marquis de Mantoue que le conseil de Charles VIII n'avait pas estimé opportun de l'envoyer auprès de lui ; il lui conseillait de se rendre personnellement, ou de se faire représenter à Montferrat ou en Savoie : Commynes irait alors, ou un autre Français ; il s'excusait de n'avoir pu le retrouver au bord du Taro, à cause du départ de l'armée royale ; il réaffirmait son désir de ne pas ménager sa peine pour pacifier les différends.

CASALE

Il continuait donc à correspondre avec les chefs italiens. Suspect au parti de la guerre et, par conséquent, sans espoir de ce côté-là (l'hostilité de Briçonnet à son égard perce à plusieurs reprises dans les *Mémoires)*, considérant surtout que Charles VIII et la majorité des grands, las de l'expédition (58), avaient hâte de renouer en France avec les plaisirs et la vie facile, il multiplia les initiatives, recherchant l'ombre et le secret, et, dans son œuvre, gardant, le plus souvent, un silence prudent.

Kervyn de Lettenhove a tiré des Archives de Milan le texte des instructions données par L. Sforza à son envoyé, Jules Cattanei, qui partait pour Casale (59). La marquise de Montferrat (60) y était morte, le 27 août (61). S'y disputaient la prépondérance le marquis de Saluces, cousin germain par alliance du jeune duc héritier, et Constantin Araniti, oncle de la défunte, que les Turcs avaient chassé d'Albanie, et que notre historien avait connu à Venise (62) : les deux hommes avaient même tenu des conférences secrètes pour soulever « Albanoys, Esclavons et Grecz » (63). Le marquis de Saluces combattait à Novare aux côtés de L. d'Orléans ; Sanudo, entre autres, nous l'apprend (64). Son rival, au contraire, avait promis de rester neutre (au moins temporairement) aux émissaires de la Sainte-Ligue qui soutenait ses prétentions ; il avait prodigué apaisements et excuses (65).

Charles VIII confia à Commynes le soin de régler cette question délicate, « a la seureté des enffens et au gré de la pluspart du pays, doubtant que le differant ne les fist appeler le duc de Millan ; et le service de ceste maison nous estoit bien seant » (66). Le conciliateur se prononça en faveur de Constantin (donc, contre le candidat de L. d'Orléans), alléguant que la majorité le soutenait, et que cette décision ne fut prise qu'après la réunion de plusieurs assemblées de nobles, de gens d'Eglise et de bourgeois (67).

Il ne se contenta pas de donner une solution à ce problème de tutelle. Mais (et ici nous retrouvons les instructions du More ci-dessus mentionnées), il utilisa ses relations avec C. Araniti pour reprendre les négociations, et maintenant plus particulièrement avec Milan, les Vénitiens étant plus méfiants et moins accommodants. Il recommanda la plus grande discrétion, si l'on en croit L. Sforza qui précisa que la mission de Cattanei ne fut décidée qu'à la suite d'ouvertures faites par Commynes lui-même, et qui chargea son émissaire et de remercier le chroniqueur pour sa bienveillance envers le duché de Milan, et de le sonder pour savoir s'il était sincère et loyal. Les *Mémoires* ne disent mot de cette initiative de l'historien dans une affaire qui, en fin de compte, n'eut pas un résultat heureux. Mais il s'efforce de démontrer que sa ligne de conduite lui fut en quelque sorte imposée par les événements, la situation et le moral des Français.

Mandrot, sur ce point, s'en prend à Kervyn : « Pourquoi M. Kervyn de Lettenhove veut-il que Commynes ait eu en cette occasion « soin de passer sous silence ce que son initiative avait d'irrégulier et de mystérieux ? » Commynes lui-même n'a-t-il pas écrit quelques pages plus haut qu'au camp français « chascun disoit et escripvoit ce qu'il vouloit » (68) ? Et à lire ce qui précède et ce qui suit cette partie de son récit, ne semble-t-il pas que l'auteur est plutôt fier que honteux de l'initiative qu'il a prise » (69) ? Mandrot nous paraît avoir été emporté, une fois de plus, par son admiration pour le mémorialiste et par son désir de le justifier à tout prix. Il demeure que Commynes se tait sur cette démarche qu'il n'a pu oublier, écrivant si peu de temps après l'expédition, et en connaissant très bien les détails pour y avoir joué un rôle important. Quant à la phrase vague que cite Mandrot pour le blanchir, elle porte la marque du chroniqueur qui n'en dit pas assez pour qu'on sache exactement ce qu'il a fait en certaines circonstances, mais glisse, çà et là, deux ou trois formules afin qu'on ne puisse l'accuser d'avoir dissimulé entièrement tel ou tel fait. Quoi qu'il en soit, il nous semble qu'il essaie de diminuer, autant qu'il est possible sans devenir suspect, la part essentielle qu'il a prise dans les négociations qui se terminèrent par le traité de Verceil, sévèrement jugé à l'époque, puis par la suite.

Ainsi, par hasard, nous dit Commynes, il rencontra à Casale un maître d'hôtel de François de Gonzague, Giacomo Suardo (70), venu selon la *Chronique du Marquis de Mantoue,* non seulement pour présenter les condoléances de Gonzague, mais aussi pour inciter Constantin à se joindre à la Sainte-Ligue (71). Argenton et Suardo commencèrent à s'entretenir des moyens qui permettraient de parvenir à un accord, « car les choses se y disposaient » (72). Et Commynes d'entrecouper son récit des raisons qui contraignaient les Français à des pourparlers :

l'armée royale était décimée par la désertion, par la maladie, par l'approche de l'hiver qui rendait fangeuses toutes les terres ; tous les chefs militaires appuyaient notre auteur que condamnait une poignée de prélats, d'autant plus belliqueux qu'ils n'avaient pas à affronter les périls des combats (73). Bref, relatant cet épisode, il présente son dossier avec toutes les pièces qui lui sont favorables.

LA PAIX DE VERCEIL

Les liens renoués, les coalisés envoyèrent à la cour de Charles VIII un homme du duc de Ferrare, le comte Albertino Boschetto (74), que Commynes avait rencontré et fréquenté à Venise, au printemps, à tel point que la Seigneurie s'était méfiée d'eux et les avait soupçonnés de comploter contre la Sainte-Ligue (75). Boschetto était chargé de demander un sauf-conduit pour le marquis de Mantoue et sa suite, en vue d'entamer des négociations. Selon la *Chronique du Marquis de Mantoue* (76), cette démarche aurait été précédée par des ouvertures de notre écrivain (77), et le Ferrarais se serait acquitté de cette mission à l'occasion d'un voyage pour des raisons familiales : il rendait visite à son fils qui servait sous les ordres de Trivulce et qui, à cette heure, était malade.

A en croire les chroniqueurs italiens, le marquis de Mantoue n'aurait pas sollicité de sauf-conduit, mais c'est Charles VIII qui le lui aurait envoyé spontanément (78). Cependant, l'original, délivré le 14 septembre 1495 et qui se trouve aux archives de la maison de Gonzague à Mantoue (79), précise que le capitaine général désire venir parlementer avec le prince d'Orange. C'est la version des *Mémoires* (80). Comment expliquer cette divergence ? Ou bien les Italiens ont pensé à une démarche de Commynes qui aurait suscité l'initiative de Gonzague (81) ; ou bien pour satisfaire leur amour-propre dont les *Mémoires* se font l'écho (82), les Français auraient glissé dans le texte ce petit mot qui leur donnait l'avantage.

En outre, d'après notre auteur, Boschetto aurait secrètement incité Charles VIII à ne pas traiter, mais à poursuivre la guerre (83). Seul, Commynes rapporte ce fait ; ce que ne saurait nous étonner, s'agissant d'un entretien secret, dont les chroniqueurs transalpins n'eurent pas connaissance. Propositions fort vraisemblables, d'ailleurs. Boschetto était sujet du duc de Ferrare, fort hostile à Venise, comme nous l'apprennent de multiples passages de la *Spedizione* de Sanudo (84) ; son fils était à la solde de Trivulce, ennemi acharné de L. Sforza (85).

Mais pourquoi Commynes nous en parle-t-il ? Il risquait ainsi de fournir des arguments à ses adversaires, puisque Boschetto soutint « que cest ost la estoit en grant paour et que brief deslogeroit » (86), et que, par conséquent, en persévérant dans la guerre plutôt qu'en négociant, les Français avaient des chances de l'emporter sur une ligue que minait la désunion. Cette imprudence de l'auteur s'expliquerait par son désir de montrer que la trahison est toujours présente, et d'inviter les princes à bien choisir leurs ambassadeurs dont beaucoup, pour des raisons diverses, sont enclins à desservir leurs maîtres : les *Mémoires* offrent de nombreux exemples, de G. de La Trémoïlle à P. Capponi.

Toutefois, des pourparlers s'engagèrent, auxquels Commynes participa activement, près de Camaria d'abord, dans l'armée des confédérés ensuite : « Plusieurs allees et venues se firent de nous en leur ost et des leurs au nostre sans conclusion ; mais je demeuroys tousjours au giste en leurs ostz, car tel estoit le vouloir du roy, qui ne vouloit riens rompre » (87). Gonzague était accompagné du chef des stradiots qui était B. Contarino (88), contrairement à ce que pense Mandrot (89). Selon la *Chronique* si souvent citée, le marquis se refusa à rien faire sans la participation des provéditeurs vénitiens, et temporisa quelque peu, « per magiore reputacione », et pour avoir le temps de renforcer son armée (90). La Sainte-Ligue était représentée dans le camp français par F. B. Visconti et Hieronymo Stangha (91) qui séjournèrent à Verceil du 16 au 19 septembre, et signèrent, dès le début, une trêve de quatre jours.

A en croire la *Chronique du Marquis de Mantoue* (92), le 19 septembre, Briçonnet (Commynes signale sa présence) prononça un violent réquisitoire contre Ludovic le More dont il stigmatisa la félonie et l'ingratitude (93). Les *Mémoires* passent sous silence cette virulente sortie à laquelle pourtant notre historien assista (94), pas plus qu'ils ne précisent que les Italiens ne voulurent pas parler les premiers, en prétendant que le sire d'Argenton avait entamé les négociations (95). Ces omissions s'expliquent sans peine : elles tendent à nous faire oublier et que Sforza était un partenaire déloyal en qui il était dangereux d'avoir confiance (et Commynes commit cette faute, malgré de nombreux avertissements) et que notre auteur fut, au premier chef, responsable du traité de Verceil.

Dans cette diatribe de Briçonnet, apparaît un autre élément intéressant. Si les Français, dit le cardinal de Saint-Malo, ont manqué de tout, il faut en rejeter la responsabilité non pas sur les conseillers du roi, imprévoyants et incapables, comme le répètent à satiété les *Mémoires*, mais sur Ludovic le More qui n'a pas tenu ses promesses. Le chroniqueur pourrait répliquer qu'on a eu tort de se reposer de ce souci sur Sforza, mais lui-même ne lui a-t-il pas fait confiance ? En outre, comme les représentants de Charles VIII étaient singulièrement exigeants (Commynes ne mentionne que deux points sur six) (96), l'un deux, « un de li loro principali, gli se accostò et li fecero advertenti a non volerse turbare, perho che se raduriano a le cose rasonevole » (97). Le sire d'Argenton se garde bien de signaler que certains mènent un jeu plus ou moins suspect.

Ajoutons, pour finir, que les *Mémoires* n'indiquent pas que le More, terrifié par l'arrivée à Verceil de renforts suisses, avait hâte de conclure la paix et que, partant, il eût été possible de le contraindre à de plus larges et de plus durables concessions (98).

En revanche, Commynes souligne que, s'il déploya une une intense activité (et il narre avec une certaine minutie ses allées et venues), ce fut pour complaire à son maître dont le cœur penchait vers la paix et que, par conséquent, il serait injuste de le rendre responsable, lui seul, d'une politique qui échoua. Dans l'immédiat d'ailleurs, elle permit de sauver le duc d'Orléans et la garnison de Novare. De la sortie des assiégés, les *Mémoires* nous donnent un récit dont le réalisme appuyé ne se retrouve pas dans la *Chronique du Marquis de Mantoue* (99), et qui a pour fin de nous faire approuver le comportement de l'auteur (100). De plus, ils exagèrent la puissance des ennemis, leur attribuant plus de 11.000 mercenaires allemands qui, en fait, étaient au nombre de 9.000 (101), et une force dont doutent les chroniqueurs italiens eux-mêmes, témoins oculaires. Enfin, Commynes de démontrer que l'arrivée de renforts suisses était plutôt une menace pour la liberté et la sécurité du roi (102).

Présentation partielle et partiale d'une réalité beaucoup plus complexe. Il est facile de prouver que les confédérés de la Sainte-Ligue rencontraient d'aussi grandes difficultés que les Français avec leurs mercenaires suisses ou allemands (103). Il suffit d'ouvrir les relations transalpines pour être témoin de nombreuses rixes sanglantes entre les soldats italiens et les Allemands qu'on soupçonnait de comploter avec les sujets de Charles VIII (104). On se battait pour tout et rien, par exemple pour une fille publique (105). Les bagarres dégénéraient rapidement en affrontements généralisés. Le danger se multipliant, le More s'efforçait d'aboutir au plus tôt à un accord (106). Bien plus, le rapport des forces en présence était en train de se modifier. Le chancelier suisse, Louis Feer, malgré l'argent de Sforza, s'était tourné vers A. de Baissey qui recrutait pour le compte du roi (107), et il l'aidait à enrôler des hommes (108). Les assiégeants de Novare souffraient eux aussi de la chaleur, des fièvres, des pluies ; beaucoup de mercenaires mouraient (109). Des soldats de Caiazzo désertaient (110). Les Suisses songeaient à rejoindre le camp français, et G. de Pietraplana eut beaucoup de peine à les retenir. Les provéditeurs se plaignaient de la défection de 200 lances milanaises (111). Les rixes s'accompagnaient de véritables hécatombes (112), Les Vénitiens se méfiaient du More : on le sent en lisant la *Spedizione* de Sanudo (113). Ils pensèrent à faire disparaître les San Severini, principal appui de Sforza (114). Contarini, le chef des stradiots, proposa aux provéditeurs d'attirer le duc dans un guet-apens, de le tuer séance tenante et de s'emparer ensuite de ses Etats (115).

Sanudo consacre aux tractations franco-italiennes une vingtaine de pages (116) qui nous permettent de donner un contenu plus riche à certaines formules de Commynes, de reconstituer son emploi du temps, de compléter et de nuancer son récit.

Tout d'abord, nous remarquons que notre auteur joua dans ces négociations un rôle prédominant. C'est lui qui prenait la parole au nom du roi, sans doute parce qu'il savait l'italien et connaissait mieux ses interlocuteurs (117), encore qu'intervinssent à l'occasion les seigneurs de Gié (118) et de Piennes (119). Seul, il emporta l'accord de Ludovic le More (120). A plusieurs reprises, il resta au camp italien, au lieu de repartir avec les autres (121). Il était un partisan ardent de la paix, alors que son collègue L. de Piennes l'était beaucoup moins : « ...et che mons. di Arzenton era caldo a la paxe, ma mons. de Pienes un poco duretto » (122). Il fut très joyeux lorsqu'on aboutit au traité (123). Or qu'observons-nous dans les *Mémoires* ? L'auteur emploie constamment la quatrième personne. Ainsi aux pages 232-3 de l'édition Calmette : « ...nous trouvasmes [...] entrasmes [...] demandions [...] nous allasmes [...] bien eussions nous esté contens [...] et le disions [...] *etc* » ; il n'y a que deux *je*. C'est une manière de partager les responsabilités avec d'autres.

En outre, Sanudo indique, nous l'avons vu, que les provéditeurs vénitiens se méfiaient de Sforza ; ils s'inquiétaient de ses tête-à-tête avec les Français (124) ; tout comme l'ambassadeur d'Espagne, ils ne prenaient pas part aux conversations quand ils y assistaient (125). Dans les *Mémoires*, des notations de ce genre auraient suggéré que la paix était bien fragile puisqu'elle n'engageait qu'un seul des ennemis, et que ce dernier, de surcroît, s'excusait auprès de ses alliés : il leur écrivait qu'il leur resterait fidèle *dum spiritus regeret artus* (126).

Nous constatons aussi de légères divergences à propos des porte-parole français. Selon Commynes, on décida que participeraient aux négociations le prince d'Orange, le maréchal de Gié, le seigneur de Piennes et notre écrivain ; ensuite, nous retrouvons dans le camp italien les trois derniers seulement ; pour la rédaction des articles leur furent adjoints le président de Ganay, qui savait le latin, et le sire de Morvilliers ; enfin, à la conclusion de la paix, apparaît en outre le vidame de Chartres, Jacques de Vendôme. Tournons-nous maintenant du côté de la *Spedizione*. Elle ne cite pas le prince d'Orange (127). On le comprend aisément, puisqu'il ne vint pas personnellement au camp de la Sainte-Ligue. Commynes tient à le nommer, pour se donner une caution supplémentaire parmi les grands. Du 20 au 23 septembre, il n'y a que les seigneurs de Gié, de Piennes et d'Argenton (128). Le 24, ils reviennent accompagnés du président du Parlement de Paris, Ganay (129), et de l'évêque de Rouen, qui repartit le 26 au matin (130). Or cet évêque est le belliciste Georges d'Amboise, le conseiller et l'ami de Louis d'Orléans : son nom a disparu de cet épisode, mais, un peu plus loin, il nous est dit qu'il pousse à la guerre (131). Enfin, Sanudo ne parle ni de Morvilliers, ni de J. de Vendôme, se contentant d'une formule vague : « altri franzesi »; Commynes préfère préciser.

En compagnie de ses collègues, notre chroniqueur négocia dans le camp italien les 20 (132), 21, 22 septembre. Il revint vers le roi le 23 au matin. Le voici de retour au milieu des coalisés le 24 jusque dans la journée du 26. Le 27, après dîner nous le revoyons, seul, en grande conversation avec le More, fort accommodant sur des points de détail (133). Il repoignit Charles VIII le 29, « a hore una di notte », escorté de F. B. Visconti (134), avec une lettre contenant l'accord des deux parties, sauf sur une clause relative au duc d'Orléans. Le lendemain, suivi des autres Français, il retourna auprès de Sforza : on parla de la paix avec Venise. De même, le 1er octobre dans la soirée : le seigneur de Piennes, qui représentait la tendance dure de la délégation française, demanda des engagements précis de la part des Vénitiens : ne pas soutenir Ferrand de Naples, restituer la Pouille à Charles VIII, être les amis du roi et les ennemis de ses ennemis (135). Commynes n'en dit rien. Le 2 octobre, « a hore 1 di notte », Argenton revint avec Ganay et « do altri mestri di caxa del Re », qui repartirent le 3, le laissant seul à attendre un accord plus net de Venise (136). Il fut rejoint le 4 par P. de Gié et Visconti (137). Pendant ce temps Commynes semble être resté dans le camp italien (138), le seigneur de Gié faisant le va-et-vient et arrivant le 9 octobre, à 21 heures, en compagnie d'autres Français. Après une conversation de deux heures, Sforza appela les provéditeurs vénitiens (139) ; à minuit, on jura la paix.

AU LENDEMAIN DU TRAITÉ

Par le traité de Verceil, Ludovic, redevenant l'allié de Charles VIII, promettait :

1°) d'armer, dans les plus brefs délais, deux navires génois qu'il enverrait au secours du château de Naples ;

2°) d'aider les Français de sa personne et de ses ressources, s'ils décidaient une nouvelle expédition contre les Aragonais ;

3°) de se retourner contre les Vénitiens s'ils n'acceptaient pas la paix. Il se déclarait, pour le fief de Gênes, le vassal du roi qui s'engageait à ne pas appuyer les prétentions de L. d'Orléans sur Milan.

Cet accord eût pu passer pour un éminent succès diplomatique si, immédiatement après, Sforza, malgré les instances de Commynes, de Gié et de Ganay, ne s'était refusé à rendre à Charles VIII une visite qui était prévue à Palestro (140). Le mémorialiste prétend que le More allégua, pour rejeter l'idée de cette rencontre, les paroles menaçantes qu'avaient prononcées contre lui les fauteurs de guerre, Ligny et Briçonnet (141). Rien de tel dans Sanudo. C'est sans doute un moyen, pour notre auteur, de suggérer que, si le More ne fut pas fidèle aux clauses de l'alliance, la responsabilité doit en retomber, pour une part importante, sur ses propres adversaires, matamores sans cervelle portés aux rodomontades.

En tout cas cette méfiance ne permettait pas de bien augurer de l'avenir. Le chroniqueur, qui ne s'avoue jamais vaincu, prétend qu'il avait prévu, dès la conclusion du traité, l'échec final : « ...croyant bien par les signes que nous voyons qu'elle ne tiendroit point ; mais nous avions necessité de la faire pour maintes raisons que avez entendues... » (142).

Sa position à la Cour devait être inconfortable, car les Français étaient de plus en plus hostiles à Ludovic, accusé, avec raison, de duplicité (143). Mais Commynes continuait à envoyer au duc des lettres signées de son seul prénom (144). Amitié au prudence ? Il est difficile de décider. Sforza de son côté s'adressait à notre auteur aussi bien qu'à Charles VIII et à P. de Gié (145). Cependant, était-il possible de conserver des illusions ? C'est peu vraisemblable. Début novembre, le sire d'Argenton était accueilli sur les terres milanaises avec une mauvaise grâce certaine (146).

DERNIERS INSUCCÈS
A VENISE

En effet, le roi avait décidé de l'envoyer à Venise, bien que notre auteur ne fût pas chaud pour une mission dont il prévoyait l'échec et dont il attribua l'idée à ses rivaux, soucieux de le discréditer. Il eût sans doute préféré prendre la route de Florence qui, menacée par P. de Médicis, avait dû abandonner la campagne contre Pise (147), et où il espérait jouer entre les factions opposées un rôle de médiateur, sans perdre de vue la défense de ses propres intérêts (148).

Arrivé le 4 novembre 1495 à Venise, il fut moins honoré que la première fois. La Seigneurie avait chargé un certain nombre de patriciens d'aller à sa rencontre ;

mais « pochi vi andoe » (149). Commynes lui-même nous confesse que la cordialité de 1494 avait laissé la place à une froideur qu'il explique par l'état de guerre qui séparait la France de Venise (150). Peut-être faut-il en découvrir l'origine dans l'hostilité des nobles et du menu peuple contre un ambassadeur dont on se méfiait et dont on craignait les tromperies (151).

Dès le lendemain, il était reçu par le doge. Il lui demanda, nous dit-il (152), de ratifier la paix de Verceil et d'accorder trois points :

1°) rendre Monopoli aux Français ;

2°) rappeler le marquis de Mantoue et d'autres qui étaient allés appuyer l'action de Ferrand II de Naples ;

3°) déclarer que ce dernier ne faisait pas partie de la Sainte-Ligue.

Ici, il convient de mentionner une erreur chronologique de Commynes. Il écrit que l'un des articles de sa mission était d'obtenir le rappel du marquis de Mantoue, envoyé au secours des Aragonais. Or l'expédition de Gonzague n'eut lieu qu'au printemps de 1496 (153), tandis que le chroniqueur vint, pour la seconde fois à Venise, en novembre 1495. Mandrot signale cette « confusion singulière », cette « erreur ... si extraordinaire » (154), « cette étrange bévue » (155). Selon Calmette, ou bien une partie du texte est interpolée, ou bien il s'agit non de l'expédition elle-même, mais du projet d'expédition, les Français croyant « les choses plus avancées qu'elles n'étaient » (156).

Pour nous, il semble qu'il y a là une erreur sinon volontaire, du moins utile à Commynes. Pourquoi a-t-il antidaté (consciemment ou non) cette expédition ? Pour diminuer son échec. En effet, non seulement il ne sut rallier la république de Venise à la paix de Verceil, mais encore il ne put l'empêcher de secourir activement Ferrand II et de signer avec lui un traité le 21 janvier 1496 (157). Indiquer que les Vénitiens combattaient déjà aux côtés des Aragonais quand il arriva dans la cité des doges, c'est suggérer qu'il n'existe pas le moindre petit lien entre son insuccès et l'hostilité de plus en plus déclarée de la Seigneurie contre la politique française. Par la suite, s'il nous apprend que les Vénitiens assiègent le Château Neuf de Naples de concert avec les troupes espagnoles et aragonaises (158), et qu'ils occupent des places en Pouille (159), il ne précise pas que c'est en vertu du traité signé en janvier 1496, c'est-à-dire moins de 2 mois après sa malheureuse ambassade.

Il est bon de comparer de nouveau les *Mémoires* avec la *Spedizione* de Sanudo. Si nous suivons Commynes, le doge l'accueillit avec amabilité ; il différa sa réponse ; il ordonna des prières, des processions, des aumônes, pour que le Ciel inspirât la décision de la Seigneurie ; au bout de quinze jours, il rejeta les requêtes de notre chroniqueur, « disant n'avoir nulle guerre avecques le roy, et que ce qu'ilz avoyent faict, c'estoit pour aider a leur alié le duc de Millan que le roy vouloit destruire » (159) ; il fit des propositions secrètes (160) qui eussent permis de ne pas tout perdre (161), mais que Charles VIII et ses conseillers refusèrent d'examiner.

Sanudo ne dit rien des processions ni des prières : par ce moyen, le sire d'Argenton explique que Venise, avec une piété exemplaire qui l'égalait aux Romains, disposait d'un atout capital qui rendait encore plus difficile sa propre mission, et excuse son échec. Sanudo ne souffle mot non plus des propositions secrètes. Est-ce une invention de Commynes à qui il répugne de paraître revenir les mains vides ? Calmette remarque que nulle part nous ne trouvons trace de ces offres (162). Le mémorialiste prévient l'objection en précisant : « Et firent parler *a part* avecques moy le duc qui me offrit bon appoinctement... » (163). Ici encore, l'échec n'a été total, aux yeux de notre auteur, que par la carence et l'obstination du prince et de ses favoris qui, en outre, ont menti en prétendant descendre en Italie pour combattre le Turc (164). Signalons enfin que, selon les *Mémoires,* Commynes attendit 15 jours ; or, d'après Sanudo, reçu le 5, il repartit le 18. Léger écart, certes, qui n'étonne pas de la part d'un écrivain du XVe siècle, mais qui peut traduire l'impatience et l'anxiété d'un homme qui sent qu'il joue sa dernière carte.

En revanche, la *Spedizione* nous révèle un certain nombre de faits que nous ne trouvons pas dans les *Mémoires,* et dont l'absence, du moins pour quelques-uns, est significative.

En premier lieu, le doge l'accueillit avec un bon mot auquel Commynes répondit avec esprit : « ...el Principe [...] li disse : « Monsignor, sete venuto magro », et, *in veritate,* era la verità. *Unde* lui rispose : « Serenissimo Principe, li fastidii di la guerra fa cussì ; et *etiam* le bone spese mi faceva far la Vostra Signoria, quando era qui, mi faceva far bona ciera » (165). Pourquoi ne pas rapporter ces propos, d'autant plus que, quelques pages plus loin, il reproduit une repartie spirituelle qu'il lança à Ludovic le More (166) ? Peut-être ne veut-il pas nous inciter à penser qu'il a été aveuglé par le traitement flatteur dont le gratifia la Seigneurie, ou même qu'il s'est laissé acheter d'une manière ou de l'autre.

En second lieu, Sanudo nous apprend que, pendant le séjour de Commynes, diverses mesures manifestèrent clairement la volonté des Vénitiens d'aider Ferrand II à recouvrer son royaume de Naples (167) : notre auteur n'en dit rien, pour ne pas donner à entendre qu'on ne tint aucun compte de sa venue et de ses propositions.

En troisième lieu, un ambassadeur milanais, Lorenzo de Orfeo de Mozanega, arriva, le 6, dans la cité, et, présentant les clauses du traité de paix, il assura que Sforza non seulement ne s'était pas séparé des autres ligueurs, mais encore désirait être lié plus que jamais à Venise par une étroite amitié : le relater eût indiqué que l'accord de Verceil n'avait été qu'un marché de dupes où Commynes avait été trompé. Rien non plus sur l'accueil triomphal réservé le 9 au marquis de Mantoue (168), et pourtant le sire d'Argenton alla au-devant de lui avec ses collègues napolitain, milanais et espagnol (169).

Enfin, Sanudo affirme que l'historien s'en retourna « dolendossi non haver potuto otenir quello che si credia » ; dans ses *Mémoires*, Commynes ne tient pas à nous faire savoir qu'il avait conservé des illusions que la réalité démentit cruellement.

Il obtint son congé le 18 novembre, honorablement traité (170), et gratifié de « braza 24 de veludo cremexin ». Sur ce point encore, silence total, alors qu'il s'est plu à décrire les honneurs dont on l'avait entouré à son arrivée en 1494, à noter les dons que fit Louis XI à des émissaires étrangers, par exemple au héraut Jarretière. Sans doute ne veut-il pas qu'on le soupçonne d'avoir négligé sa tâche, séduit par des cadeaux plus ou moins importants.

A MILAN

Il quitta Venise le 24, et, au retour, passa par Milan. Il essaya de hâter le départ des navires génois, destinés à secourir les Français restés à Naples. Sforza, au début, s'ingénia à éviter tout tête-à-tête avec lui. Par la suite, il se refusa à toute concession et usa d'échappatoires ridicules, malgré les prières et les arguments de son interlocuteur. Il lui joua, enfin, un tour de sa façon. S'étant avisé que Commynes aurait aimé se prévaloir auprès de Charles VIII d'un succès diplomatique (par cette notation, notre auteur nous livre le fond de sa pensée) (171), le More lui promit :

1°) d'envoyer à Gênes son gendre, Galleasso di San Severino, pour mettre en route les bateaux demandés et, ainsi, d'assurer à la France la possession de Naples ;

2°) les secours partis, d'en avertir, par une lettre autographe, Commynes qui serait le premier à en informer son maître (172). Mais ce n'était qu' « une plus belle mensonge ». L'écrivain, plein d'espoir, et s'attendant tous les jours à voir surgir un courrier de Ludovic, traversa Chambéry, où l'accueillit Philippe de Bresse, son complice d'autrefois, et, finalement, le 12 décembre 1495, retrouva la Cour à Lyon sans que personne l'eût rejoint (173).

Il n'avait donc convaincu ni l'une ni l'autre des deux puissances visitées. De plus, Charles VIII n'accorda aucune attention à la solution de rechange qui lui fut apportée de la part des Vénitiens. Le roi, occupé de tournois et de festins, s'amusait et ses conseillers « faisoient tres bien leurs besongnes et mal les siennes » (174). Ne s'accommodant pas de l'insuccès, Commynes s'obstina. Il écrivit à Ludovic le 17 décembre pour le décider à tenir ses promesses (175). Le 18, il rencontra Francesco Sforza, retenu prisonnier en France, et l'avertit de l'envoi prochain d'un nouvel émissaire (176). Il conserva des relations d'amitié avec le porte-parole du More et le conseilla sur la conduite à suivre (177). Le duc de Milan s'adressa à lui pour obtenir que Fr. Sforza fût traité convenablement (178) ; il revint à la charge le 1er février 1496 pour lui demander qu'on ne livrât pas le captif à Louis d'Orléans. Les premiers mots de cette lettre sont à méditer : « Les assurances que vous nous avez données, en répondant à notre lettre, de vos sentiments et de vos bonnes dispositions à travailler autant que vous le pourrez en notre faveur... ».

Mais ces échecs successifs renforcèrent à la Cour le parti de la guerre. Le malheureux diplomate, critiqué et moqué, dut renoncer, une nouvelle fois, à ses espérances. Il le suggère avec sa discrétion habituelle : « ...et me laverent bien la teste, comme on a accoustumé faire es cours des princes en cas semblables. Si en estois-je assez marry » (179). Et Maulde-La-Clavière n'a pas tort d'écrire (180) :

> « *D'autres que lui avaient commis d'aussi fortes bévues, mais son excès de zèle et de finesse permit à tout le monde de se décharger sur lui ; il devint le bouc émissaire des ressentiments contre Ludovic, et il ne put, malgré son talent, se relever du discrédit, de la déconsidération qui le frappèrent depuis lors. Il fit comme Talleyrand ; il écrivit ses Mémoires, Mémoires spirituels, éloquents, importants, toujours nécessaires à consulter, mais qu'il n'est pas indispensable de croire aveuglément* ».

CONCLUSIONS

1°) L'expédition d'Italie dura un peu plus d'un an, et Commynes s'y occupa fort, toujours soucieux de s'assurer la bienveillance du souverain par un succès diplomatique. Maulde-La-Clavière a bien senti en lui cette volonté de « jouer vis-à-vis du royaume le rôle d'homme providentiel, de *deus ex machina* » (181). Mais, que ce soit à Florence, auprès de P. de Médicis, à Venise, avec la Seigneurie, à Milan, avec Ludovic le More, notre auteur a échoué : il n'a su ni rallier le premier au parti profrançais, ni empêcher la seconde de constituer la Sainte-Ligue, ni obtenir du troisième le respect de ses promesses. En outre, désireux de conserver l'amitié des Florentins malgré le changement de régime, il fut incapable d'amener son maître à leur restituer Pise et les autres villes dissidentes.

2°) Que ces insuccès ne soient pas imputables à lui seul, que ses adversaires, français ou italiens, l'aient craint et estimé, on ne saurait le nier. Mais, à la Cour, c'est lui surtout qui a subi les contrecoups d'une faillite dont on l'a rendu responsable. Aussi ses *Mémoires* sont-ils à la fois une apologie et un réquisitoire qu'il commença à écrire dès son retour en France, et où il distribua éloges et surtout blâmes. D'un côté, Sforza, cruel et trompeur; Pierre de Médicis, stupide et entêté; Briçonnet (que pourtant, il flattait dans ses lettres) (182) et Etienne de Vesc, légers, cupides et incapables; Charles VIII, indolent et faible; et bien des comparses dont le comportement eut de funestes conséquences. De l'autre, Commynes lui-même, actif, dévoué, lucide, habile et courageux, mais dédaigné, laissé à l'écart, et finalement récompensé par l'ingratitude; Venise, remarquable par sa sagesse, sa richesse et sa puissance.

IV. - **LA FIN DU REGNE**

Si les deux ou trois années qui terminent le règne de Charles VIII ne nous livrent que de très rares documents sur Commynes, elles confirment les conclusions que nous avons été amené à tirer.

Le chroniqueur ne s'obstinait pas dans un parti, même le plus raisonnable, s'il ne pouvait en retirer un profit politique. Aussi, après avoir été l'artisan du traité de Verceil, se rallia-t-il à la coterie de la guerre (1), à la fois parce qu'elle était la plus puissante auprès du souverain et qu'il n'éprouvait plus qu'hostilité et haine à l'égard de Ludovic Sforza qui l'avait trompé (2).

Par bribes, les *Mémoires* nous dévoilent la vérité. Il s'agit pour nous de rapprocher des éléments dispersés. Au début du chapitre XXIII, dans le livre VIII, nous avons un tableau de la cour et de ses factions. D'un côté, le cardinal Briçonnet et le sénéchal de Beaucaire, Et. de Vesc : « Les ungs vouloient que l'emprise d'Itallie continuast ; c'estoient le cardinal et seneschal ; et veoient leur prouffict et auctorité en la continuant ; et passoit tout par eulx ». De l'autre, l'amiral de Graville qui tentait de reconquérir la faveur du jeune souverain : « ...estoit l'admyral qui avoit eu toute l'auctorité avecques ce jeune roy avant ce voyage : cestuy-la vouloit que ces emprises demourassent de tous points ; et y veoit son prouffict et se retourner a sa premiere auctorité et les aultres la perdre » (3). Remarquons l'emploi de tours et de mots identiques qui réduisent les uns et les autres à la même ambition et à la même cupidité. Aux côtés de Graville, se rangèrent le duc et la duchesse de Bourbon, le prince d'Orange et le maréchal de Gié. Ces deux derniers avaient appuyé Commynes dans ses négociations italiennes. Ils continuèrent fidèlement à prôner une politique de paix et d'amitié à l'égard de Milan.

Notre auteur se souciait peu d'une telle constance qui l'éloignait des plus puissants et l'empêchait de se venger de Sforza dont la tromperie avait cinglé son amour-propre. C'est pourquoi nous ne sommes pas étonné de le voir se livrer dans les *Mémoires* à un véritable plaidoyer en faveur d'une nouvelle descente en Italie, et énumérer tous les atouts dont disposaient les Français : princes et villes de la péninsule étaient décidés à apporter leur concours à une seconde expédition que Commynes appelle « celle belle adventure » (4) ; et nous sont cités le duc de

Ferrare (5), le marquis de Mantoue (6), Giovanni di Bentivoglio (7), les Florentins (8), les Orsini et les Vitelli ((9). A quel prix, demandera-t-on ? Les dépenses n'auraient pas été élevées : rien à payer aux Florentins, très peu aux autres alliés (10). Immanquablement Ludovic le More eût été détruit ou réduit à merci, et le royaume de Naples tombait de lui-même (11) :

> « *Or notez, si ledit duc de Millan se fust trouvé soubdainement assailly de ce que eust mené le duc d'Orléans et de tous ceulx que j'ai nommez, comme il se fust sceu deffendre qu'il n'eust esté destruict ou qu'il n'eust esté contrainct de se tourner du cousté du roy contre Venitiens. Et moins de quatre vingts mil escuz eust tins tous ces Ytaliens aux champs un grant temps ; et, deffaict le duc de Milan, le royaulme de Napples se recouvroit de luy mesmes* ».

Bien plus, Commynes nous révèle, dans le détail, le secret des délibérations. A deux reprises, la question fut débattue par une douzaine de personnes, parmi lesquelles siégeait notre historien. A deux reprises, c'est à l'unanimité, « sans une voix au contraire », que fut décidée la reprise des hostilités, c'est-à-dire une nouvelle aventure outremonts (12). Mais les tergiversations de Louis d'Orléans, indécis, hypocrite, ambitieux, ruinèrent ces projets. Charles VIII, en dépit de multiples promesses (13), ne voulut pas imposer à son cousin de prendre la tête du corps expéditionnaire. Pourtant, disent les *Mémoires*, le roi

> « *avoit grant esperance de se vanger du duc de Milan, veu les nouvelles qu'il avoit d'heure en heure des intelligences que avoit messire Jehan Jacques de Trevolse, qui estoit lieutenant pour le roy et pour le duc d'Orleans en Ast, natif de Milan et fort aymé et apparenté en ladite duchié*

> *de Milan, ou avoit largement gens qui avoient bonne intelligence avecques luy, tant de ses parens comme d'autres* » (14).

Par deux fois, Commynes approuve les menées de Trivulce, ennemi personnel de Sforza : « ...et qui l'eust laissé faire, il eust faict grant chose [...] le duc de Milan [qui] avoit esté en grand peril, qui eust laissé faire ledit messire Jehan Jacques » (15).

Les occasions d'intervenir ne manquèrent pas. A Gênes, Baptista di Campofregoso, appuyé par les Doria, offrait de renverser son oncle Paolo et de remettre la seigneurie sous le contrôle de la France (16). A Savone, certains intriguaient avec Julien de La Rovère : « Qui eust peu avoir ce lieu, Gennes eust esté fort a destroict, veu que le roy tient Prouvence et que Savoye est a son commandement » (17). Malheureusement, Charles VIII ne gouvernait pas : tout allait à vau-l'eau (18). L'on éparpilla les forces françaises en trois points (19), au lieu de les concentrer et de régler les problèmes les uns après les autres (20).

Commynes poussait à la guerre, aussi et surtout, pour venir en aide aux Florentins qui, à la faveur d'une seconde intervention française en Italie, espéraient recouvrer Pise et les autres villes qui s'étaient soustraites à leur autorité (21) : « Se tournant aussitôt d'un autre côté, ils ne comptaient plus que sur les jalousies des deux puissances qui se disputaient sournoisement Pise [*Milan et Venise*] et sur une nouvelle expédition de Charles VIII » (22). Le 12 octobre 1495 ils écrivaient à leur ambassadeur, Neri Capponi, pour qu'il obtînt du roi que leur fût envoyé un personnage de crédit, muni de pouvoirs étendus, et chargé d'ordonner la restitution à Florence de Pise, Pietrasanta, Motrone, Sarzana, Sarzanella : ils aimeraient que ce fût le sire d'Argenton dont ils connaissaient l'affection, et qui avait défendu avec vigueur leurs intérêts, à condition, toutefois, que ce choix ne fût pas vu d'un mauvais œil. Commynes et la Seigneurie avaient partie liée. Le premier ne cessait de défendre les droits de la seconde sur les cités rebelles. Les *Mémoires* en sont un écho. Quand ils rapportent (23) que Robert de Balzac remit aux Pisans leur citadelle, ils ne manquent pas de souligner longuement que ce fut « honte et dommaige » *Honte*, car Charles VIII avait juré, à deux reprises, de rendre à Florence les places en litige ; *dommage*, car les Français infidèles à leur parole, durent restituer 30.000 ducats déjà prêtés, renoncer à 70.000, perdre un secours permanent de 300 hommes d'armes, « continuellement, a leurs despens, au service dudit seigneur jusques a la fin de l'emprise » (24). Les pages consacrées à cette affaire, nombreuses et détaillées, indiquent son importance dans la vie de notre auteur. De leur côté, les Florentins prenaient soin des intérêts de leur allié, compromis par la chute de P. de Médicis. Ils exercèrent des pressions sur les syndics de ce dernier, Lorenzo Tornabuoni et Galeas Sassetti. Sans grand succès. il est vrai. Des lettres de l'été 1497 donnent des preuves de leur reconnaissance et de leur bonne volonté :

> « *Monseigneur, nous nous recommandons à votre bonne grâce et nous vous faisons savoir que nous n'avons jamais oublié combien vous vous êtes toujours employé en faveur de cette république et de cette nation : aussi en avons-nous une grande obligation à Votre Seigneurie. Si votre payement n'a pu être réglé aussitôt que nous l'aurions voulu, cela ne vient pas de ce qu'on faisait peu de cas de Votre Seigneurie, mais c'est à cause de la grande difficulté de trouver dans les biens de Pierre de Médicis l'argent nécessaire pour vous rembourser. ...Votre Seigneurie écrira ou enverra ici quelqu'un ou même une simple procuration pour poursuivre*

> *l'affaire. De notre côté, nous aiderons et favoriserons de tout notre pouvoir les intérêts d'un seigneur qui est notre ami le plus cher et qui a si bien mérité de notre république* » (25).

Le 28 septembre 1497, les Florentins demandèrent à Commynes d'envoyer, ou de désigner, quelqu'un qui retirât en son nom « les meubles ou les immeubles » qui lui avaient été accordés pour le dédommager ; ils regrettaient de ne pouvoir le rembourser en argent comptant (26). Faut-il croire à leur entière sincérité ? C'est, probablement, un moyen adroit de s'assurer, pour l'avenir, la fidélité intéressée du mémorialiste qui, sans doute, ne fut pas dupe.

On songea, un moment, à charger notre auteur d'une ambassade en Espagne (27). Mais d'autres lui furent préférés. Ainsi s'explique-t-on, d'une part, qu'il nous livre, dans les dernières pages des *Mémoires*, de nombreuses précisions sur les tractations franco-espagnoles ; d'autre part, qu'il ne soit pas tendre à l'égard de Clérieux qui semble l'avoir supplanté : c'est un naïf, trompé d'autant plus facilement qu'il n'oublie pas ses propres intérêts (28).

Durant cette période obscure et tranquille, Commynes suivit la cour. Nous devons nous contenter de son témoignage : « Et me trouvoy tout ce temps avecques luy (29), et estoie present a la plupart des choses. Et aloit le roy de Lyon a Moulins, et de Moulins a Tours et partout faisoit des tournais et des joustes et ne pensoit a aultres choses » (30). Il précise qu'il vit Charles VIII, huit jours avant son trépas, rendant la justice en public, mais que, retenu par ses affaires privées, il n'assista pas à sa mort (31). Revenu en hâte à Amboise, il pria auprès du corps du prince pendant cinq ou six heures, lui pardonnant ses rigueurs, dans des lignes qui, à travers un voile d'apologie personnelle, expriment bien la réalité : il ne sut jamais gagner la confiance du roi défunt :

> « *Et croy que j'ay esté l'homme du monde a qui il a faict plus rudesse, mais congnoissant que ce fut en sa jeunesse et qu'il ne venoit point de luy, ne luy en sceuz jamais maulvais gré* » (32).

NOTES DU CHAPITRE TROISIÈME

I. — IN PROFUNDUM MALORUM.

(1) Pierre de Beaujeu. C'est uniquement pour leur commodité que nous employons à propos des Beaujeu, les mots de **régents** et de **régence** qui ne leur conviennent pas exactement.

(2) Pierre de Rohan, maréchal de Gié.

(3) **Ordonnances des rois de France,** t. XIX, p. 56. Louis XI recommanda de gouverner avec les princes du sang, avec les conseillers de son père et les siens, de ne pas « désappointer » les gens en place. Comparer avec Commynes, II, 311.

(4) Chartres, 1882, p. 207. Cf. encore p. 199 : « Parcourez la liste des membres de ce conseil... D'habiles et dévoués serviteurs de la royauté, comme Graville, la Trémoïlle et Du Bouchage, ou d'obscures et anciennes créatures de Louis XI ».

(5) I. e. de lourdes chaînes fixées aux jambes. Cf. **Mémoires,** II, 320.

(6) Ed. Quicherat, III, 197.

(7) Voir le tome II des **Lettres** de Charles VIII, éd. P. Pélicier, 5 vol. Paris, 1898-1905 (**Société de l'Histoire de France**).

(8) « Escript ce XXXeme d'aoust. Nostre maistre est allé a Dieu aujourd'huy qui est samedy, environ dix heures de nuyt ».

(9) Ed. Mandrot, **intr.,** XXII; Kervyn, III, 88-89.

(10) Cf. Lanson, **op. cit.** p. 178 : « Menacé, il croit se sauver par la cabale, dans le parti d'Orléans; cela donna lieu de l'écraser ».

(11) Ed. Mandrot, **intr.,** XXIII.

(12) Ed. Calm., III, 5.

(13) Ed. Dupont, III, 62-3.

(14) O. Tixier, **Les Théories constitutionnelles ou la souveraineté aux Etats Généraux de 1484,** Paris, 1899, p. 17.

(15) Ed. des **Mémoires,** I, IV.

(16) I, 175. Cf. **La Destruction des mythes...,** ch. 4, 5e partie : **Sauver les apparences,** pp. 327-328.

(17) II, 219.

(18) II, 219-220.

(19) II, 220.

(20) Voir sur ce personnage notre **Introduction aux Mémoires de Commynes** (à paraître).

(21) II, 219. Cf. encore 217, 222 : « Ne seroit-il plus juste envers Dieu et le monde le lever par ceste forme que par volunté desordonnee ? ».

(22) II, 221.

(23) II, 221-222.

(24) II, 222 : « La ou je nomme roys ou princes, j'entends eulx et leurs gouverneurs... ».

(25) II, 223.

(26) **Ibidem** : « (les femmes) ...qui quelques foiz et en aulcuns lieux ont auctorité et maistrise, ou pour l'amour de leurs mariz, ou pour avoir administration de leurs enfans, ou que les seigneuries viennent de par elles ».

(27) II, 222.

(28) Nous reviendrons sur cette question dans notre **Sagesse de Commynes,** dont un ch. sera consacré aux états généraux. Nous nous interrogerons sur un jugement de Kervyn (II, 11) : « Les opinions de Commynes se retrouvent presque toutes dans les vœux exprimés par les états généraux ». Voir aussi du même II, 6.

(29) **Op. cit.,** p. 59.

(30) II, 4.

(31) Charles VIII s'en excusera auprès des Anciennes Ligues de la Haute-Allemagne (Lettres, I, 37-39).

(32) Pélicier, **op. cit.,** pp. 62 et s.

(33) **Ibidem,** p. 77.

(34) **Op. cit.,** pp. 54 et s.

(35) Mme de Beaujeu en tirera parti. Cf. une lettre de Charles VIII, du 31.8.1486 (I, 127-128) : « ...et en ensuivant les haulx et louables et faiz et enseignemens et commandemens de nostredict feu seigneur et pere, aussi la tres humble requeste que nous firent les gens des Estatz de nostredict royaume derenierement assemblez en nostre ville de Tours qui nous supplierent très humblement qu'il nous pleust entretenir nosdictz frere et sœur a l'entour de nostre personne et gouvernement de nous et de nostredict reaume ».

(36) Cf. Jean de Jaurgain, « Deux comtes de Comminges au 15ᵉ siècle : I. Le bâtard, d'Armagnac. II. Odet d'Aydie, seigneur de Lescun » dans le **Bulletin de la Société archéologique du Gers,** 1917, p. 209.

(37) Pelicier, **op. cit.,** p. 56. Cf. aussi Kervyn, II, 14, n. 1.

(38) A. Bernier, **Procès verbaux des séances du conseil de Régence pendant les mois d'août 1484 à janvier 1485,** Paris, 1895, p. 112: « Pour messire Philippe de Commynes, s^{ur} d'Argenton, lettres patentes et missives au procureur du roy et advocas en la court de parlement a Paris, pour prendre la garantye pour le roy touchant la matiere et proces pendant en ladite cour, a cause des terres et seigneuries de Tallemont, Berrye et autres que le feu roy, que Dieu absoille, donna au s^{ur} d'Argenton comme le sien propre ».

(39) **Ibidem,** p. 170 : « Pour mons^{ur} de la Trimoille, lettres missives a ceulx de la court de parlement et aux gens du roy, que, quelques lettres que le roy ait par cy-devant octroiees touchant le procès de Taillement et Berrye, que le roy n'entend pas que ladite court favorise plus une partie que autre, mais administre a chacune desdites parties bonne et briefve expedicion de justice ».

(40) Ed. Dupont, III, 81.

(41) **Ibidem,** 80-83.

(42) Le Parlement.

(43) Ed. Dupont, III, 94.

(44) Ed. Mandrot, **intr.,** XXVI, note.

(45) Ed. Calm., II, 524.

(46) Ed. Dupont, III, 95, n. 2.

(47) **Ibidem,** 119 et s. Cf. aussi Kervyn, qui reproduit le texte de l'interrogatoire (II, 21-24).

(48) Cf. éd. Dupont, I, XCI et s.

(49) **Op. cit.,** pp. 9 et s.

(50) Cf. Lanson, **op. cit.,** p. 175: « Ceux que sa faveur politique avait courbés ou accablés dans les affaires privées, relèvent la tête : marchands alléguant des contrats léonins ou frauduleux, nobles appelant d'arrêts injustes, travaillent à lui faire rendre gorge ».

(51) Voir les instructions données à Commynes dans Pélicier, **op. cit.,** p. 225.

(52) D'Oriole et G. de La Trémoïlle; P. Capponi ; A. Boschetto...

(53) Kervyn, II, 26-27.

(54) Cf. **La Destruction des mythes**..., ch. 6, 5e partie, pp. 493-494.

(55) Ed. Dupont, III, 192-193, A. Bernier, **op. cit.,** p. 229 : séance du 29.12.1484.

(56) **Ibidem.**

(57) II, 28.

(58) **Histoire de Louis XII,** 3 vol., Paris, 1889-1891, II, 117.

(59) Kervyn, II, 28 et s.
(60) **Ibidem,** 30 et s. ; Maulde-la-Clavière, **op. cit.,** II, 118 et s.
(61) **Lettres,** I, 59 et s.
(62) II, 291.
(63) II, 312.
(64) II, 318.
(65) II, 312.
(66) II, 317-318.
(67) II, 317 ; « Il ordonna qu'on ne print point de debat en Bretaigne et que on laissast vivre le duc Françoys en paix et sans lui donner doubtes ne crainctes, et semblablement tous les voysins du royaume, affin que ledict roy son filz et ledict royaulme peussent demourer en paix jusques a ce que ledit roy fut grand et en aage pour en disposer a son plaisir ».
(68) II, 312 : « ...luy commanda que aucunes gens n'en approchassent et luy dit plusieurs bonnes causes et notables ».
(69) II, 314.
(70) III, 284.
(71) **Ibidem** : « Cestui la entreprint de prendre Sausses, une petite ville qui estoit en Roussillon, car de la ilz faisoient la guerre au roy ; et deux ans devant leur avoir rendu ledit païs de Roussillon, ou est assis le païs de Parpignan, et ceste petite ville est dudit païs ».
(72) **Ibidem** : « L'emprise estoit grande pour ce qu'il y avoit largement gens selon le lieu et des gentilz hommes de la maison dudit roy de Castille, et leur armee aux champs logee a une lieue près, qui estoit plus grosse que la nostre. Toutesfoiz, ledict seigneur de Sainct André conduisit son emprise si saigement et si secretement que en dix heures il print ladite place, comme je veiz par ses lettres ».
(73) III, 284-5 : « Et fut prinse d'assault, et y mourut trente ou quarente gentilz hommes, et trois ou quatre cens autres hommes... ».
(74) III, 285 : « ...lesquelz ne s'attendoient point que si toust on les deust prendre : car ilz n'entendoient point quel exploict faisoit nostre artillerie, qui, a la verité, passe toutes les artilleries du monde ».
(75) **Histoire,** éd. Sauvage, t. I, pp. 150-151.
(76) Pélicier, **op. cit.,** p. 97; Maulde-La-Clavière, **op. cit.,** I, 124.
(77) T. XIX, 472.
(78) Cf. Lettres du 29.9.1484.
(79) III, 5.

(80) **Op. cit.**, I, 126.
(81) III, 9.
(82) Maulde-La-Clavière, II, 135-136.
(83) **Ibidem**, 143.
(84) Lettres du 28.9.1485 (éd. Dupont, III, 128 et s.).
(85) II, 187.
(86) Voir, par ex. **La Destruction des mythes**..., ch. 6, 5e partie.
(87) Kervyn, II, 37.
(88) **Ibidem.**
(89) Pélicier, **op. cit.**, p. 117.
(90) Maulde-La-Clavière, **op. cit.**, II, 148.
(91) Lettre écrite de Saint-Maurice (Kervyn, II, 44).
(92) Kervyn, II, 39 et s.
(93) Kervyn, II, 43.
(94) En Italie, pour la reconquête de Naples.
(95) III, 9.
(96) **Intr.**, XXXIV.
(97) Kervyn, II, 49. La dépêche de Spinelli est reproduite dans l'ouv. cité de Pélicier.
(98) III, 9-10.
(99) **Op. cit.**, 15 ; cf. Maulde-La-Clavière, **op. cit.**, II, 150 : « ...l'historien Jaligny, toujours bien informé... ».
(100) Jaligny, dans Th. Godefroy, **Histoire de Charles VIII, Paris,** 1684, p. 8.
(101) **Lettres**, I, 124.
(102) Jaligny, p. 9.
(103) **Id.**, 13 ; cf. Maulde-La-Clavière, II, 155-156.
(104) Cf. **La Destruction des mythes**, ch. 1, pp. 35-36.
(105) P. 8.
(106) Pélicier, **op. cit.**, p. 122 ; Maulde-La-Clavière, II, 159.
(107) **Lettres**, I, 143.
(108) Jaligny, p. 23. Les trois compagnons d'infortune de Commynes n'apparaissent jamais dans les **Mémoires**.
(109) Ed. Dupont, I, CIV.
(110) **Ibidem**, p. 23.
(111) II, 320.
(112) Cf. P. Champion, intr. à l'éd. du **Prisonnier Desconforté**, p. XIII, n. 1.
(113) Cf. **Testament**, éd. Foulet, vv. 13-15 ; 737-752 ; nos **Recherches sur le Testament de F. Villon**, seconde série, Paris, C.D.U., pp. 1-38.
(114) Ed. Foulet, pp. 90-1.

(115) V. 77-80 : Enfermé, clous, doubtant fureur, / Estroit tenu, c'est grand hideur, / **Enferré pour tenir mesure : / Au pis** aller c'est le pieur / Sans lui imposer la mort dure.
(116) **Ibidem,** 32-33 : « L'on a bouté le malheureux / En une cage pour chanter ».
(117) **Ibidem,** 1902-5 : « O hault roy d'éternelle grace, / Garde ta povre creature / Que la prison tourmente et lace / Par grant crudelité obscure... ».
(118) Cf. une description du temps (dans l'intr. du **Prisonnier Desconforté,** p. XIV) : « ...on les voit se roidir de froid, enrager de male faim, pourrir de vermine et de povreté telle que si, par pitié, quelqu'un va les voir, on les voit se lever de la terre humoureuse et froide, vermoulus, bazanés, enboufis, si chétifs, maigres et défaits qu'ils n'ont que le bec et les ongles ». Les plus favorisés pouvaient lire et entendre la messe tous les jours.
(119) II, 57.
(120) Kervyn, I, 317.
(121) Kervyn, II, 58, n. 1.
(121 a) De très nombreuses références : I, 163, II, 105, 110-1, 113, 114, 118, 131 ; III, 64, 70, 94.
(122) Loches, Paris 1954, p. 36 : « Philippe de Commines qui ne fut jamais prisonnier à Loches, ainsi que le faisait remarquer Clairambault... ».
(123) **Vie de Commynes.**
(124) I, 127.
(125) Ed. Dupont, III, 141 ; Kervyn, II, 58.
(126) Faguet, **op. cit.,** p. 3, a tort d'estimer que Commynes « parle de cette mésaventure en ses **Mémoires** avec la négligence la plus philosophique ». Témoin les nombreuses lignes consacrées aux fameuses cages.
(127) Ed. Dupont, III, 142-143.
(128) **Ibidem.,** 140-1. Commynes n'oublie pas de lui décocher une flèche au passage (II, 164) : « ...parloit pour eulx [**les Bourguignons**] **maistre Jehan de la Vacquerie, depuis** premier president en parlement de Paris ».
(129) Il avait été la victime de Louis XI et d'Olivier le Dain. Commynes parle ni des excès de ce dernier, ni de M. de Bellefaye.
(130) Ed. Dupont, III, 143.
(131) **Op. cit.**
(132) Ed. Dupont, III, 143.
(133) I, 58. Le chiffre de vingt mois est exact.

(134) Celui de l'arrestation.
(135) Jaligny, pp. 120-121.
(136) Lettres de Charles VIII, II, 55, n. 1.
(137) **Ibidem.**
(138) Ed. Mandrot, **intr.**, p. XXVI.
(139) I, LVIII et s. ; cf. aussi Kervyn, II, 45 et s.
(140) Kervyn, II, 47-8.
(141) **Lettres de Charles VIII**, II, 51 : « Nostre tres cher et feal cousin le sire de la Tremoille nous a fait dire et remonstrer qu'il a certains proces pendans par devant vous en nostre court de Parlement pour la seigneurie de Berrye... et aussi de plusieurs autres dont jasoit que les aucuns d'iceulx soient despieça en droit et prestz a juger, il n'a peu ne peut avoir aucune expedicion, quelque diligence ou poursuit qu'il en ait fait faire devant vous ».
(142) **Ibidem**, II, 239.
(143) **Ibidem**, II, 283.
(144) Cf. Fierville, **op. cit.**, p. 115.
(145) Kervyn, II, 67.
(146) Fierville, p. 116.
(147) Cf. les travaux de Ch. Rahlenbeck, « Ph. de Commynes dans ses rapports avec la maison d'Albret » dans le **Messager des sciences historiques de Gand**, 1867, pp. 210-245, et de Lépinois, « Documents inédits sur Philippe de Commynes » dans la **Revue des Sociétés savantes**, 1873. Sur A. d'Albret, voir la thèse d'A. Luchaire.
(148) Cf. Rahlenbeck, **op. cit.**, p. 214 : « Il songea très sérieusement à reprendre son rang dans la noblesse des Pays-Bas. »
(149) **Ibidem**, 221.
(150) **Ibidem**, 222.
(151) **Ibidem**, 227-230.
(152) **Ibidem**, 231.
(153) **Op. cit.**, pp. 461-462.
(154) II, 130 : « Aprez cela, fait grant bien de parler a quelque amy de ses privez, et hardiement plaindre ses douleurs, et n'avoir point de honte de monstrer sa douleur devant l'especial amy, car cela allege le cueur et le resconforte, et les esperitz reviennent. »

II. - **LE RÉTABLISSEMENT.**

(1) Pélicier, **op. cit.**, p. 129 et s.
(2) Lettre de Charles VIII (I, 160) : le 9.3.87, il annonce à Du Bouchage la chute de Blaye.

(3) Le 30.3.87, Charles VIII informa les Rémois de la capitulation de cette ville (**Lettres,** I, 164-165).
(4) **Lettres de Charles VIII,** I, 378.
(5) Annoncée par une lettre royale du 2.6.87 (I, 193-194).
(6) Lettre du 6.6.87 (I, 193-194) ; cf. Maulde-La-Clavière, **op. cit.,** II, 202-203.
(7) Lettres, I, 212. Cf. Bridges, **History of France from the death of Louis XI, vol. 1 : Reign of Charles VIII. Regency of Anne de Beaujeu,** Oxford, 1921, p. 149.
(8) Charles VIII, le 24.4.88 (II, 6) en félicite La Trémoïlle. Une lettre aux habitants de Tournai, le 3.5.88 (II, 24 et s.), relate les événements du début de l'année ; tractations et traîtrises de Lescun, opérations militaires. Cf. Maulde, **op. cit.,** II, 214 et s.
(9) Cf. Charles VIII, lettre du 27.5.88 (II, 68 et s.).
(10) Le 19.7.88. Le roi l'annonça au Parlement le 20.7.88 (II, 170 et s.).
(11) Cf. lettre de Charles VIII à Dammartin (II, 184). Cf. Bridges, **op. cit.,** 170-171 ; Maulde, **op. cit.,** II, 228.
(12) Ed. Dupont, III, 146 et s.
(13) **Op. cit.,** p. 131.
(14) Peut-être Commynes se décrit-il lui-même quand il signale, en Louis XI, un besoin maladif d'activité. (Cf. **La Destruction des mythes...,** ch. 4, 3e partie, pp. 264-275).
(15) Cf. plus haut l'affaire avec la veuve Brizeau.
(16) Sur cette affaire, lire Fierville, **op. cit.,** pp. 20-28. Voir **La Destruction des mythes...,** pp. 154-155.
(17) Kervyn, II, 70. Sassetti, croyant Commynes satisfait, avoue à Laurent qu'il a eu de la peine à obtenir son accord (cf. Buser, **Beziehungen...,** p. 525; Mandrot, **intr.,** XLII.)
(18) Kervyn, II, 70-71.
(19) Lettre autographe (Kervyn, II, 72).
(20) Kervyn, II, 73.
(21) Kervyn, II, 78-79.
(22) Lettre de Spinelli, le 25.3.90 (Kervyn, II, 72).
(23) Benoist, p. 18. Voir L. Sozzi, **op. cit.,** p. 229.
(24) **Op. cit.,** p. 7.
(25) A la banque de Lyon.
(26) A signaler aussi, un peu plus tard, un procès intenté par Commynes à André de Vivonne, au sujet de l'office de sénéchal de Poitou (éd. Dupont, III, 148 et s.).
(27) Benoist, p. 18; Kervyn, II, 69.
(28) Ed. Dupont, III, 194-195.

(29) Lettres de Charles VIII, III, 80.
(30) Sassetti, le 16.7.1490 (Kervyn, II, 77).
(31) Kervyn, II, 76.
(32) **Intr.**, XLII.
(33) II, 75.
(34) **Lettres**, III, 3.
(35) Le 13.4.91 (Kervyn, II, 77).
(36) **Ibidem**, II, 78.
(37) **Lettres de Charles VIII**, III, 280, n° 1.
(38) Cf. le tableau généalogique, dans l'éd. Lenglet-Dufresnoy, t. IV, 2me partie, après la p. 154.
(39) Cf. encore une lettre à P. de Médicis, qui venait de succéder à Laurent, et à qui il se plaint de « Pellegrin Lorin » et de son frère Philippe qui lui doivent 2.600 francs (Dreux, le 9.8.1492 ; Kervyn, II, 85).
(40) **Mémoires**, III, 24.
(41) Au livre 4, ch. 12, datant de 1489-90, Commynes avait pourtant dit que « Fortune n'est riens fors seulement une fiction poetique » (II, 86).
(42) III, 24.
(43) III, 241.
(44) Charles VIII s'explique sur son mariage dans l' « instruction et advertissement touchant le mariage du roy et de la royne qui est a present, dont le roy veult que ses subjectz soient bien au long advertiz » (**Lettres**, III, 414 et s., Les Montils-les-Tours, 8.12.1491). Cf. Lettre de Commynes, 3.12.91, Kervyn, II, 82).
(45) Qu'il ne faut pas exagérer (Cf. Lettre de Commynes, 3.12.91, Kervyn, II, 82).
(46) II, 81.
(47) III, 45.
(48) III, 55.
(49) III, 153.
(50) II, 81 ; ce que répète Chantelauze, **op. cit.**, p. 292.
(51) Kervyn, II, 89.
(52) Chargés des affaires d'Italie.
(53) Kervyn, II, 91-92.
(54) **Ibidem**, 93.
(55) **Ibidem**, 94.
(56) **Ibidem**, 93 (Fr. della Casa, 31.8.1493).
(57) Le 6.8.1494, Kervyn, II, 99 et 101.
(58) **Ibidem**, II, 89.
(59) **Ibidem**, 91.

(60) **Ibidem**, 93.
(61) **Ibidem**, 82 (le 3.12.91).
(62) **Ibidem**, 86 (le 8.5.93). cf. encore pp. 79, 87.
(63) **Ibidem**, 99 (le 6.8.94).
(64) **Ibidem**, 94.
(65) Napolitaine.
(66) Kervyn, II, 94. Cf. F. della Casa à P. de Médicis (**Ibidem**, II, 93) : « Je ne puis laisser de vous dire, quoique je pense que vous n'en ferez pas grand cas, qu'un ami secret (**est-ce Commynes** ?) m'a dit que Peron a eu un entretien secret avec le pape, pendant une nuit, dans une chambre où il n'y avait qu'eux, et il craint que le Pape ne lui ait parlé de votre ligue avec le roi de Naples ».
(67) F. della Casa, 28.6.93 (Kervyn, II, 88) : « Le lendemain matin, dimanche, je fus introduit par monseigneur d'Argenton auprès de Sa Majesté, et j'eus ma première audience, dans un petit cabinet à l'usage privé du roi ».
(68) Kervyn, II, 83 (lettre de Spinelli à L. de Médicis).
(69) **Ibidem**, II, 89 (F. della Casa, 18.6.93). Cf. E. Benoist, p. 6 : « Il a été accusé de s'être laissé corrompre par les Médicis et d'être devenu leur agent pensionné à la cour de France. Ses lettres ne le justifient pas de cette imputation. Sans la confirmer de manière absolue, elles laissent entrevoir, au milieu de paroles un peu incertaines, la probabilité du fait ». Cf. F. della Casa, 31.8.93 (Desjardins, **op. cit.**, I, 248, repris par A. Prucher, **op. cit.**, p. 39).
(70) Cf. Buser, **op. cit.**, 325 : « Ici, tout dépend de gens qui n'ont qu'une idée, faire leur profit ; l'honneur du roi ou de tout autre ne leur est de rien ». Voir le cas de Peron de Baschi, Kervyn, II, 90. Cf. enfin, F.T. Perrens, **op. cit.**, II, 24 : « Des deux plus prudents, l'un, Comines sire d'Argenton, l'était trop; il passait pour naviguer selon le vent et manquait d'autorité... ...Il faut bien reconnaître, d'ailleurs, que le dévouement de Comines était vénal ».
(71) Kervyn, II, 89.
(72) **Ibidem**, 91. Voir la suite: « ...il me rappelle souvent ses affaires et me demande si vous m'avez répondu à ce sujet. Voyez si vous pouvez lui être agréable en quelque chose, et veuillez y aviser ». Cf. encore du même, le 18.6.93 (**Ibidem**, II, 88) : « Je regrette seulement que nos amis que vous savez ont en quelque sorte apprivoisé quelques-uns de ces seigneurs avec lesquels j'ai affaire et qui

désiraient pouvoir encore tirer quelque chose de nous. Mons. d'Argenton en est, et néanmoins il est tout vôtre ».

(73) Kervyn, II, 99 ; Benoist, p. 25 (lettre de Commynes à P. de Médicis, 6.8.94).

(74) Benoist, p. 23. (lettre de Commynes, 6.8.94).

(75) F. della Casa, 18.6.1493 (Kervyn, II, 87).

(76) Kervyn, II, 131.

(77) En particulier, III, 41, 56, 64-65.

(78) III, 55.

(79) Commynes a condamné les partisans de l'expédition, surtout, semble-t-il, parce qu'il fut tenu à l'écart, et que, peu à peu, la majorité se prononça contre cette aventure.

(80) **Intr.,** XLVI.

(81) Kervyn, II, 90.

(82) **Ibidem** (lettre du 28.6.93).

(83) III, 39. Cf. Lanson, **op. cit.,** p. 175; « En bon diplomate, il fait des sacrifices ; il prête 6.000 ducats sans intérêt ; il donne une grosse galéasse avec son artillerie pour l'expédition d'Italie qui tient au cœur du jeune roi ». Cf. notre **Destruction des mythes...** ch. 3, **passim.**

(84) III, 35. A comparer avec M. Sanudo, **op. cit.,** p. 88 : « El Re tolse danari a Zenoa docati 100 milia, et a Milan 50 milia a usura et interesse, con pegno di zoie; piezò el sig. Ludovico: **tamen** fu divulgato esso sig. Ludovico haverli fatto prestar questi denari da li soi, sotto nome de altri... »

(85) Kervyn, II, 160. Il ne dit pas non plus que Coictier avança 50.000 ducats (éd. Lenglet-Dufresnoy, IV, 289).

(86) III, 35.

(87) **Lettres,** III, 210,

(88) Celui d'A. de Bretagne et de Charles VIII.

(89) III, 230.

(90) **Lettres** de Charles VIII, III, 337 et s.

(91) Le 8.5.93 (Kervyn, II, 86-87).

(92) **Lettres** de Charles VIII, IV, 80 et s.

(93) III, 25.

(94) Kervyn, II, 88-89.

(95) Mandrot, **intr.,** XLV. Cf. Charlier, **op. cit.** p. 50 : « On l'écoute sans doute, mais on se défie de lui ».

(96) **Op. cit.,** p. 7.

III. - L'ITALIE.

A. - L'EPISODE VENITIEN

(1) III, 37.

(2) Sanudo, **op. cit.,** p. 88 : « Et vedendo non esser ambassador a Venetia, dove grandemente bisognava, per esser advisato dil progresso di quella Signoria, et per mantenirla a sè benivola, elesse et mandoe uno de soi primi, chiamato monsig. di Arzenton homo di grande inzegno et bella presentia ».

(3) Lettre de Soderini, le 16.10.94 (Kervyn, II, 135).

(4) Sanudo, p. 50.

(5) Kervyn, II, 130 et s.

(6) **Op. cit.,** p. 59.

(7) Sanudo, pp. 86-87 : « El Re adi 13 Settembrio si ammalò ; le porte dil suo palazzo era serrate et sbarrate le strade, perchè li venne uno subito et cattivissimo mal, con gran freve (...) poi si discoverse in verole, li qual li duroe zorni 14. » ; p. 88. Cf. **Mémoires,** III, 46 : « ...le roy fut malade de la verolle, et en peril de mort, pource que la fievre se mesla parmy; mais elle ne dura que six ou sept jours ».

(8) Sanudo, p. 88 : « El qual adi 25 Settembrio partì dal Re et venne di longo a Venetia, et gionse adi 2 Ottobrio ».

(9) **Mémoires,** III, 106-107.

(10) Celui de Jean-Galéas Sforza.

(11) Borgo-San-Siro, à côté de Pavie.

(12) III, 57-58.

(13) III, 107 : « Je passay, en allant, par leurs citez, comme Bresse, Veronne, Vincence, Padoua et aultres lieux. Partout me fut faict grant honneur, pour l'honneur de celuy qui m'envoyoit [...] Ils me conduisoient jusques a l'hostellerie, et commendoient a l'hoste que habundamment fusse traicté et me faisoient deffraier avecques toutes honnourables parolles ».

(14) **Ibidem** : « ...et venoit grand nombre de gens au devant de moy, avecques leur potestat ou cappitaine ; car ilz ne saillent point tous deux, mais le second venoit jusques a la porte par le dedans ».

(15) Kervyn, II, 107.

(16) Pp. 88-89. « ...al qual li fo mandato contra le peate fino a Lizza Fusina con molti patricii, et fo assà honorato. Alozoe a san Zorzi Mazor, et sempre li fo fatto le spexe, dato barche, et provisto a quello li bisognava ».

(17) Cf. Faguet, **op. cit.,** passim.
(18) Cf. III, 121 ; **La Destruction des mythes...,** ch. 5. pp. 396-412.
(19) Kervyn, II, 111 et s.
(20) Sanudo, p. 89.
(21) Kervyn, II, 113 et s.
(22) Cf. **La Destruction des mythes,** ch. 6, 5e partie, p. 513.
(23) Kervyn, II, 115 et s.
(24) Par ex. : « ...l'estime toute particulière que nous faisons de votre très-digne personne... »
(25) Sanudo, pp. 100-1 : « In questo mezzo mandò il Re a Venetia uno suo chiamato m° Joan Bernardo franzese, et insieme con monsig. di Arzenton suo ambassador andò in collegio, et dimandò da parte dil Roy a la Signoria duc. 50 millia in prestedo, et che'l Roy ne havea grande bisogno, et che aspettava di brieve li dovesse zonzer danari di Franza, et assà scudi et de **l'argent,** concludendo li daria zoje per cautione. **Unde** cerca a la risposta, **inter patres,** fonno consultato; poi li fo risposo; che questa terra al presente non poteva, con molte excusatione, et che volendo armar havevano tolto in prestedo da soi cittadini con altre excusatione; ma che fariano provisione di trovar danari. »
(26) 7.10.94 (Kervyn, II, 119).
(27) Kervyn, II, 123.
(28) **Ibidem,** II, 131.
(29) **Ibidem,** II, 124 (le 6.10.94).
(30) **Ibidem,** 123.
(31) **Ibidem,** II, 126 et s.
(32) **Ibidem,** II, 132 (16.10.94).
(33) **Ibidem** II, 131 (cette lettre était chiffrée).
(34) **Ibidem,** II, 129, 130 (lettre de Valori, du 13.10.94).
(35) **Ibidem,** II, 135.
(36) III, 63.
(37) Kervyn, II, 131 et s.
(38) Lettre de Soderini du 22.10.94 (Kervyn, II, 140).
(39) Lettre du 11.10.94 (Kervyn, II, 128) : « Nous serons toujours disposés à tout faire pour l'honneur de la couronne de France, car c'est notre tradition naturelle, et en particulier celle de tous les membres de notre maison ».
(40) Kervyn, II, 142.
(41) III, 54.
(42) III, 56-57.
(43) Comparer, sur cet épisode, Sanudo (pp. 107-108) et Commynes (III, 61-63).

(44) III, 65. Cf. **La Destruction des mythes...**, ch. 3. 2e partie, pp. 156-157.

(45) Pp. 121-2. Nous l'étudierons en détail dans notre ch. sur **Commynes et l'Italie.**

(46) III, 43-44.

(47) III, 52. Cf. Sanudo, p. 106 : « ...Piero de Medici, che **tunc** in Fiorenza era primario, et quasi quella terra, **licet** fusse cittadino privato, governava, facendo in effetto il tutto ».

(48) III, 55-56. Cf. Sanudo, p. 107 : « Et, zonto Piero de Medici, fatta riverentia come a tal Re si richiedeva, visto la sua potentia, **non solum** li seppe nè volse contradir, **ymo** aderite ad ogni suo voler ; et inzenocchiato davanti el Re, li presentò Serzana, Serzanella, Pietrasanta, el porto di Livorno et Pisa in le sue man, a sua discretione, dicendo : Vostra Maestà mandi con mi, che tal luogi haverà in suo dominio. La qual cosa non havea in commissione di far da Fiorentini ; et fu multo accetta al Re ».

(49) III, 63.

(50) III, 62.

(51) III, 43-44.

(52) **Histoire,** éd. Sauvage, t. I, p. 15.

(53) « Estant le Roy ainsi entré et receu en tous honneurs possibles aux hommes, les Florentins commencèrent à traicter des convenances d'accord : sur lesquelles fut quelque temps debatu et finalement ouïe une parole d'homme libre et hardy entre gens armées. Car étant ainsi que les François semblassent demander, par composition, choses fort iniques, et qu'ils menaceassent insolemment les Florentins, qui ne les leur vouloient accorder telles, Pierre Capon, fort despité de telle façon de faire, décirant publiquement le papier de l'accord escript, adjousta, de haute et claire voix, puisque les François vouloient user de force et quereler outrageusement, qu'ils n'auroient point faute de ceux qui respondroient au chant de leurs trompettes par le son des cloches » (p. 39).

(54) T. Vicomercati, Kervyn, II, 158.

(55) Du même, 6.2.95 (Kervyn, II, 162).

(56) Du même, 31.1.95 (**Ibidem,** p. 158) : « Comme monseigneur écrivait en ce moment à l'ambassadeur français qui réside à Florence, il dit de lui-même qu'il l'entretenait de ses affaires privées et non de ces événements [de Pise] ».

(57) Avril 95 (Kervyn, II, 182) : « Et me desplaist, sire, de si longuement avoir escouté cette liberté de Pise, car vient au

contraire en ceste Italie, a esté matiere de doubte, et semblera advis aux Florentins, a ceste heure, que la ligue leur portera ayde ».

(58) III, 143.

(59) III, 143 ; 147 (cf. **La Destruction des mythes...**, ch. 5, 2e partie). Mettre en parallèle les récits de Commynes (III, 59-60) et de Sanudo (pp. 113-114) : seul, le premier fait de Charles VIII un prince irréfléchi, imprévoyant et injuste.

(60) Vicomercati, 21.1.95 (Kervyn, II, 155) : « Au moment où j'allais me retirer, arriva Julien de Médicis, avec trois ou quatre personnes ».

(61) Du même, le 31.1.95 (II, 157) : « La veille au soir, vers une heure de la nuit, ajouta-t-il, étaient venus chez lui quelques Florentins, tant des amis de P. de Médicis que de ses ennemis ».

(62) Vicomercati, 5.1.95 (Kervyn, III, 90).

(63) Kervyn, II, 138.

(64) III, 47 : « Arrivé que fut le roy a Pavye, commença ja quelque poy de souspeçon : car on vouloit qu'il logeast en la ville, et non point au chasteau ; et il y vouloit loger et y logea ; et fut enforcé le guet ceste nuyt, comme me disrent de ceulx qui estoient pres dudit seigneur. Dont se esbahit ledit seigneur Ludovic, et en parla au roy, demandant s'il se souspeçonnoit de luy... »

(65) Vicomercati (Kervyn, II, 145-147).

(66) Kervyn, II, 149 et s.

(67) Vicomercati, 11.1.95 (Kervyn, II, 152-153).

(68) Kervyn, II, 155.

(69) **Ibidem**, 156.

(70) Dans une lettre du 12 janvier (Kervyn, II, 159).

(71) Kervyn, II, 160-161.

(72) **Ibidem**, III, 91-92.

(73) **Ibidem**, II, 168-169.

(74) III, 119.

(75) III, 118-119. Cf. notre **Destruction des mythes...**, ch. 3.

(76) III, 119.

(77) Kervyn, II, 170-172.

(78) III, 120. Mais, dans les **Mémoires**, c'est aux représentants du More qu'il s'adresse, et non pas à Sforza lui-même.

(79) III, 126.

(80) Kervyn, II, 191 : « ...Si nonobstant la demande desdis marchans je puis seurement passer parmy vostre pays si le cas estoit que le roy me permist de m'en aller ».

(81) C'est l'avis de Kervyn ; mais, s'agissant du More, Charles VIII aurait-il fait déclarer qu'il pouvait le « regarder comme son égal » ?

(82) Compte rendu de la séance du 24.5.95 (Kervyn, II, 192-193).

(83) Le 24.5.95 (Kervyn, II, 193 et s.).

(84) Kervyn, II, 199.

(85) **Ibidem.**

(86) Lettre chiffrée de Soderini, le 16.10.94.

(87) Ed. des **Mém.**, II, 226, n. 1.

(88) Nous reviendrons sur cette vision de Venise dans notre **Sagesse de Commynes.**

(89) Sanudo, p. 251 : « In questo anno, a dì 26 Fevrer, fo el Zuoba da nui chiamato di la cazza, nel qual zorno per consuetudine antiqua si fa sulla piaza di San Marco ogni anno una bellissima cazza di alcuni tori, et vien tagliato la testa per li scudieri dil Principe a certi porchi [...] Vista la Signoria in palazzo a veder, et a hora, per esser tanti degni oratori in questa terra, fo molto solemne, con certi balletti de mumarie sopra soleri, con fuogi artificiati etc... »

(90) Sanudo, p. 269 : « Et benchè le decime dil Monte Nuovo fusse pagate molto volentieri, non voglio restar de scriver questo : che mons. di Arzenton de Franza volse andar insieme con Alvixe Marcello, era alle Raxon Vecchie, a la Camera de li Imprestidi per veder el modo se pagava et scodeva. Et visto in quel zorno gran moltitudine de brigata che portava danari, **adeo** el cassier non poteva suplir de scuoder, **unde** ste molto admirato, che in li altri luogi si stenta assà avanti che si possi haver pur una minima quantità, et qui scodevano tanti danari portati da cittadini nostri **voluntarie** ».

(91) Sanudo, pp. 319, 329. Cf. **Mémoires,** III, 164.

(92) Sanudo, p. 313. Avec une description proche de celle des **Mémoires.**

(93) III, 163-164.

(94) Sanudo, p. 236.

(95) **Mémoires,** III, 103-104.

(96) **Ibidem,** III, 132.

(97) Sanudo, pp. 219-220 : « Et non molto da poi ditto mons. di Arzenton, andato uno zorno in collegio, perchè **saepius**

andava per cose acadeva al suo Roy, come fevano però tutti li altri oratori, et considerando esser venuti questi oratori elemani, vi era ancora quello di Spagna, uno zorno andò alla Signoria, et disse pregando el Prencipe li volesse advisar la cagione di la venuta de ditti oratori, maxime questi de Maximiliano et tanti... »

(98) Sanudo, p. 217.

(99) Mémoires, III, 119.

(100) Vicomercati, le 21.1.95 (Kervyn, II, 155).

(101) Vicomercati, le 7.1.95 (Kervyn, II, 151).

(102) Le 24.5.95. Cette lettre est aux Archives de Milan. Nous en avons une traduction italienne.

(103) Sanudo, pp. 362-363.

(104) Vicomercati, le 11.1.95 (Kervyn, II, 152-153).

(105) « Je sais que Sa Majesté Très Chrétienne ne lui a écrit, depuis qu'il est ici, qu'une ou deux fois, comme monseigneur d'Argenton me l'a dit lui-même à plusieurs reprises, en se plaignant du gouvernement du roi, qui devrait, dans l'intérêt de l'expédition, en communiquer jour par jour les progrès à la seigneurie par l'intermédiaire de monseigneur d'Argenton qui du moins n'aurait pas l'air d'être sans mission, car on doit savoir combien il importe de tenir la seigneurie au courant de tout. A diverses reprises, en plusieurs circonstances, ces gentilshommes lui ont dit qu'ils ne comprenaient pas dans quel but l'ambassadeur de France était venu à Venise puisqu'il ne leur faisait aucune communication et n'écrivait jamais à son roi ce qui se passe ici » (Ibidem).

(106) Kervyn, II, 187. Cf. Maulde-La-Clavière, op. cit., III, 137: « Bref, à Venise comme près de l'Empereur, Comines, comme Du Bouchage, jouaient le rôle le plus ridicule ».

(107) Lettre de Vicomercati, 11.1.95 (Kervyn, II, 153).

(108) Du même, le 31.1.95 (Kervyn, II, 158).

(109) Du même, le 21.1.95 (Kervyn, II, 154-155).

(110) Du même, le 25.1.95 (Kervyn, II, 156).

(111) III, 118 et s.

(112) III, 121.

(113) III, 122 : « De tout advertiz le roy, et euz mesgre responce ».

(114) III, 123.

(115) III, 125-126.

(116) P. 220.

(117) P. 253.
(118) **Ibidem.**
(119) Sanudo, p. 263.
(120) **Ibidem,** p. 271 : « Et mons. di Arzenton non andava più assà spesso in Collegio, come soleva ; **imo** era admirato di quello havesse a seguir, et zercava de intender qualcossa, nè si vedea più con l'ambassador de Milan, come era assueto de andarvi ».
(121) Sanudo, p. 178 : Commynes, III, 118.
(122) Sanudo, p. 217 : Commynes, III, 117.
(123) Sanudo, p. 252 : Commynes, III, 118.
(124) P. 220.
(125) **Ibidem,** p. 252.
(126) **Ibidem,** p. 257 : « Ancora zonse a Roma el Cardinal mons. Samallo, venuto di Fiorenza in questi zorni ; **tamen** el Pontifice scondeva di lui le pratiche di la liga si tramava. Et qual Cardinal pur ne intese qualche parola, et poi andò a trovar el Re ».
(127) Voir, par ex., Sanudo, p. 268.
(128) Cf. ch. 3, 2[e] partie, pp. 163-164 ; Sanudo, pp. 285-286.
(129) **Historia Vinitiana, libri XII,** Venise, 1552, p. 36.
(130) III, 127.
(131) Kervyn, II, 185.
(132) Pp. 295-296.
(133) III, 119.
(134) III, 125 : « Leur ligue n'estoit encore ne faicte ne rompue ; et vouloient partir les Almans mal contens. Le duc de Millan se faisoit encores a prier de je ne sçay quel article. Toutefois il manda a ses gens qu'ilz passassent tout... »
(135) Pp. 257-258.
(136) Pp. 269-270 : « Continuamente erano Venetiani su pratiche de concluder la liga, exortati da diversi oratori, **maxime** da quelli de Milan, benchè qualche controversia fusse di adatar con li oratori dil Re di Romani, perchè non havea commissione di far liga insieme con el duca Ludovico, **rationibus superius allegatis**; et per questo se stava tanto a concluder. **Etiam** perchè se aspettava lettere di Spagna et di Maximiliano... »
(137) P. 271.
(138) Pp. 285-286.
(139) III, 124.
(140) Sanudo, p. 235 ; pp. 251-252.

(141) **Ibidem,** p. 236.
(142) Arch. de Venise, Secreto, 35, p. 63, v° ; Maulde-La-Clavière, III, 142 ; Kervyn, II, 164-165.
(143) P. 286.
(144) III, 125.
(145) Ed. Dupont, 418, « ...lesquelles il m'a fait sçavoir que les ouvre et voye et incontinent les vous envoye en diligence... »
(146) P. 320.
(147) III, 125.
(148) III, 119.
(149) III, 119 ; 120 ; 125 ; 127.
(150) III, 121 ; 122. Cf. **La Destruction des mythes,** ch. 5, 2e partie.
(151) III, 118-120.
(152) III, 124.
(153) III, 127 et s.
(154) III, 121.
(155) Ed. des **Mém.**, III, 129, n. 1.
(156) Vicomercati, 7.6.95 (Kervyn, III, 93).
(157) III, 132.
(158) III, 130-131.
(159) Kervyn, II, 185.
(160) P. 286.
(161) P. 299 : « Et venuto el zorno constituito, essendo sta el zorno avanti mandato a dir per el Principe a Mons. di Arzenton, orator dil Re de Franza, che li piacesse de voler venire la matina seguente a una solenne processione ; el qual, **conclusive,** rispose non se sentir ben, et non volse venir, et fense di esser amalato, tamen era visto per la terra, et non andò in Collegio dal zorno li fo notificato la liga... ».
(162) Sanudo, pp. 305-306.
(163) **Ibidem,** p. 306.
(164) **Ibidem,** p. 286.
(165) III, 129.
(166) Sanudo, p. 286.
(167) Sanudo, p. 287.
(168) Sanudo, pp. 313, 322, 334, 341, 351, 352.
(169) Sanudo, p. 288.
(170) III. 132.
(171) Sanudo, p. 309.
(172) Sanudo, pp. 326-340.

(173) Sanudo, p. 344 : les Français sont lâches, sales, débauchés, pillards, impies, indisciplinés, violant, volant, brûlant portes et fenêtres, etc...

(174) III, 51.

(175) Sanudo, p. 346.

(176) Sanudo, p. 347.

(177) Sanudo, p. 296 : « È da saper che in questa terra a dì 28 Marzo zonse una caravella di Puia con stera 1800 di formento di raxon dil re Ferando, et l'orator suo Spinelli, inteso questo, andò da la Signoria dicendo voleva tal formenti. **Etiam** Mons. di Arzenton orator franzese li voleva, dicendo che el suo Re, havendo el Reame tutto, et **maxime** tutta la Puia, però che a dì 21 ditto venne tutto sotto el suo dominio, eccetto Brandizo, a Soa Majestà apparteneva. Et, attento che ditta caravella era partita dal cargador X zorni avanti che 'l Re de Franza intrasse in Napoli, et per questo fo judicato ditti formenti aspettar a l'orator di re Ferando. Il qual formento li fece bon servitio, perchè za li era mancato danari, e **tamen** stava con la fameglio et in reputatione come orator dil Re, et Mons. di Arzenton have pacentia di questo ».

(178) Sanudo, p. 308 : « ...**et accidit** che il Mercore santo, passando davanti le preson per andar a la soa barca ditto orator, per presonieri stanno a quelle finestre li fo ditto assà mal, dispriciando Franzesi. Et ancora el populo, sapendo la cativa ciera era fatta a Napoli a li nostri ambassadori per Franzesi, a questo li mostrava cattivo volto... ».

(179) **Ibidem** : « Et ancora uno conte Antonio, che andava per le terre come matto, la cui pacla era il voler danari n° assai da banchi, dicendo dover haver etc., nè voleva per resto ma ben per parte; et questo da alcuni fo vestito con zii (**gigli**) zalli sora una vesta negra ».

(180) **Ibidem** : « Et mons. de Arzenton andò a lamentarsi sì de li presonieri, **quam** di questo, a la Signoria. **Unde** el Prencipe ordinò fusse serati ditti carzerati, et colui spogliato di tal veste ».

(181) **Ibidem** : « ...tamen el Prencipe l'honorava assà, et più se li feva le spexe, et li nostri loro si fevano le spexe ».

(182) Kervyn, II, 189.

(183) III, 130.

(184) P. 286.

(185) Lettre d'A. Trivulce à Sforza, 10.5.95 (Kervyn, II, 201).
(186) Vicomercati, 6.6.95 (Kervyn, II, 202).
(187) Lettre de Commynes à Charles VIII, avril 95 (Kervyn, II, 181).
(188) Kervyn, II, 184.
(189) **Ibidem**, 187.
(190) **Ibidem**, 199.
(191) **Ibidem**, 197.
(192) **Ibidem**, 181.
(193) Avril 95, Kervyn, II, 180.
(194) Kervyn, II, 181.
(195) **Ibidem**, 184.
(196) **Ibidem**, 182-183.
(197) **Ibidem**, 185.
(198) **Ibidem**, 188.
(199) **Ibidem**.
(200) **Ibidem**.
(201) **Ibidem**, 197 (lettre du 24 mai).
(202) **Ibidem**, 186-187.
(203) **Ibidem**, 188.
(204) Sanudo, p. 310.
(205) **Ibidem**, 312 : « Et **etiam** mons. de Arzenton li tocò la man a ditti oratori, dicendo : me ne alliegro di ogni cossa, purchè sia per metter paxe et union in Italia ».
(206) Sanudo, pp. 324-325.
(207) **Ibidem**, 333.
(208) **Ibidem**, 358-359.
(209) **Ibidem**, 338.
(210) III, 141 : « Je luy dis ce que la Seigneurie m'avoit dit au departir, devant ung de ses secretaires appellé Bourdin... ».
(211) Sanudo, p. 351 : « A dì 23 Mazo zonse a Venetia quello messo nominato de sopra dil Re de Franza, chiamato Joam Boierdim, et alozò a S. Zorzi con mons. di Arzenton, et a dì 24 andò a l'audientia con ditto ambassador; et prima vete (**vide**) gran quantità de soldati, chi volevano conduta, chi erano expediti. A li qual ditto araldo usò alcune parole bestial, et per ditti soldati li fo risposto. Hor, intrato da la Signoria, notificò in conclusione el suo Re voleva la lianza li era sta promessa, et che cussì como a l'andar per la Signoria non li era sta dà alcun impazo, **ymo** aiutato, cussì pregava facesse nel ritorno, però che 'l vuol tornar in Franza. Et li fo risposto sapientissimamente ; la qual fu assà secreta ».

(212) Lettre du 24 mai, Kervyn, II, 194.
(213) Arch. de Venise, Secreto 35, p. 107, v° ; cf. Maulde-La-Clavière, III, 179.
(214) Le 25.5.95 (Kervyn, III, 92).
(215) Kervyn, II, 196.
(216) Kervyn, II, 199.
(217) Sanudo, p. 359.
(218) **Mémoires,** III, 142 ; 133. Charles VIII avait demandé, le 20.5.95, un sauf-conduit au duc de Ferrare pour Commynes et Bourdin (**Lettres,** IV, 213-214).
(219) P. 359 : « Et cussì a dí ditto tutti do se partino insieme, **de mandato Dominii,** con Alvixe Marzello era official a le raxon vecchie, et andò a Padoa, poi a Ruigo, dove fonno assà honorati et fatoli le spexe. Et andati a Lago scuro sora Po venne alcuni comessari del Duca de Ferrara contra, et el Marzello tolse combiato et ritornò a Venetia, et ditto Arzenton andò di longo a Ferrara. Li venne contra el Duca con assà cavalli, et li fece grandissimo honor, cridando tutti : Franza ! Alozò in castello, stette tre zorni, et li fo dimostrato grande amor et benivolentia ».
(220) **Ibidem** : « Poi se partì et andò a Bologna dove **etiam** stette alcuni zorni, vedendo di poter voltar el magnifico Johanne Bentivoi ».
(221) **Mémoires,** III, 133 : « Et de la m'envoyerent Florentins querir, et allay a Florence pour attendre le roy... ».
(222) **Ibidem,** 141-142.

B - **AUX COTES DE CHARLES VIII**

(1) II, 205.
(2) « Commynes and Machiavelli. A study in parallelism », **Symposium,** t. V, 1951, pp. 38-61.
(3) III, 144 ; 308-311.
(4) G. Mounin, **Savonarole,** p. 48.
(5) Kervyn, II, 206.
(6) Cf. **La Destruction des mythes...,** ch. 5, 2e partie.
(7) Kervyn, II, 207-208.
(8) P. 427 : « Et encora non pretermeterò de scriver questo, **licet** qui non sia il suo loco, seguendo i tempi de la historia : come monsignor di Arzenton el qual, come scrissi, stete a Fiorenza alcuni zorni, et partito per andar dal Re era a Siena, intendendo el Re andava a Pisa, et li soi cariazi da alcuni villani fo presi et tolti ; et inteso questo, Fiorentini li mandono driedo zente, et quelli

ricuperono, et preso quelli haveano comesso tal cossa, et remandono ditti cariazi a esso monsignor di Arzenton, notificandoli quello era sta fatto non esser sta di voler loro; et cussì Arzenton rehebbe li so coriazi ».

(9) Lettre du 12.10.1495 à Neri Capponi (Kervyn, II, 244).

(10) Sanudo, pp. 394-395.

(11) **Ibidem**, 395.

(12) III, 152.

(13) **Ibidem**, 143.

(14) Lettre à Commynes (Kervyn, II, 213-214 : « ...nous la prions de vouloir s'employer en notre faveur auprès de sa Majesté Très Chrétienne et des seigneurs de sa cour, de la manière qu'elle jugera la plus convenable à nos intérêts, spécialement en ce qui regarde le règlement de nos affaires... Nous prions instamment Votre Seigneurie de vouloir solliciter cette solution de manière qu'elle sorte son effet, selon la confiance que nous avons en Votre Seigneurie... Nous croyons devoir porter ces faits à la connaissance de Votre Seigneurie, afin que, si l'on venait à les rapporter d'une autre manière, elle puisse nous justifier et défendre notre cause en toute vérité ».

(15) III, 147.

(16) III, 142-143.

(17) III, 143, 147 : « ...et ne sçavoit point bien pour quelle raison, sinon pour pitié des Pisans. »

(18) III, 147.

(19) Le 21.6.1495 (Kervyn, II, 210) : « ...de la faveur qu'il vous a accordée, ainsi que de ses bonnes intentions et de sa bonne volonté à notre égard, en lui donnant l'assurance du grand amour et de l'affection que nous portons à Sa Seigneurie... ».

(20) Le 2.7.95 (Kervyn, II, 211).

(21) III, 152 et s. ; en particulier, p. 172.

(22) Sanudo, p. 437.

(23) III, 160-162.

(24) III, 182 et s. Cf. notre **Destruction...**, ch. 3, p. 152.

(25) Sanudo, pp. 454-455.

(26) III, 172.

(27) Pp. 455-456.

(28) **Ibidem** : « Et quando zonse lì, Marchiò Trivixan provedador li disse : Che diavolo viens-tu a far qui ? Lui rispose veniva da parte dil Roy a portar una lettera a li signori Provedadori. Et li disse ditto Provedador : Va

in malora, che non volemo sue lettere. Et lui si volse partir ; ma Luca Pisani, altro Provedador, disse : Vien qua, lassa veder. »

(29) **Ibidem** : « **Et conteniva che el suo Roy havia bona lianza,** liga et amicitia con la Signoria nostra, et mai havia voluto romperla ; et cussì era certo che Venetiani non voleva altro che conservarla ; et però se maravegliava de questo **exercito sì grande ivi posto, a ciò la Majestà dil Roy non** passasse. El qual Roy prometteva de ritornar in Franza, senza far alcun danno, con altre parole simele ».

(30) Sanudo, p. 456.

(31) P. 455.

(32) III, 177.

(33) III, 172-173.

(34) III, 180.

(35) P. 475 : « Ma ritorniamo al Re de Franza. El qual, venuto zoso de monti, et reduto con l'exercito su quelle giare dil Taro dove si fermò, et mandò uno suo trombeta da li Provedadori nostri a richiederli el passo, dicendo che con la Signoria non havea guerra alcuna, ma sempre la real casa de Franza esser stata et esser amica di essa Signoria, et con Soa Majestà havia bona lianza, et che mons. di Arzenton verrebbe la matina in campo a parlarli, volendo un salvo conduto. Questo stratagema Franzesi usò, dicendo Arzenton anderà e li tenirà in parole et in tempo, **adeo** el campo non starà su le arme ; et io in questo mezo montarò su la strada romea, et anderò al mio viazo : ma li andò fallito el pensiero ».

(36) Cf. **La Destruction des mythes...**, ch. 7, **Passim.**

(37) III, 198. Cf. notre ouvr. cité, ch. 3, 4e partie.

(38) III, 199.

(39) III, 202.

(40) III, 199, 200.

(41) III, 197.

(42) III, 198.

(43) P. 487.

(44) **Ibidem** : « Et dapoi le salutatione, fo da esso mons. di Arzenton collaudato molto li nostri italiani **usque ad summum,** dicendo che haveano sostenuto la pugna et combattuto con li primi baroni et cavalieri dil mondo, quali sempre erano stati vittoriosi in battaie orribile et grandissime guerre ».

(45) **Ibidem** : « Da poi dete parole **sub spe concordii sive autem** che erano aparechiati a la battaia, et che quelli altri baroni et mons. cardinal, che la Majestà dil Re li havia deputati a venir con lui, non se fidando, et non conoscendo, come fo io, Venetiani, et però voriano uno salvo conduto in scrittura, et io, per essere stato a Venetia e saper vostra parola è carta fatta, son venuto... ».

(46) **Ibidem.**

(47) Sanudo, p. 488.

(48) III, 200.

(49) Ed. C. Visconti, dans **Archivio storico lombardo,** t. VI, 1879. P. 51 : « La matina seguente, el Re mando a dire a Francesco per Monsignore Arzentone che volentieri pigliaria apunctamento et comprometteria le cose dil Reame, et lui lo faria el primo homo de Italia, de stato et de condictione, cercando cum instantia de fare triegua, aciochè securamente se ne possesse andare al viagio suo ».

(50) Pp. 51-2 : « A che Francesco respose che lui non haveva ordine nè commissione da li superiori di tractare di tale cose, quale per essere aliene dal offitio suo non intendeva impazarsene et che stato ne condictione non acceptaria da epso, per non manchare de la consueta sua fede et che pensasse ad altro perho che mai assentiria de fare triegua nè apunctamento alcuno cum sua Maestà, a la quale se ben como privato Marchese de Mantoa gli portasse reverentia et gli era servitore, como soldato, in questo caso intendeva fare il debito suo ».

(51) Sanudo, pp. 512-513.

(52) **Ibidem,** 513 : « ...che loro Provedadori non l'haveano voluto far, benchè el Governador dimostrasse fusse ben fatto a farlo, per intender el voler suo ».

(53) **Ibidem** : « ...et scritto in campo che per niente fusse dato audientia a esso Arzenton, **maxime** havendo visto quello sempre ha operato, sì in la giara dil Taro, **quam** quando era qui orator ». Cf. **Chronique du Marquis de Mantoue,** p. 57 : « Monsignor de Arzentone per lui gli mando a rechiedere un salvoconducto per 40 cavalli cum l'animo de seguire la pratica comenzata a la Giarola, el che incontinente Francesco lo fece intendere a li Proveditori, dicendo che l'offitio suo era de fare guerra, ma che se gli pareva ch'el concederglilo fosse a proposito de la Signoria de Venetia et de la impresa lo dovesse fare che lui non voleva essere motore de simile cose ».

(54) II, 221-222.
(55) Sanudo, p. 515.
(56) **Ibidem,** 513.
(57) Kervyn, II, 223-224.
(58) Nombreuses citations dans le ch. 16 du 1. VIII.
(59) Kervyn, II, 225-226.
(60) Cf. **Chr. du Marq. de Mantoue,** p. 53 : « ...laquale sempre per sua naturale inclinatione era stata franzese... » ; mais elle avait envoyé un émissaire vers Gonzague.
(61) Sanudo, p. 569.
(62) L. VIII, ch. 16 (III, 223 et s.).
(63) L. VII, ch. 17 (III, 103 et s.).
(64) P. 619.
(65) Sanudo, p. 614: **Chr. du Mis. de Mantoue, p. 334 :** « Cosi ritornato lo Ambassatore refferse haverlo ritrovato optimamente disposto a seguire il modo recordatoli per Francesco parendoli optimo per ogni rispecto, et che già haveva facto pensiero renuntiare il soldo et provisione che aveva da Franzesi, determinando starse neutrale per non provocarse inimico il Re, ma bene cum animo de acostare a la liga per fare molti buoni effecti in un tratto ».
(66) III, 224.
(67) III, 225-226.
(68) III, 222.
(69) Ed. des **Mém.,** II, 315, n. 1.
(70) Sanudo, p. 607.
(71) Pp. 333-334 : « A li XXVIII de Augusto se hebe nova de la morte de Maria Marchesana de Monferrato, dove Francesco mando Jacomo Suardo suo ambassatore a condolersi cum il Marchese suo figliolo et cum Constantino quale era successo in el governo dil Stato et questo non tanto per monstrare de fare l'officio che recercava l'antiqua benevolentia havuta cum quella casa, quanto per operare che Constantino se volesse adherire cum la Liga, cum persuaderlo che essendo quello stato feudo Imperiale amando lui el beneficio di quello Marchese como conveniva, essendo stata la madre del suo sangue doveva fare tutte le cose che fossero al stabilimento et conservatione di quello ; et maximamente che se posseva persuadere ch'el Marchese de Salutio qual pretendeva havere il governo di quel Stato et adhora se retrovava dentre da Novara, haveria sempre più favore de lui dal Re de Franza ».

(72) Mémoires, III, 226.
(73) **Ibidem**, III, 226-227.
(74) Ed. Mandrot, III, 316, n. 2.
(75) III, 229-230.
(76) P. 337 : « ...recordandose che li Franzesi per diverse vie havevano tentato de venire a quelche accordo et maximamente che ultimamente Monsignore de Arzentone haveva mandato a dire che quando se havesse animo de fare apontamento liberamente se ne parlasse col Principe de Orange che ne seguirla bono effecto, commisse al Conte Albertino Boschetto qual haveva rechiesto licentia andare ad Verceglio ad vedere uno suo figliolo che cum Johan Jacomo da Trivulcio gravemente infermo se retrovava che (como da sè) ne dovesse movere qualche parola col Principe... ».
(77) Ce qui est plausible, si l'on se rappelle la lettre du 24.7.1495.
(78) **Chr. du Mis. de Mantoue,** pp. 338-339 : « ...et perchè li Franzesi molto desideravano venire ad accordio, mandorno un salvo conducto a Francesco che liberamente possesse andare ad aboccarse col Principe de Orange ad una terra vicina a Borgari a mezo camino fra l'un campo et l'altro ».
(79) Ed. Mandrot, II, 318, n. 2.
(80) III, 230.
(81) **Chron. du Mis. de Mantoue,** p. 339 : « ...il Marchese disse che ringratiava lo Re ch'havesse preso securtà de lui in mandarli il salvo conducto anchora che da lui non fusse stato rechiesto, narrandoli como più volte Monsignor d'Arzentone gli haveva facto intendere che seria bene ad venire a qualche accordo et che il Re gli seria ben disposto... ».
(82) III, 228.
(83) III, 230.
(84) Par ex., p. 462.
(85) III, 230.
(86) **Ibidem.**
(87) III, 233-234.
(88) **Chr. du Mis de Mantoue,** p. 339.
(89) Ed. des **Mém.,** II, 319, n. 1.
(90) P. 339.
(91) Ed. Calm., III, 232 ; Sanudo, p. 608 ; **Chr. du Mis de Mantoue,** p. 340.
(92) Pp. 340 et s.

(93) : « ...gli incomincio a narrare la justificatione dil Re dicendo che Ludovico gli mandò el conte de Belgiuoso cum promisse simile a quelle fanno gli famegli de li hosti quando vano incontro a li forestieri promettendoli dare commoda stantia, bone robe, et per bon merchato, sforzandose cum ogni arte condurli a la lore hostaria. Dove il Re subducto da infinite promissione et bone parole venne in Italia et giunto in Aste non ritrovo nè allogiamento nè preparatione alcuna, et dove credeva havere habundantia retrovo carestia et tutto l'opposito de quanto gli era stato promisso... ».

(94) **Ibidem,** p. 340.

(95) **Ibidem,** p. 341.

(96) III, 342. Comparer avec la **Chron. du Mis de Mantoue,** p. 342.

(97) P. 342.

(98) **Passim** dans la **Chron.** citée.

(99) P. 347 : « El Marchese de Salucio a di XXVI de septembrio uscite fora de Novara cum 2950 homini da cavallo et 3330 alamani a pedi senza quelli erano andati col Duca Aureliense et molti altri enfermi che erano usciti prima et tutti erano talmente mal condictionati de infirmità causata in grande parte per la fame havevano patita che non se tenevano in pede, et in manera che gli ne forno assai che morirno per il viagio da Novara a Verceglio ».

(100) Commynes ne nous dit pas que Novare tombée aux mains de Sforza, celui-ci la traita durement, malgré ses promesses, l'accablant de lourdes taxes, dépouillant les citoyens, dressant une liste de suspects (Maulde-La-Clavière, III, 322 et s.).

(101) Ed. Mandrot, II, 327, n. 1.

(102) III, 243-245.

(103) Cf. De Cherrier, **Histoire de Charles VIII,** II, 297 : « Chaque fois que la solde éprouvait du retard, les Allemands et les Suisses prenaient les armes, exigeaient de l'argent sans permettre qu'on fît des revues pour constater leur nombre, et menaçaient de partir si on refusait ».

(104) Cf. **Chr. du Mis de Mantoue,** p. 348 : « Essendose tutta volta in exspectacione de intendere la conclusione de la pace, fo presa una spia, la qual confessò como un Capitanio de fanti alamani de quelli del Duca de Milano se era accordato cum li Franzesi, havendo dato ordine de

attachare questione in campo et fare segno de fumo et tagliare a pezi tutti li Italiani. Il giorno poi che fo a li XXIIII de septembrio circa le XXIII hore li Todeschi de Ludovico venero a questione cum li Italiani in manera che quanti se gli ne imbattevano inanti li amazavano ; facendo el segno del fume et togliendo le artigliarie dil campo et messosele avanti se inviorno a la volta de le zentedarme per essere a le mano cum loro, et li altri Alamani de la Signoria de Venetia non sapendo altramente quello se fosse, per soccorrere quelli de la nacione loro se misero in arme et volevano andare ad unirse insieme contra li Italiani per forma ch'el campo era tutto sottosopra... ».

(105) **Chron.**, pp. 54-55; p. 67; Maulde-La-Clavière, III, 254.

(106) **Chron.**, pp. 340, 344, 346, 347.

(107) Maulde-La-Clavière, III, 270.

(108) Ed. Mandrot, II, 317, n. 2.

(109) Maulde-La-Clavière, III, p. 272.

(110) **Ibidem**, 276.

(111) **Ibidem**, 281.

(112) **Ibidem**, 283 ; Sanudo, p. 620.

(113) Pp. 607, 626, 627.

(114) Maulde-La-Clavière, III, p. 275.

(115) **Ibidem**, 298.

(116) Pp. 607-627.

(117) Pp. 609, 610, 611, 614.

(118) P. 613.

(119) P. 622 (**Cf. Chron. du M**[is] **de Mantoue**, p. 349).

(120) P. 621.

(121) Ex., p. 620.

(122) P. 613.

(123) P. 621.

(124) Pp. 612, 615, 619 ; cf. **Chron. du M**[is] **de Mantoue**, p. 344 : « Ludovico como quello che principalmente del suo interesse se tractata ordinava a suo modo le pratiche et parte cum participatione de Francesco et de li Proveditori et parte senza communicarlo cum alcuno ».

(125) Sanudo, p. 611.

(126) **Ibidem**, pp. 645, 628.

(127) La **Chr. du M**[is] **de Mantoue** fournit une liste plus complète (p. 339) : «...dove ritrovò il Principe [**d'Orange**], il Mereschalco de Gié, Johan Jacomo Trivulcio, Monsignor

d'Arzentone, Monsignor de Pienes, lo Principale superiore de l'artigliarie [**Jean de La Grange**] et Monsignor de Palaza [**de La Palice**] cum molti altri zentilhomini... ».

(128) **Ibidem,** p. 344-345.

(129) **Ibidem,** p. 347 ; Sanudo, pp. 614-615.

(130) Sanudo, p. 619.

(131) III, 240.

(132) Quand le duc d'Orléans sortit de Novare, « per magiore sicureza Francesco [**de Mantoue**] cum Monsignor d'Arzentone andò a la Torre vicina a Bolgari in potere de li Franzesi et li stette in fino a tanto ch'el Duca Aureliense giunse a salvamento ad Verceglio, restando in campo li altri signori franzesi per sicureza de la persona dil Marchese ; et como più presto se hebe nova dil essere giunto dal Re, Francesco et Monsignor d'Arzentone se ne retornorno in campo ».

(133) P. 620.

(134) P. 621.

(135) P. 622 (Cf. **Chron. du M**[is] **de Mantoue,** pp. 349-350).

(136) P. 623 (cf. **Chronique,** p. 351).

(137) P. 623.

(138) P. 626.

(139) P. 627 (cf. **Chronique,** p. 352).

(140) Cf. Sanudo, p. 625-626 ; 629.

(141) III, 245-246.

(142) III, 241-242.

(143) Lettre de Fr. Sforza, du 20.10.1495 (Kervyn, II, 233-234).

(144) Kervyn, II, 233.

(145) **Ibidem.**

(146) Kervyn, III, 102 ; éd. Calm., III, 245, n. 3.

(147) Sanudo, p. 647.

(148) Kervyn, II, 233, 243 ; éd. Calm., III, 246, n. 4.

(149) Sanudo, p. 651.

(150) III, 247-248 ; cf. Vicomercati, le 5.11.95 (Kervyn, III, 99) : « On n'a pas fait d'autre démonstration, parce qu'il est venu à l'improviste, et à une heure peu ordinaire ».

(151) Le doge dit à Vicomercati (lettre du 31.10.95) « que, du reste, ils agiraient avec circonspection dans tout ce qui leur est exposé, notamment en ce qui touche monseigneur d'Argenton » (Kervyn, III, 99). Sforza avait probablement révélé les efforts de Commynes pour dissocier la Sainte-Ligue.

(152) III, 247-248.

(153) Cf. **Chron. du Mis de Mantoue,** p. 354-5 : « ...unde ritornato a Mantoa, cum felice auspicio partite a li XXII de februario 1496 cum circa 100 nave, non gli gravando spesa per beneficio del Re da lui tanto amato, conducendo cum lui la sua compagnia ornata de molti homini degni et valoroso... A li XXVI de februario 1496 giunse a Ravena dove fo necessario soprastare qualche giorno aspectando el resto de la compagnia che non era anchora arivata ».

(154) Ed. des **Mém.**, II, 332, n. 1.

(155) **Ibidem, intr.**, p. XC.

(156) III, 247, n. 1.

(157) De Cherrier, **Histoire de Charles VIII,** II, 315-316.

(158) III, 251.

(159) III, 252, 265.

(159 a) III, 248, cf. Kervyn, II, 235 : le Grand Conseil a beaucoup d'affection et d'estime pour les qualités éminentes de Commynes ; il n'estime pas avoir été en guerre avec Charles VIII ; il s'est efforcé d'être fidèle à la parole donnée aux confédérés dont le chef, le Pape, est injustement traité par le roi ; il ne peut répondre aux 3 points, faute d'avoir consulté ses alliés ; il pense qu'il est urgent d'arriver à la paix à cause de la menace turque. Voir Vicomercati, le 19.11.95 (Kervyn, III, 100-1).

(160) III, 248-249.

(161) III, 254.

(162) Ed. des **Mém.**, III, 248, n. 6.

(163) III, 248.

(164) III, 249. Kervyn a commis un contre-sens sur ce passage (II, 237). En effet, il applique aux Vénitiens le jugement suivant : « qui fut une tres meschante invention, car c'estoit mensonge, et a Dieu ne peult on celer les pensees ». En réalité, c'est le roi que fustige Commynes.

(165) P. 651.

(166) III, 251.

(167) P. 652.

(168) P. 654.

(169) Cf. **Chron. du Mis de Mantoue,** pp. 352-353.

(170) Sanudo, p. 656 : « A dì 18 ditto, havendo da Milan mons. Arzenton, ambassador dil Re de Franza, hauto risposta da la Signoria di la soa richiesta, perchè di lui volleva li tre capitoli scritti nel successo dil campo, et la Signoria volleva al tutto liberar l'Italia et aiutar Ferando, **ergo** non fonno d'acordo ; et però ditto sig. di Arzenton

deliberò partirsse, e andar dal Re suo per terra, et dimandoe li fusse dato li cavalli. **Unde** fu decreto darli do cavalli de terra in terra fino a Milan : et scritto a li oratori nostri lo dovesse honorar, et farli le spexe ; et li fo dà braza 24 de veludo cremexin, in segno era accepto a questa terra ».

(171) Cf. surtout les phrases suivantes : « ...afin que le Roy eust occasion de me faire bonne chiere [...] afin que par moy le roy en sceust les nouvelles le premier et qu'il veist que je luy avois faict ce service... » (III, 252).

(172) III, 252.

(173) III, 253 : « Et en ceste bonne esperance me partiz et me miz a passer les mons ; et ne oyoie venir poste derriere moy que je ne cuydasse que ce fust celuy qui me devoit apporter les lettres dessusdites... » ; p. 255 : « Mon retour a Lyon fut l'an MCCCC IIIIxx XV, le XIIe jour de decembre, et avoye esté dehors audit voyage vingt deux mois ».

(174) III, 254.

(175) Lettre à Sforza (Kervyn, II, 240) : « Monseigneur, tout gist a l'experience et que cette armee parte tost. Le roy desire bien que vous ly soiez bon parent et amy, et n'a nul plesir de ouir parler du contraire ; et me semble que, quand vous serez bien de luy, que vous vivrez en grant surté et grant repost ».

(176) Lettre de Fr. Sforza (Kervyn, II, 241).

(177) Lettre de Thomasino, le 4.1.96 (Kervyn, III, 103).

(178) Kervyn, II, 242 ; III, 106.

(179) III, 253.

(180) III, 335.

(181) III, 298.

(182) Kervyn, II, 189.

IV. - LA FIN DU REGNE.

(1) Dans les **Mémoires,** il opère un revirement adroit. Avant, il donnait à penser qu'il n'y avait rien à gagner dans une telle entreprise ; maintenant, il affirme : « Praticques luy [**à Charles VIII**] venoit il assez d'Itallie, et de grandes et seures pour ung roy de France, qui est fort de gens, et largement bledz en Languedoc et Prouvence et autres pays, pour y envoyer, et argent ; mais a ung aultre prince que le roy de France tousjours se mettra a l'hospital de vouloir entendre au service des Ytaliens et a leurs

entreprises et secours ; car tousjours y mettra ce qu'il aura et n'achevera point ». Calmette a commis un contresens sur ce passage (III, 272, n. 3).

(2) III, 273. Commynes excuse, au moins partiellement, Sforza.

(3) III, 282-283.

(4) III, 276.

(5) III, 273-274.

(6) III, 274.

(7) **Ibidem.**

(8) III, 274-275.

(9) III, 275.

(10) **Ibidem.**

(11) III, 275-276.

(12) III, 276 : « ...ce qui fut faict par deux foiz et m'y trouvay present a toutes les deux foiz. Et fut conclud, sans une voix au contraire (et si y avoit tousjours dix ou douze personnes pour le moins) qu'il y devoit aller, veu qu'on avoit asseuré tous les amys en Ytalie, qui dessus sont nommez, lesquelz ja avoient faict despence, et se tenoient prestz ».

(13) **Ibidem.**

(14) III, 277.

(15) III, 280, 281.

(16) III, 278.

(17) III, 279.

(18) III, 279.

(19) III, 280.

(20) III, 280-281.

(21) Cf. Paul Jove, p. 116 : « ... [**les**] fréquentes ambassades des Florentins... s'essayoient à la Cour par largesses et pratiques de mettre les Pisans en male grace des gros seigneurs de France ».

(22) F.T. Perrens, **Histoire de Florence,** II, 195.

(23) III, 262-263.

(24) III, 263.

(25) Lettre des Dix à Commynes, le 14.9.1497 (Kervyn, II, 248-249).

(26) Kervyn, II, 249.

(27) Milan, **Archives d'Etat, Potenze Estere, Spagna,** lettre de Litta au duc de Milan, Medina del Campo, 4 juin 1497.

(28) III, 290 : « Ledit de Clerieux portoit quelque peu d'affection a ceste maison d'Arragon et esperoit avoir le marquisat de Quotron, qui est en Calabre, que ledit roy d'Espaigne tient de ceste conqueste derniere que ses gens firent audit païs de Calabre, et ledit de Clerieux le pretend sien ; et est homme bon, qui aisement croit, et par especial telz personnaiges ».

(29) Charles VIII.

(30) III, 282.

(31) III, 306 : « Je n'estoye point present, mais sondit confesseur l'evesque d'Angers et ses prouchains chambellans le m'ont compté ; car j'en estoye parti huyt jours avant et allé a ma maison. »

(32) III, 314.

CHAPITRE QUATRIÈME

L'OUBLIE
ou
COMMYNES SOUS LOUIS XII

> « *Tant s'eslongne-il qu'il n'en souvient* ».
> Villon, *Poésies diverses*, II, v. 6.

RÈGLEMENT DE COMPTES

Sans aucun doute, la défaveur qui fut l'apanage de Commynes sous le règne de Charles VIII, se prolongea avec son successeur, Louis XII. Ne nous l'avoue-t-il pas lui-même lorsqu'il écrit dans le dernier chapitre des *Mémoires* :

> *Quant j'euz couché une nuyt a Amboyse, allay devers ce roy nouveau, de qui j'avoye aussi esté privé que nulle aultre personne, et pour luy avoye esté en tous mes troubles et pertes ; toutesfoiz, pour l'heure, ne luy en souvint point fort* » *(1)* ?

Remarquons que le chroniqueur confesse sa disgrâce sous une forme euphémique, et après avoir affirmé, non sans exagération, que tous ses déboires sous la Régence des

Beaujeu ne vinrent que de son amitié pour le duc d'Orléans. En procédant ainsi, il accuse Louis XII d'ingratitude, et nous détourne de rechercher dans son propre passé une explication de la méfiance, voire de l'hostilité du nouveau roi.

En effet, pourquoi ne fut-il pas accueilli avec empressement, et appelé à partager avec son maître les plus hautes responsabilités? Faut-il soutenir, avec Sanudo (2) et Mandrot (3) qu'il protesta contre la répudiation de Jeanne de France, l'infortunée bossue que Louis XI avait imposée au duc d'Orléans pour des raisons d'un machiavélisme assez sordide ? C'est bien peu vraisemblable. Commynes ne poussait pas la fidélité jusqu'à nuire à ses intérêts (il oublia très vite Cicco Simonetta) (4), et la pitié n'inspirait pas ses actes, comme l'indique sa conduite dans l'affaire de Pise (5).

Son maintien au second rang se comprend mieux, si l'on admet qu'il se heurta à l'inimitié du maréchal de Gié, Pierre de Rohan, ministre tout-puissant, qui déjà sous Louis XI s'était acquis une place de plus en plus grande de 1475 à la fin du règne, apparaissant au cours des journées qui précédèrent l'entrevue de Picquigny (6), promu maréchal de France en 1476, et, en 1479, lors de la première attaque d'apoplexie qui frappa le souverain, expédiant les affaires courantes de concert avec Jean de Daillon, Louis et Charles d'Amboise (7). A coup sûr, les sires de Rohan et d'Argenton n'étaient pas liés par une profonde sympathie, à en juger par le portrait que les *Mémoires* nous ont laissé du premier, puisqu'ils ne le mentionnent que pour le critiquer, ou pour l'associer à l'action de Commynes qui, ainsi, cherche à se justifier.

En effet, le maréchal est, d'abord, un porte-parole de Charles VIII qui participa aux négociations franco-italiennes dès le lendemain de la bataille de Fornoue (8) et, après le retour à Asti, tout au long du mois de septembre 1495. Avec Commynes et le sire de Piennes, auxquels se joignirent, par la suite, le président Ganay et Raoul de Lannoy, il alla d'un camp à l'autre pour élaborer les clauses du traité (9) que, tous ensemble, ils signèrent le 9 octobre au nom de leur maître (10). Et notre auteur répète les noms des plénipotentiaires français, et se complaît à employer le pronom personnel *nous*. Un peu plus tard, toujours en compagnie de Ganay et de Commynes, P. de Rohan fut envoyé vers Ludovic le More qu'il ne parvint pas à persuader de rendre visite à Charles VIII pour confirmer, par une entrevue, la paix précédemment jurée (11). Ainsi donc, que l'on approuve ou que l'on condamne le traité de Verceil, il est impossible de dissocier les efforts de ces deux hommes qui ont poursuivi les mêmes fins, participé aux mêmes conversations, subi les mêmes déconvenues, et qui, l'un et l'autre, se sont alors opposés au clan orléaniste, belliqueux et jusqu'auboutiste. Dans ces conditions, est-il juste d'adresser des reproches au seul Commynes ?

Mais Rohan réussit à faire oublier la part qu'il avait prise à ces « pratiques ». Aussi la plume de notre historien devient-elle acerbe, aussitôt que le maréchal n'est plus un partenaire avec qui partager de lourdes responsabilités.

Fut-il un bon capitaine ? Les *Mémoires* nous invitent à en douter à plusieurs reprises. Considérons, d'abord, le récit de la prise de Pontremoli (fin juin 1495) (12). Tout ce qui nous est dit est, peu ou prou, défavorable à Gié :

1°) il n'eut aucun mérite à s'emparer de cette place qui n'était défendue que par une faible garnison, car les ennemis, abêtis par Dieu, n'avaient pas compris l'importance stratégique de ce bourg, pourtant situé à l'entrée des montagnes :

> « *La ville et chasteau estoient assez bons et en fort païs ; et, s'il y eust bon nombre de gens, elle n'eust point esté prise. Mais il sembloit bien qu'il fust vray ce que frere Jheronime [Savonarole] m'avoit dit : que Dieu le* (13) *conduisoit par la main jusques il fust en seureté ; car il sembloit que ses ennemis fussent aveuglez et abestiz, qu'ilz ne deffendoient ce pas* ».

2°) il n'y eut même pas de combat, puisque les assiégés se laissèrent convaincre par les arguments et les promesses de Trivulce, Milanais passé au service de Charles VIII :

> « *Il y avoit trois ou quatre cens hommes de pied dedans. Le roy y envoya son avant garde, que mena le mareschal de Gyé : et avecques luy estoit messire Jehan Jacques de Trevolse, qu'il avoit recueilly du service du roy Ferrande, quant il fouyt de Napples, gentilhomme de Milan, bien apparenté, bon cappitaine et homme de bien, grant ennemy de ce duc de Milan et confiné par luy à Napples ; et, par le moyen de luy, fut incontinent rendue ladite place, sans tirer, et s'en allerent les gens* ».

Pour se faire une idée de l'habileté de notre écrivain, il il n'est pas inutile de remarquer, d'abord, le redoublement de l'expression sur la fin de cette citation *(incontinent...sans tirer...)*, ensuite, le long éloge de l'Italien, enfin, l'adroite disproportion : une demi-ligne pour Gié, cinq pour Trivulce. Tout concourt à établir la prépondérance de ce dernier.

3°) le maréchal ne put, en dépit de la capitulation, empêcher les mercenaires suisses de massacrer la population masculine, de piller et d'incendier la cité :

> « ...non obstant la composition, tuerent tous les hommes, pillerent la ville et y misdrent le feu et bruslerent vivres et tout aultre chose et plus de dix d'entre eulx mesmes qui estoient yvres ; et ne sceut ledit mareschal mettre remede ».

Comme il était débordé par les événements, les soudards déchaînés faillirent exterminer, de surcroît, les soldats de Trivulce :

> « *Et si assiegerent le chasteau pour prendre ceulx qui estoient dedans, qui estoient serviteurs dudit messire Jehan Jacques de Trevolso, et les y avoit mys quant les aultres partirent...* »

Il fallut même que Charles VIII en personne envoyât un émissaire pour mettre un terme à ce désordre qui porta le plus grave préjudice, moral et matériel, à la cause française :

> « *...et faillut que le roy y envoyast vers eulx pour les faire departir. Et fut ung grant dommaige que de la destruction de ceste place, tant pour la honte que a cause des grans vivres qui y estoient, dont nous avions ja grant faulte, combien que les peuples ne fussent en riens contre nous, fors la a l'entour, pour le mal que on leur faisoit* ».

Est-ce un accident dans la carrière d'un éminent capitaine ? Non, car Rohan ne se montra pas sous un meilleur jour avant ou pendant la bataille de Fornoue. Remontant vers le nord de l'Italie à la tête de l'avant-garde, il s'éloigna dangereusement du gros de l'armée royale qu'il finit par précéder de trente milles, c'est-à-dire, précise Commynes, de trois jours de marche (14). Mieux inspirés, les ennemis auraient pu facilement l'anéantir, et détruire ensuite le reste des troupes, en sorte qu'il est impossible de soutenir qu'il a sauvé Charles VIII et ses hommes :

> « *Et si avoit les ennemys logez devant luy en beau champ, au moins a demye lieue pres, qui en eussent eu bon marché, s'ilz eussent assailly, et puys de nous après* [...] *Mais nous avions meilleure garde que luy, car Dieu mist aultre pensee au cueur de noz ennemys* » (15).

Envoie-t-il des cavaliers harceler le camp italien ? Ils sont repoussés et pourchassés par des stradiots qui tuent et décapitent un gentilhomme nommé Le Beuf (16).

Un peu plus tard, redoutant d'être attaqué, il se retira sur la montagne. Ne disposant que de 160 hommes d'armes et de 800 mercenaires allemands, et ne pouvant recevoir aucun secours de son maître qui était encore à un jour et demi de marche, il était à la merci de ses ennemis (17). Mais, pour la troisième fois, Dieu intervint et lui évita une défaite certaine, par l'entremise d'un capitaine allemand que les Stradiots avaient capturé et qui, interrogé par le comte de Caiazzo et par le marquis de Mantoue, mentit effrontément, en doublant le nombre des soldats que commandait le maréchal de Gié, si bien que les chefs de la Sainte-Ligue jugèrent préférable d'attendre quelque peu avant de croiser le fer avec les envahisseurs en retraite (18). Et le mémorialiste, pour emporter notre adhésion, cite ses sources :

> « *Et ay sceu cecy par eulx mesmes que je nomme, et en avons eu divise ensemble, ledit mareschal de Gyé et moy, avecques eulx depuis, nous trouvant ensemble* » (19).

A Fornoue, Rohan commandait toujours l'avant-garde qui eut à faire face aux hommes de Caiazzo (20) et qui n'eut aucune peine à l'emporter ; en effet, ses adversaires « ne joignirent point si près (21), car quant vint l'heure de coucher les lances, ilz eurent peur et se rompirent d'eulx-mesmes » (22). Mais le plus grave, peut-être, est que le maréchal interdit à ses troupes de chasser les fuyards (23). Sur la conduite qu'il devait tenir à cette occasion, les avis, signale Commynes, sont partagés. Les uns estiment que Gié eut raison de rester sur place : d'une part, il demeurait trop d'ennemis à proximité (24) ; de l'autre, grâce à lui, son maître, que les Italiens avaient failli capturer, échappa (peut-être) à de nouveaux périls : « Et lors le roy creut conseil, tira a l'avengarde, qui jamais n'estoit bougee : et au roy vient bien a point » (25). Les autres soutiennent qu'il eût suffi d'avancer de cent pas pour que la victoire fût totale : « ...mais si elle fust marchee cent pas, tout l'ost des ennemys fuyoit » (26).

Nous sentons notre auteur tiraillé entre deux desseins contradictoires. D'un côté, il approuve la prudence : n'a-t-il pas dit ailleurs (27) qu'il « n'appartient... point aux chefz de l'avant garde de chasser » ? De l'autre, il lui plaît de jeter des doutes sur les capacités du maréchal de Gié : n'est-il pas la cause, par sa pusillanimité, de l'échec final ?

L'on a vu, à plusieurs reprises, que Commynes s'acharne sur ses adversaires. Aussi s'en prend-il même au négociateur qui, à la différence de notre auteur, hésita à exposer au danger sa précieuse personne et refusa de traverser le Taro pour rencontrer les plénipotentiaires de la Sainte-Ligue (28).

Mais il est très vraisemblable que Louis XII lui-même n'avait pas oublié que le seigneur d'Argenton, après avoir été son complice sous la Régence, avait fini, durant le règne de Charles VIII, par rechercher les faveurs de ses ennemis et par s'opposer à lui en maintes circonstances. Une fois libéré et gracié, ne s'était-il pas rallié au clan des Beaujeu ? A la fin de l'expédition italienne, n'avait-il pas été le partisan chaleureux et l'artisan actif d'une paix négociée, et, en adoptant ce point de vue, n'avait-il pas affermi la puissance fortement ébranlée de Ludovic le More et nui aux ambitions milanaises de Louis d'Orléans ?

En outre, dans ses *Mémoires* et sans doute de vive voix, n'avait-il pas condamné en termes sévères le comportement du duc au cours de l'aventure napolitaine, lui reprochant de s'être emparé de Novare malgré les ordres formels de Charles VIII et, la faute commise, de ne pas avoir profité de sa supériorité pour se saisir du duché qu'il convoitait (29) ; l'accusant d'avoir négligé d'approvisionner cette même ville de Novare et de s'être laissé stupidement acculer à une atroce famine ; l'incriminant d'avoir été, contre le sentiment de tous, la cause de la prolongation d'un conflit insensé (30), et d'avoir prôné, contre l'opinion générale, la poursuite de la guerre, à des fins purement personnelles (31), en dépit des plus mauvaises conditions (32) ? Et, plus tard, virant de bord, ne lui imputa-t-il pas l'avortement, en 1496, d'une nouvelle descente en Italie qui se présentait sous les meilleurs auspices, et que le conseil de Charles VIII avait approuvée à l'unanimité (33) ? Enfin, ne soutint-il pas, contre le duc, Trivulce qui défendait les droits d'un neveu du More (34) ? En un mot, nous pouvons lire dans les *Mémoires* un prudent mais indéniable réquisitoire contre Louis d'Orléans.

Ainsi donc, pendant ces cinq dernières années, Commynes, hostile, puis favorable, enfin, de nouveau, hostile à l'expédition italienne, se retrouva, le plus souvent, dans le camp opposé au duc d'Orléans qui ne pardonna pas à ceux qui, au moment de la paix de Verceil, séparèrent la querelle du roi de la sienne, et l'abandonnèrent :

> *« Commynes, dès lors, n'existe plus pour lui, et ce n'est pas une des moindres preuves que donna de son habileté le maréchal de Gié, d'avoir su conserver la sympathie de Louis d'Orléans, et même son amitié, après une si rude épreuve dont*

> *le souvenir, malgré tout, hanta toujours l'esprit du prince* » (35).

Ainsi s'explique-t-on, avec de Maulde, que l'avènement subit de Louis XII « opéra naturellement un triage parmi les serviteurs immédiats de la royauté. Le maréchal de Gié et le cardinal d'Amboise en profitèrent... Commynes, Graville est autres en furent victimes » (36).

Mais, comme nous l'avons vu, l'adroit chroniqueur, dans son œuvre ou plus précisément dans le dernier chapitre, n'évoque, et encore bien rapidement, que des actions communes contre les Régents, actions qu'il avait tues jusqu'alors ; ailleurs, il se présente comme le dévoué serviteur du bien public et des intérêts de son roi à qui il sacrifia tout, même son amitié pour Orléans. Il nous incite, par une habile disjonction des faits, à conclure à l'ingratitude du nouveau souverain.

En réalité, l'astucieux politique, à l'affût d'un avantage immédiat qui lui assurât les faveurs de Charles VIII, s'était prononcé avec trop de netteté contre la cause du duc. Emporté par le violent désir de reconquérir les positions perdues, il n'avait pas imaginé et prévu, d'abord, que le dauphin mourrait en bas âge, ensuite, que le roi lui-même disparaîtrait prématurément, et que Louis d'Orléans lui succéderait sur le trône. Il avait voulu forcer, par tous les moyens, une destinée récalcitrante : il se retrouvait au point de départ, et, qui plus est, son passé lui valait la méfiance tenace, sinon l'hostilité de son nouveau maître.

Il assista au couronnement, le 27 mai 1498. Il siégea pendant quelque temps au Conseil, jusqu'au 26 juillet. Mais il ne s'obstina pas : il se retira sur ses terres d'Argenton. Réduit à l'inactivité politique, il prodigua son énergie et son intelligence dans de multiples et interminables procès..

PROCÈS ET CONDAMNATIONS

Dépossédé de Talmont et de ses dépendances sous Charles VIII, il dut, le premier avril 1498, céder, contre une somme d'argent, le comté de Dreux à Jean d'Albret, comte de Nevers (37).

Il poursuivit en justice Charles du Mesnil-Simon qui lui avait dérobé des bijoux, lors de son arrestation à Amboise, en janvier 1487 :

> « *...pour raison de certains biens meubles, comme vaisselle d'argent, chesnes, bagues et autres choses, estans es coffres dudict de Commynes et prins par ledict messire Charles es coffres dudict de Commynes a l'eure que icelluy de Commynes fut prins et constitué prisonnier par icelluy messire Charles, en la ville d'Amboise, des le vivant du feu roy Charles huitiesme, derrenier decede* » (38).

Il lui réclamait 3000 écus et plus, et, notons cette précision, « de l'estimacion desquelz *[biens]* ledict de Commynes requeroit estre creu par serment » (39). S'il gagna son procès, il n'obtint, à titre de dommages et intérêts, que 2000 livres tournois (40). On ne l'avait donc pas cru sur parole.

Le 20 mars 1503, il fut condamné par le sénéchal de Poitou (c'est-à-dire par un de ses successeurs) à payer une amende pour avoir fait briser dans l'église de Voultegond les vitraux sur lesquels étaient peintes les armoiries de Jean Le Mastin, seigneur de La Roche-Jacquelin (41). Autrefois, pour établir ses droits, il tentait de brûler des lettres gênantes ; maintenant, il s'en prend à des vitraux.

Procès, aussi, avec René de Sanzay, qu'il veut, peu ou prou, réduire au rang de vassal, et qui, de son côté, revendique la suzeraineté de Boesse. Un premier échec n'empêche pas notre mémorialiste de repartir en guerre.

Lui et son adversaire plaident sur tout et rien, sur d'infimes bagatelles, l'un aussi acharné que l'autre. Un cadavre est-il découvert en un lieu qui dépend de la justice de Sanzay ? Les officiers d'Argenton l'enterrent à proximité de Boesse. Jugement : le corps en litige sera déterré et inhumé à Sanzay. Ou bien les suppôts de Commynes arrêtent des faux sauniers sur le territoire de son voisin ; le chroniqueur prétend que les malandrins ont été pris à Boesse. Quel que soit le terrain sur lequel il se place, il est toujours débouté de ses prétentions, condamné à ne plus troubler la partie adverse « en la joyssance et exercice de sa haulte justice de Sanzay », et à payer une amende de 2000 livres parisis, bien que, pour se défendre, il ait tracé de son ennemi un portrait assez noir :

> « ...*il, de jour en jour, est sur les lieux luy, ses gens et serviteurs et officiers, a regarder et oreiller si on faict riens de quoy il puisse prendre aulcun advantage. Et s'il eust sentu en y avoir, ne l'eust laissé en arriere, car il est assez processif, et ayme proces pour n'en laisser pas passer un ongle ; et encores mais qu'il ne demandast sinon ce qui luy appartient, il n'en viendroit que a estre prisé ; mais voulloir avoir ce qui n'est pas a luy et d'entreprendre sur les autres (soubs umbre de ses arrests), ce n'est pas faict en homme de bonne conscience... Semble a le voir qu'il n'ayt autre felicité que de sercher et querir nouvelles choses pour continuer a plaider, et essayer par enquestes à faire de son hebergement de Sanzay, qui n'a d'estendue que riens, et en faire une grant baronnie et l'estandre sur ses voisins* ».

On se bat autour de l'église paroissiale de Boesse, où les Sanzay étaient inhumés. Dans le chœur, sur les côtés inférieurs, sur les tombeaux, leurs armoiries témoignaient de leurs droits. Commynes essaie de faire disparaître ces preuves embarrassantes. Il est condamné le 9 mai 1506 et le 15 septembre 1508 (42).

Autres difficultés avec le seigneur de Saint-Clémentin, auxquelles une transaction met un terme le 15 mai 1509 ; notre auteur acquiert l'hôtel de Regnier en échange de 871 écus d'or au soleil, et une rente de 8 pipes et demie de vin, de 30 setiers de seigle, de 17 livres 11 sols 6 deniers (43).

Procès, encore, avec Jacques Audebaut, écuyer, sieur de la Chèvetière, qui n'avait pas notifié à Commynes l'achat du tènement de La Vergerie, dépendant de La Vacherasse (44).

Enfin, le mémorialiste s'efforce de sauvegarder son dernier grand fief, celui d'Argenton, contre Jean de Châtillon qui a hérité des droits de Louis II Chabot, et qui attaque l'arrêt de 1473. Le 8 avril 1506, Commynes obtient satisfaction contre la partie adverse, condamnée « en la double amende » et à des dommages et intérêts (45). Encouragé par ce succès, il poursuit son offensive, et réclame les fruits de tout ce que la décision de 1469 avait attribué à Louis II. Il réussit encore dans son entreprise (46). En 1508, il ordonne de saisir et de mettre en criées, sur Jean de Châtillon, un certain nombre de seigneuries afin de contraindre son adversaire malheureux à payer les 15.000 livres que la justice lui a accordées. Mais aucun acquéreur ne se présente (47).

Précisons que notre historien, dans le même temps, lutte sur deux fronts, puisqu'il est aussi en procès avec son suzerain, le baron de Mortagne (48), « pour raison de la façon et qualité de l'hommage » que doit la seigneurie d'Argenton : après maints déboires, il fait, en septembre 1511, « de vive voix et par ecrit l'offre de foi et hommage, baser et serment de fidelité, sans prejudice de petitoire et autres droits dont procès estoit pendant devant le Parlement » (49).

Dans ses démêlés avec Jean de Châtillon, la roue de fortune va bientôt tourner. Le 23 août 1508, le Parlement commence à déposséder Commynes de sa terre d'Argenton. En effet, celle-ci est placée dans la main du roi, et confiée à l'administration de deux commissaires qui en réserveront les revenus jusqu'à règlement de l'affaire. Quant au mémorialiste et à sa femme, ils pourront y résider provisoirement, « comme personnes estranges, en payant par chascun an ausditz commissaires ce que lad. demeure seroyt trouvé valloir raisonnablement » (50).

CORRESPONDANCE AVEC FLORENCE (51)

L'intérêt, surtout, liait Commynes à la grande cité italienne. De fâcheuses nouvelles lui en parvinrent. D'abord, il apprit le décès de deux hommes avec qui il était en relations d'affaires. L'un, Fr. Sassetti, qui était l'agent des Médicis, à Lyon, avait été emporté par une mort naturelle. L'autre, Lorenzo Tornabuoni, avait été exécuté en 1497, pour avoir participé à un complot contre la République. En outre, Savonarole n'était plus, et son couvent de Saint-Marc avait été brûlé.

Aussi le seigneur d'Argenton fut-il réduit à écrire des lettres remplies de réclamations et de récriminations. Le 20 juillet 1499, il annonce aux membres de la Seigneurie qu'il renvoie auprès d'eux un serviteur, du nom de Jehannet de Sallet, qui a déjà résidé plus de sept mois à Florence, pour poursuivre les débiteurs de son maître. Il se plaint, tour à tour, de Pierre de Médicis, des héritiers de L. Tornabuoni et de Fr. Sassetti ; du précédent gouvernement, c'est-à-dire des savonaroliens ; d'un accord que lui imposèrent autrefois les descendants de Laurent le Magnifique ; du banquier Nasi ; de Pellegrino Lorini, qu'il accuse de lui avoir volé 2600 livres, et qu'il attaque depuis plus de dix ans. Il prétend qu'il lui a fallu « emprumpter argent a grand interest, par deffaut de celuy que me detiennent lesdessus dits » (52) : a-t-il réellement des difficultés de trésorerie ? Ou bien joue-t-il son va-tout, cherche-t-il à apitoyer ses correspondants, sans beaucoup de dignité ? Il prie la seigneurie florentine d'intervenir en sa faveur, et lui promet en échange, un dévouement sans limite :

> « *...s'il vous plaist m'employer en chose qui soit en ma puissance, me trouverez toujours prest a vous faire service* » (53).

Ce document nous permet de constater que Commynes n'a plus que rancœur à l'égard de ses amis d'hier, des Médicis d'abord, de Savonarole et de ses fidèles ensuite, et qu'il offre successivement ses services à tous les gouvernements de Florence. Mais prise-t-on l'aide d'un homme qui n'a pas l'oreille de son maître ?

Il revient à la charge le dimanche de Quasimodo 1502. Un nouvel émissaire le représentera à Florence, un ecclésiastique appelé Jean de La Font. Commynes rappelle les graves préjudices que lui a causés le retard à lui payer son dû : cet argent lui fait cruellement défaut ; ses poursuites ont entraîné des frais importants ; un excellent serviteur est mort à la tâche. Plusieurs connaissent les éminents services qu'il a rendus aux Florentins ; et il n'a pas, comme d'autres, cherché à leur nuire, pour obtenir satisfaction. Il leur demande de l'indemniser, « tant du principal que des despens », sur les biens des Médicis, mis sous séquestre, et de ses autres débiteurs, qui sont sous leur juridiction : ne lui a-t-on pas, par deux fois, promis de lui faire justice, et par lettres (54) ? Conclusion : si son influence à la Cour n'avait pas été quasi nulle, aurait-il eu besoin de dépêcher vers Florence de nombreux serviteurs ? Aurait-il été contraint, trois ans après, d'émettre les mêmes réclamations et de s'abaisser à flatter ses interlocuteurs ? Et ses débiteurs auraient-ils opposé une telle résistance ?

Bien plus, en 1507, rien n'était réglé. Aussi, de Milan, où il avait accompagné Louis XII, adressa-t-il aux Florentins une nouvelle lettre datée du 2 juin, et un nouveau serviteur. Il en appelle à la conscience des « très-honnorés et doutés seigneurs ». Il les invite à prélever sur la fortune des Médicis de quoi le rembourser et à lui donner rapidement raison contre P. Lorini. A tout le moins, qu'ils forcent « les héritiers de feu François Sasset, qui sont obligés », à payer leurs dettes. Il ne manque pas d'ajouter :

> « *...vous priant tousjours me commander vostre bon plesir, et je mecteray payne de l'acomplir* » (55).

Mais on continuait à ignorer ses récriminations. C'est pourquoi, lorsque Pise fut retombée sous la coupe de Florence, il en tira argument et profita de l'occasion pour attirer, de nouveau, l'attention de la Seigneurie sur ses affaires. Le 27 novembre 1509, d'Orléans, il se plaignait d'être le seul que l'on oubliât et négligeât, en dépit de multiples demandes et démarches qui lui avaient coûté fort cher, et bien qu'il eût dû être satisfait avant tous les autres, en considération des services rendus : n'avait-il pas sans cesse protégé les marchands florentins en France et ailleurs ? Il devait être dédommagé aussitôt après la prise de Pise :

> « *...on m'a tousjours remis quant vous auriez recouvert Pise, ce qui est advenu, Dieu mercy, et ne croy point nulle personne hors Florence qui en ait esté plus joyeulx que moy. J'espoirois que*

> *la raison m'en fut faicte a Florence, sans qu'il fust besoing que je y envoyasse... »* (56).

Bien que Neri Capponi (57) se fût chargé de s'entremettre en sa faveur, aucune nouvelle ne lui était parvenue. Aussi envoyait-il le Tourangeau Pierre Boismart, afin qu'on cessât de se moquer de lui :

> « *...qu'il vous plaise, tant de ma debte que des despens que j'ay mis a la prossuyte, m'en vouloir faire paier, sans ce que je soie plus abusé, comme j'ay esté jusques icy* » (58).

Non seulement Commynes n'arrivait pas à rentrer dans les fonds, mais il avait la pénible impression d'avoir été, malgré son habileté, dupé par des partenaires déloyaux.

Ce sentiment ne pouvait manquer de devenir de plus en plus lancinant, puisque, le 22 mars 1510, il rappelait encore leurs promesses aux Florentins :

> « *Il m'a tousjours esté mandé et escript que je seroye payé quant Pise seroit recouverte, et ai-je esperance que ainsi se fera, veu qu'estes hors de vos grans affaires, et que mondit aura quelque bonne expedition, et aurez memoire que tousjours vous ay esté bon serviteur et seray pour le temps advenir...* » (59).

De plus en plus pressant, il insiste sur la légitimité de ses revendications : « ...qu'il vous plaise que a ceste fois la raison me soit faicte... ». Mais cette lettre nous révèle aussi que son serviteur était depuis près de quatre mois dans la cité des Médicis sans avoir rien obtenu (60).

Le 25 août 1511, c'est-à-dire peu de temps avant la mort du mémorialiste que préoccupait aussi le sort d'Argenton, le problème demeurait entier. Il était contraint de renvoyer à Florence Pierre Boismart,

> « *lequel en ceste saison passee y a fait long sejour, comme paravant luy avoient fait pluissieurs aultres de mes serviteurs, a la poursuicte de ce que me doivent ceulx de Medicis, lesquels tousjours sont retournés sans riens faire, avec quelque esperance* » (61).

Pourtant, apparaissait un léger espoir de règlement (62). C'est pourquoi il supplie instamment la Seigneurie d'agréer sa requête, en souvenir des services qu'il lui a rendus, d'autant plus que ces démarches réitérées le ruinent (63).

Sans doute mourut-il avant que ses interlocuteurs se fussent enfin décidés à lui donner satisfaction. Ils n'oubliaient pas qu'il avait été l'ami des Médicis, et qu'éloigné de la faveur royale, il ne pouvait plus leur apporter qu'une aide médiocre. Ils temporisèrent, le payèrent de belles paroles, à peu près comme Louis XI le fit avec les Anglais, au lendemain de Picquigny (64). Mais jusqu'à la fin, notre auteur s'est acharné à défendre ses intérêts qui étaient menacés de tous les côtés, et qui semblent, pour une bonne part et plus d'une fois, avoir déterminé sa conduite politique. Ses échecs successifs ne l'ont-ils pas convaincu de la vérité de ce proverbe, si cher à son siècle, comme en témoigne *la Farce de Maître Pierre Pathelin : « A malin, malin et demi »* ?

UN RETOUR SANS LENDEMAIN

Pendant qu'il multipliait procès et tentatives pour affermir et surtout pour sauvegarder sa fortune et sa puissance également chancelantes, il ne renonçait pas à l'espoir de reconquérir une place dans l'entourage de Louis XII. « Cette vieille âme politique », comme dit Michelet, avait intrigué auprès d'Anne de Beaujeu sous Charles VIII ; de même, elle essaya de gagner la faveur d'Anne de Bretagne pour s'imposer au souverain.

Commynes s'assura d'abord le concours de René de Brosse, comte de Penthièvre, à qui il se pouvait que le duché breton revînt un jour. Il lui prêta de l'argent (65) ; puis, le 13 août 1504, il lui donna en mariage sa fille unique, Jeanne. Cette alliance présentait de grands avantages pour l'une et l'autre partie. Pour le gendre, fort démuni, c'était un moyen de redorer son blason. En effet, par le contrat de mariage (66), il était libéré d'une dette de 4500 écus ; il obtenait une somme de « neuf mille cinquante huit escus dedans un mois prochainement venant », et des bijoux d'une valeur de 4442 écus : parement d'or, boîte d'argent doré, balais de haute couleur, ceinture d'or, rubis en diamants, « fleur de lys de diamans grande », bague d'or, rubis en pointe, table de diamants... (67) ; de plus, à la mort de ses parents, sa femme hériterait de la seigneurie d'Argenton et de ses dépendances, ou bien de 50.000 livres, si de Commynes et d'Hélène de Chambes naissait un (ou plusieurs) fils (68). Quant à notre mémorialiste, s'il faisait quelques sacrifices d'ordre financier, il réussissait, par ce moyen, à se rapprocher de la reine, et à introduire sa fille dans la famille d'un grand seigneur.

Il revint auprès de Louix XII vers le milieu de 1505, avec l'aide d'anciens complices, mettant à profit les brouillis et les rivalités de cour, se procurant surtout l'appui d'Anne de Bretagne qui, avec le concours d'A. d'Albret et de quelques autres, s'efforça, au cours des années 1504 et 1505, d'abattre le tout-puissant favori, Pierre de Rohan, et parvint à ses fins, puisque finalement, le 9 février 1506, le seigneur de Gié fut privé de ses commandements militaires et de son office de maréchal pour 5 ans, et exilé de la cour pour une durée égale (69).

Pendant le mois de juillet 1505, Commynes écrivit à la reine deux lettres, qui sont intéressantes à plusieurs titres. D'après la première (70), prudent, il ne se présenta pas immédiatement devant le roi. Par l'intermédiaire d'un haut personnage qu'il ne nomme pas (71), il se concilia G. d'Amboise, alors légat du pape, et qui, dans les *Mémoires*, apparaît sous un jour défavorable (72). Il ne précipita pas son retour, mais attendit le moment opportun :

> « *Madame, tost apres vostre partement de Blois, fus parler a monseigneur le legat, a Beaureguart, et ne vous osse nommer celluy qui en a esté moyen, pour ce que je le doubte a vostre malle grace, et plusieurs fois en a envoyé devers moy, et des le premier coup le vous eusse fait savoir, mays je ne cuydois point que la chose avint, pour ce que je desirois savoir s'il me feroit bonne chere ou mauvesse avant aller. Toutesfois, madame, il me tint les millieurs termes du monde et la millieure parolle et bien longue. Après plusieurs parolles, ly pryé que peusse veoir le roy. Il me dist qu'il luy en parleroit, et pour ceste heure ne se peut faire, comme il me manda, et me remyt à Tours ; je manday a celluy qui avoit esté cause de mon aller audict Beaureguart, que, sans estre seur de veoir le roy, je n'yrois point volontiers* ».

Ce passage nous apprend, d'une part, que Commynes eut de la peine à vaincre les résistances, voire les répugnances, de G. d'Amboise, d'abord, et du roi, ensuite ; d'autre part, qu'il intrigua avec les diverses factions qui divisaient la Cour. Quoi qu'il en soit, sa patience et sa prudence furent récompensées : il se complaît à énumérer les faveurs que lui accorda alors Louis XII, et auxquelles ne fut pas étranger l'évêque du Puy, Geoffroy de Pompadour, englobé, sous le gouvernement des Beaujeu, dans la même disgrâce que lui (73) :

> « *Ency la chose est demouré quinze jours, qu'il m'a renvoyé ung homme, que je vinse, et que le roy me feroit bonne chere : se qu'il a fait, madame, et tenu bien longues parolles, par troys foys, et hier, de vous, longtemps, au propos du petit cheval qu'il me fit monter, sur lequel entrez voullentiers aux villes, comme il me dit, et me semble, madame, qu'il desire bien vostre retour* ».

Mais le vieux courtisan, dont les efforts ont quelque chose de touchant, n'oublie pas de flatter la reine : c'est à elle qu'il doit « se commencement de bien » ; c'est d'elle que dépend son avenir politique ; tout est suspendu à sa décision, comme il est répété par deux fois :

> « *...le tout depent de vous, madame, car s'il cuydoit que n'y eusez nulle afecsion, combien qu'il ayt bien afaire de compaignie, sy doubté je que je demourois sus moy a faire mes vignes* » (74).

Il feint le désintéressement (mais peut-être est-il sincère, tellement il désire sortir de sa retraite) : il souhaite revenir à la cour pour « faire service », et non pour défendre ses propres intérêts (75). Enfin, il renseigne sa correspondante sur les dernières nouvelles qui lui sont parvenues, et il l'assure de son total dévouement (76).

Mais il sait qu'il faut ne pas perdre une minute, et battre le fer pendant qu'il est chaud, d'autant plus qu'il approche de la soixantaine. Aussi, six jours après, le 23 juillet, adresse-t-il une seconde lettre à la reine (77). Ses affaires n'ont pas avancé autant qu'il l'aurait voulu. Sans doute Louis XII l'a-t-il bien accueilli, mais avec des paroles trop vagues pour le satisfaire :

> « *Madame, puis poy de jours, vous ay escript mon arrivee, et comme le roy m'avoit fait bonne chere et fort parlé a moy, et a fait, chacun jour, depuis mes lettres escriptes, parolles generalles, et a chascune fois m'a parlé de vous et longuement ; mais je n'y suis allé que unne foys le jour, et en la compaignie de monseigneur le legat* ».

Commynes songeait à quitter la cour jusqu'au retour de la reine ; mais G. d'Amboise lui a conseillé de patienter (78) ; et il ne peut que l'écouter : « Ency je suiveray son conseil, car quant je vouldrays faire autrement, je parderois tantost tout ». Il sent qu'on se méfie de lui :

> « *Je ne sé s'il vouldroit quelque serment ou promesse de moy, car en quelque susepecion l'avoit-on mis au commencement, disant que s'il s'y fioit, que mademoiselle de Beaumont* (79) *et moy a la fin luy nuirions envers vous et le tromperions* » (80).

Et il le rappelle un peu plus loin (81). En revanche, il peut compter sur le soutien de la duchesse d'Angoulême (82) et de G. de Pompadour, qu'il est question de faire venir en Touraine, pour siéger au conseil (83). Et on ne doute pas qu'il puisse rendre de grands services. Il supplie la reine de lui envoyer une lettre de recommandation (84). Il l'invite à abréger son voyage, car le roi a été malade (85). Il décoche quelques flèches contre l'amiral de Graville qui, par cupidité, veut rallumer la guerre en Flandre (86), et qu'il voue à la jalousie de la Bretonne, en le présentant comme un favori trop puissant : « Monsieur l'amiral tient le Roy de pres ». Comme il cherche à plaire, il se réjouit des malheurs de Pierre de Rohan, l'ennemi de la souveraine :

> « *Je loue Dieu, madame, de ce que l'afere du maresal prend train a votre honneur et plesir :*

il a ycy ung homme, mes nul ne parla a ly, que j'aie veu »

Les efforts des uns et des autres finirent par obtenir quelque succès, puisque Louis XII, en cette année 1505, accorda à notre mémorialiste un brevet de chambellan ordinaire (87), et une pension de 1000 livres tournois, fort éloignée, notons-le, des générosités de Louis XI. Mais, s'il était admis à la Cour, il demeurait au second plan, le plus souvent inaperçu et oublié. Tout au plus peut-on avancer qu'on songea à l'envoyer en Allemagne (88), et qu'il accompagna son maître en Italie au printemps de 1507, mais si effacé que Jean d'Auton ne le nomme pas parmi les membres de la suite royale.

Sans avoir retrouvé une place qui fût digne de lui et à la mesure de son ambition, il mourut à Argenton le 18 octobre 1511. Il fut inhumé aux Grands Augustins à Paris. Il ne reste de son tombeau que sa statue et celle de sa femme, que le Louvre a recueillies (89).

NOTES DU CHAPITRE QUATRIÈME

(1) III, 314.
(2) **Diarii**, t. II, col. 749.
(3) Ed. des **Mém.**, II, LXX.
(4) Cf. notre ch. 2.
(5) III, 147.
(6) II, 58.
(7) II, 283.
(8) III, 197-198. De même, comme notre auteur, il était hostile à l'indépendance de Pise, à tel point qu'il fut menacé par la faction adverse : « Aussi en y eut qui disrent grosses parolles au mareschal de Gié » (III, 147). Le « pro-pisan » Ligny était orléaniste.
(9) III, 231, 233.
(10) III, 241 : « ...nous retournasmes, ledit mareschal, seigneur de Piennes, president Gannay, seigneur de Morvilliers, vidame de Chartres et moy, en l'ost des ennemys, et conclusismes une paix, croyant bien par les signes que nous voyons qu'elle ne tiendroit point... ».
(11) II, 245.
(12) III, 155-156.
(13) Charles VIII
(14) III, 162 : « Le mareschal de Gié pressoit le roy de se haster, qui estoit a XXX milles de nous; et mismes trois jours a le joindre ».
(15) **Ibidem.**
(16) III, 163.
(17) III, 165. A noter que Commynes précise qu'il tient ses renseignements de Gié lui-même : « comme il me dist lors ».
(18) III, 166 : « Estant l'avangarde monté la montaigne, pour atteindre ceulx qu'ilz veoient aux champs, qui estoient assez loing, n'estoient point sans soucy. Toutesfoiz Dieu, qui tousjours vouloit sauver la compaignee, osta encores le sens aux ennemys. Et fut interrogé nostre Almant par le conte de Gaiasse [...]. Demanda encores du nombre de noz

gens, car il congnoissoit tout myeulx que nous mesmes, car il avoit esté des nostres toute la saison. L'Almant fit la compaignee forte, et dist trois cens hommes d'armes et quinze cens Suysses. Et ledit conte luy respondit qu'il mentoit... et fut envoyé prisonnier au pavillon du marquis de Mante ; et parlerent entre eulx de assaillir ledit mareschal. Et creut ledit marquis le nombre que avoit dit l'Alment... ».

(19) III, 167.

(20) III, 176, 179.

(21) Que les Italiens qui attaquèrent l'arrière-garde où se trouvait Commynes.

(22) III, 185. En outre, Caiazzo ne fut pas appuyé, comme il était prévu, par Annibale di Bentivoglio, « homme jeune qui jamais n'avoit riens veu (et avoient aussi bon besoing de chiefz que nous) » (III, 179). Nous avons donc là une double critique de Gié.

(23) III, 185 : « Quinze ou vingt en prindrent la les Almans par les brides, qu'ilz tuerent ; le reste fouyt mal chassé, car le mareschal mettoit grant peyne a tenir sa compaignee ensemble... ».

(24) III, 185.

(25) III, 188.

(26) **Ibidem.**

(27) II, 275.

(28) III, 198 : « Les nostres firent doubte de leur costé, qui aussi estimoient leurs personnes, et me dirent que je y allasse, sans me dire que je y avoys affaire ne a dire ». « **Les nostres** » : G. Briçonnet, Gié et Piennes.

(29) III, 158.

(30) III, 159, 219, 220.

(31) III, 225.

(32) III, 236-241.

(33) III, 276-277.

(34) III, 156 ; 206.

(35) De Maulde, **Pierre de Rohan, duc de Nemours,** dit **le maréchal de Gié,** p. 49.

(36) **Ibidem,** p. 52.

(37) Rahlenbeck, **op. cit.**, pp. 218 et 240.

(38) Ed. Dupont, III, 158 (24 février 1501).

(39) **Ibidem,** 160.

(40) **Ibidem :** « ...ouquel procez lesdictes parties ont procedé tellement que sentence a esté donnee ou proffict dudict

de Commynes, par laquelle ledict messire Charles a esté condamné envers ledict de Commynes en la somme de deux mil livres tournois et es despens du procez ».

(41) Ed. Dupont, I, p. CXXIX ; Kervyn, **op. cit.,** II, 257-8 ; Fierville, **op. cit.,** p. 108.

(42) Ed. Dupont, I, pp. CXXIX-CXXX ; Fierville, **op. cit.,** pp. 110-113; Kervyn, **op. cit.,** II, 258.

(43) Fierville, **op. cit.,** pp. 106-107.

(44) **Ibidem,** 113-114.

(45) **Ibidem,** 73.

(46) **Ibidem,** 74.

(47) **Ibidem,** 117-120.

(48) **Ibidem.**

(49) **Ibidem,** 119.

(50) **Ibidem,** 117-118 ; éd. Dupont, I, CXXIII, n. 1 ; éd. Mandroit, II, LXX. Pour l'issue de ce procès qui se termina après la mort de Commynes par l'échec complet de ses héritiers, consulter Fierville.

(51) Sources : Benoist, **op. cit.** ; Kervyn, II, 255-256 ; 269-273.

(52) Kervyn, II, 255. Sur son affaire avec P. Lorino, voir L. Sozzi, **art. cit.,** p. 254, n. 2.

(53) Kervyn, II, 255-256.

(54) **Ibidem,** 256.

(55) **Ibidem,** 269.

(56) **Ibidem,** 271.

(57) Qui appartenait à une famille hostile aux Médicis ; cf. **Mémoires,** III, 52 : « ...Pierre de Medicis... vivoit comme s'il eust esté seigneur ; dont estoient de ses plus proches parens et beaucoup d'autres gens de bien, comme **tous ces Cappons,** ceulx de Sodoriny, ceulx de Nerly et presque toute la cité, envieux ». Voir le comportement de Pietro Capponi, ambassadeur de Pierre auprès de Charles VIII : « ...soubz main advertissoit ce que on devoit faire pour tourner la cité de Florence contre ledit Pierre ; et faisoit sa charge plus aigre qu'elle n'estoit... » (III, 43). Cf. **La Destruction des mythes...,** ch. 1, p. 38.

(58) Kervyn, II, 271.

(59) **Ibidem,** 272.

(60) **Ibidem,** 271-272: « J'ay ung serviteur a Florence, a la poursuicte de ce que me debvoit feu Pierre de Medicis ».

(61) **Ibidem,** 272.

(62) **Ibidem** : « J'ay esté informé que pour l'euvre presante les choses estoient assez disposees pour me faire la raison... ».

(63) **Ibidem** : « ...je vous supplie, autant qu'il m'est possible, et de vouloir avoir memoire des services passés et que telles poursuictes ne se font point sans grant despance, et me commander vos bons plaisirs pour l'acomplir a mon povoir ».

(64) II, 246-247.

(65) Cf. contrat de mariage du 13.8.1504 : « ...de laquelle somme a esté deduit en premier lieu la somme de trois mille cinq cens escus, que lesdits Seigneur & Dame d'Argenton ont baillez et payez paravant ces heures : sçavoir est, deux mille escuz a la Dame de Raye & son fils, pour retirer d'eux la Terre & Seigneurie de Rye, ausquels Dame de Raye & son fils ladite Terre de Rye avoit par Arrest de la Cour de Parlement esté adjugee : laquelle Terre & Seigneurie de Rye demeure partant audit Monseigneur le Comte... & lesdits mille cinq cens escus que ledit Seigneur d'Argenton a aussi paravant ces presentes baillez a mondit Sieur le Comte, pour l'acquest qu'il a faict de luy de la tierce partie de la Seigneurie de Mortaigne, sous condition de remeré qui encore dure... & aussi a esté deduit a mondit Seigneur d'Argenton la somme de mille escus, que ledit Seigneur d'Argenton a promis & promet bailler & payer pour & au nom de mondit Seigneur le Comte, a Monseigneur de Bougemont, fils de Monseigneur de Pienes, pour l'amortissement de cent livres de rente en quoy mondit Seigneur le Comte est tenu a mondit Seigneur de Bougemont, a cause de Dame Blanche de Brosse son ayeulle maternelle... ».

(66) A lire dans l'éd. Dupont, III, 161-171. C'est un document intéressant pour connaître les habitudes du temps, et aussi le caractère de notre mémorialiste.

(67) Parmi les très nombreuses clauses du contrat, il était stipulé que le second ou le troisième fils, issu du mariage, hériterait, d'une part, d'Argenton, de la Motte et des dépendances, d'autre part, du tiers de la seigneurie de Mortagne, « pour honorer et accroistre ladicte seigneurie d'Argenton ». Commynes, toujours poussé par son goût de la puissance, n'avait pas renoncé à étendre son fief, fût-ce pour son petit-fils.

(68) **Ibidem.**

(69) De Maulde, **Pierre de Rohan**, p. 111.

(70) 17.7.1505. Cf. éd. Dupont, III, 172; Kervyn, II, 262-263.

(71) Est-ce le maréchal de Rieux comme le prétend Kervyn (II, 262) ?

(72) III, 220, 240.

(73) Kervyn, II, 263 : « Il m'a conté, madame, comme monsieur du Puy ly parla de moy a Lyon, et que, sy je en eusse escript a monsieur du Puy, qu'il m'eust fait bonne response ».

(74) Cf. encore : « ...et est bien en vostre puissance d'en faire bonne yssue, et, sy propos ne change, veut me mestre en lieu ou je pourroys faire service, mais, sans ce que vous y aidissez et que l'eussez agreable, il ne s'y vouldroit point employer. Par quoy tout est remis a vostre venue, et croy que jusques la retourneré sens moy ».

(75) **Ibidem** : « ...et combien que me soye trouvé longue espace avecque le roy, ou il y avoit poy de gens, et qu'il parloit a moy, n'ay en riens voulu parler de mes affaires, et croy que pour ce coup n'en parleré point ».

(76) **Ibidem** : « Madame, madame d'Angoulesme et monsieur son fils sont icy pour ces choses de Savoye, comme je croy, car il en est venu des gens ».

(77) Kervyn, II, 264-266. Ed. Dupont, III, 175-179.

(78) Kervyn, II, 264-265 : « Il y a environ quatre jours, madame, que je demandé a monseigneur le leguat s'il ne valloit pas myeulz que je m'en allasse en attendant vostre venue, puisque mon fait estoit remis la et se qu'il lui sembloit que je devois dire au roy a mon partement, et me dist que je attendisse jusques sur le partement du roy et que ne dist sinon que le merciais de ce qu'il lui avoit pleu que vinse icy et que pour ceste heure ne lui voullois faire requeste de aultre chose, et que s'il luy plesoit m'emploier en aucune chose en son service, que de millieur ceur que jamais je m'y emploirois, et puis que a vostre venue il vous en parlera et s'y emploira de toute sa puissance ».

(79) C'est la femme de Jean de Polignac dont il est question dans les **Mémoires**, III, 153.

(80) Qui se méfie de Commynes ? Est-ce le roi, comme le soutient Kervyn (II, 264), ou plutôt G. d'Amboise qui redoute qu'il ne lui nuise dans l'esprit de la reine ?

(81) Kervyn, II, 265 : « Je entens bien a son parler, qu'il faut bien qu'il s'ayde de quelqu' un, et croy qu'il seroit plus

content de moy que d'autre, sy defience ne l'en guarde, mais qu'il vous plaise l'ayder ».

(82) **Ibidem** : « Madame d'Angoulesme, madame, a porté fort bonnes parolles, disant qu'il me vouldroit ceans, avec ung bon et gros appoinctement, pour ce qu'il est grand faute de gens ».

(83) **Ibidem** : « Sine d'amytié il me monstre et de privees paroles assez, et m'a parlé ennuyt de faire venir monsieur du Puy, et ung autre foys le m'avoit dit, et dit que ledit du Puy est bien de mes amis ». Dans ces trois citations, il nous semble que le pronom **il** désigne G. d'Amboise plutôt que Louis XII.

(84) **Ibidem** : « Je vous supplie, madame, qu'il vous plaise m'escripre une bonne lettre, que je lui puisse monstrer ou faire monstrer sy j'estois party d'ycy ».

(85) **Ibidem** : « Le roy, madame, fut ung poy mal disposé puis poy de jours, et vis monseigneur le leguat en peur ; mais l'endemain, il n'y parut. Il me semble, madame, que ferez bien d'abregier vostre veage ».

(86) Kervyn, II. 265-166. « On dit, je ne sé s'il est vray, que ledit amiral egrit fort contre se conté de Flandre. S'il y avoit brouillis et guerre, son amyrauté en vaudroit XX mille francs par an davantage ».

(87) Dans les lettres de nomination, il est question des services que Commynes a rendus à Louis XII, « consecutivement depuis nostre advenement a la couronne ».

(88) Kervyn, II, 269, n. 2.

(89) Pour plus de détails, voir Mandrot, éd. des **Mém.,** II, LXXV-LXXVII. Pour ce qui est du portrait physique de Commynes, on peut retenir ce qu'en ont dit, d'abord Sleidan : « Il estoit beau personnage et de haute stature »; ensuite, Dupuis (**op. cit.,** p. 83) : « Comines était bien l'homme du Nord, grand de taille, large des épaules, au visage peu mobile, au regard calme et profond, aux traits épais mais vigoureux, au tempérament robuste » ; enfin, Mandrot (II, LXXVI) : « L'ovale du visage est un peu alourdi par les années, bien qu'il soit encadré encore d'une épaisse chevelure noire, mais les traits en sont remarquablement fins. L'œil vif et intelligent s'ouvre largement sous une arcade sourcilière bien dessinée. Le nez, court, très légèrement busqué, surmonte une bouche d'une petitesse surprenante ». Pour juger personnellement de l'exactitude de ces portraits, nous disposons : a) de la

statue conservée au Louvre ; b) du portrait du musée d'Arras, reproduit, par exemple, par Delaborde dans son **Expédition de Charles VIII en Italie,** ou par R. Chantelauze, dans son édition des **Mémoires** (p. III) ; c) des miniatures des manuscrits Dobrée et Polignac (frontispice); d) à la rigueur, de différentes copies et imitations que nous donne Dupuis à la suite de ses notes sur Commynes. Cf. sur ce point, Kervyn, II, 281-282.

TABLE DES MATIÈRES

ACHEVÉ D'IMPRIMER SUR
LES PRESSES DE L'IMPRIMERIE
BOURSON, A COMPIÈGNE
LE 30 AVRIL 1969
POUR LA SOCIÉTÉ D'ÉDITION
D'ENSEIGNEMENT SUPÉRIEUR
A PARIS

N° d'éditeur : 497

Dépôt légal : 2e trimestre 1969